D1108044

L'INVENTAIRE
DU PATRIMOINE CULINAIRE
DE LA FRANCE

PAYS DE LA LOIRE

L'INVENTAIRE
DU PATRIMOINE CULINAIRE
DE LA FRANCE

PAYS DE LA LOIRE

PRODUITS DU TERROIR
ET RECETTES TRADITIONNELLES

Préface
d'Olivier Guichard

ALBIN MICHEL
CONSEIL NATIONAL DES ARTS CULINAIRES

L'INVENTAIRE DU PATRIMOINE CULINAIRE DE LA FRANCE

Collection publiée sous la direction de
Claude Lebey

© Éditions Albin Michel S.A., 1993
22, rue Huyghens, 75014 Paris

Pour les fiches produits
© Conseil National des Arts Culinaires, 1993

ISBN 2-226-06523-7

SOMMAIRE

Préface, par O. GUICHARD
Le Conseil National des Arts Culinaires, par A. LAZAREFF
L'inventaire, par A. SENDERENS et A. WEILL
Les vins de la région Pays de Loire, par F. RONCIN

LES PRODUITS
par L. BÉRARD, J. FROC, M. et Ph. HYMAN, Ph. MARCHENAY

La géographie agricole des Pays de la Loire
La Méthode
Lexique général
Aromates et Condiments, Boissons et
Spiritueux, Boulangerie-Viennoiserie-
Confiserie-Pâtisserie, Charcuterie, Farines et Semoules,
Fruits et Légumes, Produits laitiers, Produits de la pêche,
Viandes, Volailles

LES RECETTES TRADITIONNELLES
recueillies par C. VENCE

LES RECETTES RÉGIONALES
réinventées par J. DRAPEAU et P. PAUVERT

Guide des adresses
Bibliographie générale
Table des produits
Table des recettes traditionnelles et régionales
Remerciements

P R É F A C E

par Olivier Guichard

Président du Conseil régional des Pays de la Loire

D ans le mot «patrimoine», il y a cette notion capitale d'héritage : le patrimoine est ce bien commun que nous avons hérité de nos aïeux.

Les Pays de la Loire ont reçu en héritage un patrimoine considérable, qui fait leur renommée : qu'il s'agisse d'architecture, de littérature... ou tout simplement d'art de vivre, l'Histoire a laissé partout sa trace.

Région diverse — dans son nom même —, malgré un essor industriel récent, elle a conservé une riche tradition culinaire. Deuxième région agricole de France, elle exporte des produits de qualité dans le monde entier. Cet inventaire en témoigne : les Ligériens n'ont pas pour autant renoncé à leurs racines. Tous les produits, savamment décrits, sont encore vivants. Ils nous invitent à un voyage gastronomique où les apports de l'Océan, du «grand large», se mêlent à la poésie des terroirs.

Pays vert et pays bleu, la région des Pays de la Loire est avant tout la région du bien vivre. La tradition viticole n'y est bien sûr pas étrangère, non plus que le savoir-faire accumulé par l'industrie agro-alimentaire. Pailles d'or à la framboise, Petits Lu, Choco BN ravivent dans notre mémoire des souvenirs comparables à la fameuse madeleine de Proust...

Nietzsche écrivait, dans *Ecce Homo* : «Il est une question qui m'intéresse tout autrement, et dont le "salut de l'humanité" dépend beaucoup plus que de n'importe quelle ancienne subtilité de théologien : c'est la question de régime alimentaire.» À l'heure où les diététiciens mettent en exergue l'importance, pour l'organisme humain, de la variété de ce régime alimentaire, nul doute que la diversité vivante du patrimoine culinaire des Pays de la Loire constitue un acte de foi dans l'avenir, face à la menace grandissante de la «civilisation du fast-food»!

LE CONSEIL NATIONAL DES ARTS CULINAIRES

par Alexandre Lazareff

L e Conseil National des Arts Culinaires est une institution jeune (créée en 1990), légère et typiquement française, à la charnière des pouvoirs publics, des professionnels et des mécènes privés. Ce Conseil National, présidé par Alain Senderens, est composé des représentants de cinq ministres (Culture, Agriculture, Éducation Nationale, Tourisme et Santé), de grands cuisiniers, de chefs d'entreprise et de personnalités qualifiées.

Le Conseil National des Arts Culinaires a pour mission de définir et de lancer une politique du goût et du patrimoine culinaire.

L'inventaire du patrimoine culinaire, qui fait l'objet du présent ouvrage, illustre cette démarche. Il s'agit en effet d'une action interministérielle lancée par l'Agriculture et la Culture, relayée par le Conseil régional qui l'a pilotée, et soutenue par l'ensemble des professionnels de la région. Il s'agit également d'un programme à long terme qui touche progressivement l'ensemble des régions françaises et qui, au-delà de ce recensement, débouche sur la valorisation et la relance de ces produits souvent oubliés.

Le Conseil National des Arts Culinaires a également lancé un programme d'éveil sensoriel dans les écoles élémentaires. À l'heure de la banalisation du goût, cette méthode pédagogique de dix séances d'une heure et demie chacune, élaborée par Jacques Puisais, a été largement diffusée. Pour la première fois en 1993, plus de 20 000 élèves ont reçu cet enseignement et près d'une centaine d'instituteurs ont été formés pour pouvoir servir de relais et garantir la pérennité de ce programme.

Dans le même esprit, un programme de promotion de la qualité des produits auprès de la restauration est en cours de réalisation. Des actions ont également été entreprises pour sensibiliser nos partenaires européens à la défense du patrimoine culinaire et pour éviter de nouvelles offensives contre, par exemple, le fromage ou le lait cru. Le Conseil National des Arts Culinaires se préoccupe également de restauration collective en lançant une étude approfondie sur la restauration universitaire. D'une manière générale, le Conseil National des Arts Culinaires, auxiliaire des services publics, réalise toute politique qui lui est confiée par ses ministères de tutelle, dans son domaine de compétence.

L'INVENTAIRE

par Alain Senderens
Président du CNAC

et Alain Weill
Président de la Commission de l'inventaire du CNAC

A près le Nord - Pas-de-Calais et l'Ile-de-France, voici la région Pays de la Loire. C'est un honneur et un bonheur de présenter le troisième tome de l'inventaire du patrimoine culinaire, une œuvre monumentale et de longue haleine que le Conseil National des Arts Culinaires a eu la fierté de piloter, à la demande des ministres de la Culture et de l'Agriculture.

L'enjeu est d'importance. À l'heure de la banalisation du goût, il était temps d'empêcher la disparition progressive de ces produits du terroir qui sont autant de traces de notre passé. Il s'agissait d'affirmer avec force que le patrimoine culinaire est également un patrimoine culturel.

Cet inventaire raisonné et exhaustif de nos produits régionaux doit conserver la mémoire de chacune des régions couvertes. Pour connaître et faire connaître ces produits, pour comprendre et témoigner et pour préserver l'avenir, il est indispensable de conserver un paysage équilibré du goût, de maintenir la diversité et la richesse de ces productions pour les générations futures.

Pas moins d'un an a été nécessaire pour explorer cette région. Nos enquêteurs se sont adressés aux érudits locaux et aux sommités nationales, aux associations vouées à la mémoire de ces produits et aux organisations qui regroupent leurs producteurs. Ils ont rencontré chacun des artisans concernés et ont vérifié et contrevérifié l'ensemble de ces informations.

Le résultat est à la mesure de notre ambition. C'est toute une région qui se livre à nous avec cette centaine de produits de mer et de terre, de La Loire et du bocage qui compose son paysage gourmand si riche et si varié.

Après, l'inventaire du patrimoine culinaire va se poursuivre au rythme attendu d'un minimum de deux régions par an en fonction des demandes et en collaboration avec les régions intéressées. Dès à présent, les régions Bourgogne, Franche-Comté et Poitou-Charentes se sont portées volontaires.

Cette quête du patrimoine culinaire est indissociable de la redécouverte du goût et c'est pourquoi le même Conseil National des Arts Culinaires a également mis en place un ambitieux programme d'éveil au goût dans les écoles élémentaires selon la méthode de Jacques Puisais. Grâce à ces effets convergents, nous espérons réveiller la mémoire de ces produits et les transmettre aux générations à venir.

LES VINS DE LA RÉGION DES PAYS DE LA LOIRE

par François Roncin
de l'Institut national des appellations d'origine d'Angers

La viticulture en Pays de Loire est en grande majorité reconnue en Appellation d'origine contrôlée (AOC). On peut y distinguer deux entités principales :
— Le vignoble de Nantes, avec les AOC de vins blancs de Muscadet ;
— les AOVDQS gros plant et Coteaux d'Ancenis.

Le vignoble de l'Anjou, aux terroirs diversifiés, est à la base de grands vins blancs liquoreux (AOC coteaux-du-layon, bonnezeaux, quarts-de-chaume...), de vins blancs secs (savennières, saumur), de vins rosés et rouges (anjou-village, saumur-champigny) et effervescents (saumur, crémant-de-loire).

A ces importants vignobles représentant plus de sept pour cent du vignoble français à Appellation d'origine, il convient d'ajouter :
— Le vignoble des Fiefs vendéens, réparti en quatre terroirs au sud de la Vendée : Brem, Mareuil, Vix et Pissotte, classés en AOVDQS ;
— Le vignoble des coteaux du Loir, au sud de la Sarthe, avec l'AOC Jasnières en vin blanc.

Ces vignobles font partie de l'ensemble plus vaste des vins du Val de Loire, regroupant aussi les vins de la Touraine, de Sancerre et de Pouilly. Vignobles de l'extrême nord-ouest de l'Europe, ils jalonnent les sites superbes de la Loire majestueuse. Ornement du «Jardin de la France» où séjournèrent nos rois, ils ont une longue et prestigieuse histoire, et présentent en commun une fraîcheur et une délicatesse d'arômes, en reflet de la lumière du fleuve qui les a vus naître.

1. Facteurs historiques et humains de leur qualité

Bien avant la conquête romaine, la Loire a été une des voies de navigation privilégiées pour acheminer l'étain de Cornouaille sur le Bassin méditerranéen. Le vin y était donc connu, boisson aristocratique venant de Méditerranée. Les premiers indices de la culture de la vigne en Val de

Loire datent du IIe siècle et dès le Ve siècle des écrits abondent pour attester de la prospérité de la viticulture en basse Loire (Sidoine Apollinaire pour Angers, Grégoire de Tours pour le vignoble Nantais...). Avec l'importance du mouvement monastique, du VIe siècle au Xe siècle, va se développer une viticulture de grande qualité, à vocation religieuse et élitiste. C'est à cette période qu'ont été découverts les grands terroirs en Val de Loire, ainsi que les cépages spécifiques à cette région (Pineau d'Aunis ou Chenin Noir, Pineau de Loire ou Chenin, «Breton» ou Cabernet Franc...)

A partir du XIe siècle, la puissance féodale s'affirme et le vin devient source de prestige puis du revenu pour les ducs de Bretagne et les comtes d'Anjou. Il ne reste pas de trace du vignoble des ducs de Bretagne, mais leur cour étant à Nantes, il est probable qu'il fut implanté autour du lac de Grand-Lieu et sur les coteaux de Sèvre et Maine, là où se conserva après les ravages des guerres de Cent Ans et de Succession de Bretagne le souvenir d'un vin parfumé rappelant la noblesse des vins jadis venus de Méditerranée, le «muscadet».

Avec la puissance d'Henri II Plantagenêt, comte d'Anjou, duc de Normandie, d'Aquitaine et roi d'Angleterre, le vignoble d'Anjou devait asseoir de façon durable sa réputation. L'Angleterre reste encore de nos jours le premier client à l'exportation de ce vignoble. C'était à l'époque essentiellement un vin blanc liquoreux, qui rivalisait avec les célèbres vins de Muscadet que les templiers faisaient venir de Chypre. Le roi Philippe Auguste, vainqueur des Plantagenêt et nouveau maître de l'Anjou, fit établir le premier «classement mondial» des vins par des experts, ecclesiastiques anglais. Si le vin de Chypre remporta l'épreuve, ceux d'Anjou sont cités à égalité parmi les trois suivants, avec les vins d'Orléans et de Bourgogne.

En partie épargnée par les troubles de la guerre de Cent Ans, la viticulture angevine atteint sans doute son apogée sous le règne du roi René, duc d'Anjou, de Lorraine et de Provence, dont les Angevins aiment à rappeler la préférence pour les vins d'Anjou «parmi tous ceux de ses royaumes». Vers 1460, les livres de comptes du roi René permettent d'estimer la production taxée en Anjou à un niveau voisin de la production actuelle. Si les meilleurs vins partaient vers Nantes pour aller en Angleterre et les républiques hanséatiques, la croissance de la consommation populaire développa un vin plus léger et rosé (la chanson populaire du Tourdiou du XVIe siècle atteste de la popularité d'alors des vins d'Anjou et d'Arbois).

Mais après les périodes de viticultures monastique et seigneuriale, cette nouvelle période de viticulture commerciale sera funeste pour les Pays de Loire :

— Pour le vignoble de Nantes, le développement de l'activité maritime favorise une production de masse pour élaborer des eaux-de-vie embarquées ;

— Pour l'Anjou, les guerres de religions et leurs conséquences ruinent la bourgeoisie commerçante. Le maintien jusqu'en 1789 des douanes entre la Bretagne et l'Anjou renforce considérablement l'exportation des vins d'Anjou vers Nantes et l'Angleterre. Cette contrainte a cependant une conséquence heureuse pour la qualité : rendus chers à cause des taxes douanières, les vins d'Anjou demeurent de grande qualité pour justifier leur prix. Au cours du XVIIIe siècle, avec l'activité du négoce des Hollandais établis en basse Loire va se développer la pratique du vinage des vins (mutage à l'eau-de-vie des vins en cours de fermentation). Fort heureusement cette pratique ne perdurera pas et ne subsistera, en façade Atlantique, qu'en région de Porto et avec le Pineau des Charentes.

Les Hollandais introduisirent une autre technique autrement intéressante, celle de la maîtrise de l'hygiène vinaire par l'emploi des mèches soufrées. C'est donc à partir de la moitié du XVIIIe siècle que vont pouvoir se généraliser les techniques d'élevage des vins que nous connaissons aujourd'hui, et qui vont permettre de conserver les vins et de les mettre en bouteille. Le « vin rouge » tel que connu de nos jours et l'art de mettre les vins blancs liquoreux à vieillir en bouteille n'ont été rendus possible qu'à partir de cette période. Après la chute de l'Ancien Régime et la fin des guerres du Premier Empire, la viticulture de qualité en Pays de Loire peut reprendre son essor sur la base des acquis historiques :

— En vignoble nantais, le muscadet va affirmer sa suprématie, avec un cépage introduit de Bourgogne au milieu du XVIIe siècle ;

— En Anjou, les vins liquoreux à base de « chenin » se sont développés à l'égal des meilleurs, et les vins rouges et rosés de « breton » se sont imposés. Le cépage historique de Pineau d'Aunis a mal résisté après le désastre du phylloxéra, seul de nos jours le vignoble des Coteaux du Loir le conserve en majorité. En Anjou, le cépage grolleau l'a supplanté.

Il ne faut pas oublier l'importance du vin mousseux de Saumur, très favorisé dès le XIXe siècle par l'importance des caves creusées dans le tuffeau.

Enfin, à partir de la renaissance en AOC après 1935, la délimitation des terroirs a progressivement restructuré le vignoble vers les meilleurs « crus », semblables à ceux découverts à l'origine de la grande notoriété de la viticulture de Loire.

2. Facteurs naturels de la qualité

Le climat

De part et d'autre de son cours est-ouest, la Loire a permis aux vallées transversales de ses affluents de se développer avec des lignes de reliefs nord-sud en coteaux abrités des vents humides d'ouest. Ces zones accidentées, mais d'altitude basse et bien orientées pour recevoir le soleil, définissent des secteurs mésoclimatiques privilégiés pour la culture de la vigne.

Ces secteurs se caractérisent en particulier par un bon ensoleillement et une faible pluviosité. On peut rencontrer dans les coteaux du Layon et la région de Brissac les secteurs les plus secs de la France non méditerranéenne, avec moins de 500 millimètres de pluie en moyenne annuelle. Cette caractéristique climatique est, en particulier, à l'origine des vins liquoreux d'Anjou récoltés par tris successifs avec pourriture noble, comme pour les vins de Sauternes en Aquitaine.

Géologie

Le contexte géologique est exceptionnel. Les coteaux et vallées transversales à la Loire se sont développés à l'occasion d'accidents géologiques, mettant en relief des substrats géologiques rares et diversifiés, à l'origine d'une grande richesse de crus. Citons en Pays nantais les gneiss à Amphibolite et les gabbros du Pallet, à l'origine de la réputation des vins de Sèvre et Maine. En Anjou, la richesse géologique est unique en France, les vignobles des coteaux se répartissent sur au moins une dizaine de filons de roches rares au milieu des schistes du Brioverien, des carbonifères et de la série de Saint-Georges. En contraste avec cette richesse du massif ancien armoricain, la craie tuffeau du Saumurois est surplombée par la craie à glauconie à l'origine de la qualité rare des vins de Saumur-Champigny. A l'image de cette diversité, on rencontre dans les vins des Fiefs vendéens sur ses quatre ilots viticoles toute la diversité des sols du Saumurois, de l'Anjou et du vignoble nantais.

La palette des vins des Pays de Loire est donc très riche de par les possibilités ouvertes aux vignerons qui ont su rester attentifs aux fécondes nuances qu'offre le milieu naturel en basse Loire, aux confins des univers géologiques du Bassin parisien et du Massif armoricain.

3. Les principaux vins de la région Anjou et Saumur

APPELLATIONS	CÉPAGES	PRODUCTION MOYENNE (Hl) de 1983 à 1991	SURFACES (Ha) 1990
Anjou et Saumur AOC			
Rosé d'Anjou	Cabernet Franc, Cabernet-Sauvignon Gamay, Grolleau, Côt	157 229	1 961
Cabernet d'Anjou	Cabernet Franc et/ou Cabernet-Sauvignon	122 876	1 918
Cabernet de Saumur	Cabernet Franc et/ou Cabernet-Sauvignon	2 616	35
Anjou rouge	Cabernet Franc et Cabernet-Sauvignon	97 252	1 742
Anjou-Villages	Cabernet Franc et/ou Cabernet-Sauvignon	7 699	292
Anjou gamay	Gamay	19 258	346
Saumur rouge	Cabernet Franc et/ou Cabernet-Sauvignon	31 189	688
Saumur-Champigny	Cabernet Franc et/ou Cabernet-Sauvignon	50 974	1 075
Anjou blanc	Chenin blanc seul ou avec Chardonnay, Sauvignon	71 671	933
Saumur blanc	Chenin blanc seul ou avec Chardonnay, Sauvignon	31 218	509
Savenières	Chenin blanc	2 331	81
Anjou-Coteaux de la Loire	Chenin blanc	1 333	54
Bonnezeaux	Chenin blanc	1 713	74
Coteaux de l'Aubance	Chenin blanc	2 405	94
Coteaux du Layon	Chenin blanc	37 281	1 011
Coteaux du Layon communes	Chenin blanc	5 249	285
Coteaux du Layon Chaumes	Chenin blanc	1 861	78
Coteaux de Saumur	Chenin blanc	327	21
Quarts de Chaume	Chenin blanc	677	25
Saumur mousseux	Chenin blanc, Chardonnay, Cabernet-Sauvignon, Cabernet Franc, Grolleau, Gamay, Côt, Pinot noir, Pineau d'Aunis	82 131	1 349
Anjou mousseux	Chenin blanc, Cabernet Franc, Cabernet-Sauvignon	4 911	60
Rosé de la Loire	Cabernet Franc, Cabernet-Sauvignon, Pinot noir, Pineau d'Aunis, Gamay noir au jus blanc, Grolleau, Côt, Gamay, Grolleau, Pineau d'Aunis	28 821	701

Crémant de la Loire	Chardonnay, Sauvignon, Chenin, Cabernet Franc, Cabernet-Sauvignon, Pineau d'Aunis, Pinot Noir, Chardonnay, Grolleau noir, Grolleau gris	13 562	304
La Sarthe AOC			
Jasnières	Chenin	848	31
Coteaux du Loir	Gamay, Cabernet, Côt, Pineau d'Aunis	856	37
Région Nantaise AOC			
Muscadet	Melon	67 060	
Muscadet Coteaux de la Loire	Melon	23 275	
Muscadet Sèvre et Maine	Melon	528 458	
AOVDQS			
Gros Plant	La Folle Blanche	221 755	2 976
Coteaux d'Ancenis	Gamay	19 645	273
Vendée AOVDQS			
Fiefs vendéens (Pissotte, Mareuil, Brem, Vix)	Blanc : Chenin ; rouge et rosé : gamay, Pinot noir	19 775	3 5 5

4. Des goûts et des couleurs

Nous arrivons là au moment le plus agréable, celui de goûter le vin, de l'associer à un plat ou au casse-croûte de charcuterie, de déguster cette boisson avec des huîtres, voire des filets crus de sardines fraîches posés sur une tartine beurrée. S'agissant de résumer les principaux caractères de ces vins, nous prendrons le parti, comme ci-dessus, d'en faire une approche par bassin.

Les vins de la Sarthe et de Vendée

Le pineau d'Aunis, rouge, possède un bouquet de framboises et un goût poivré très marqué. Il est original et s'accorde parfaitement avec la volaille du Pays de la Sarthe.

Le blanc Jasnières, blond doré, sec et floral, s'accorde évidemment avec les coquillages et les poissons, mais il relève très bien les arômes des fromages de chèvre frais ou jeunes.

En Vendée, le rouge fruité de Mareuil accompagnera les viandes ; les blancs, frais, secs, au goût «pommé» chez le Brem, seront utilisés pour les poissons et les fruits de mer.

Les vins du Pays nantais

Le muscadet de Sèvre et Maine, jaune d'or pâle, bouqueté et souple, sur lie ou non, celui des coteaux de la Loire, plus corsé, dont les amateurs lui attribuent des arômes de «pierre à fusil» et le muscadet, plus pâle, très sec mais non acide, seront goûtés en apéritif, accompagnés d'huîtres, ou encore associés au délicieux brochet au beurre blanc.

Le gros plant, sec et vif, consommé frais, reste l'idéal sur les fruits de mer; quant au rouge et rosé coteaux-d'ancenis, servi frais il fonctionne bien avec les charcuteries, mais peut être aussi servi sur un poisson.

Les vins d'Anjou-Saumur

Les blancs secs et demi-secs, tels anjou et saumur, de goût fruité et sec, serviront aux coquillages mais aussi aux hors-d'œuvre. Le savennières, lui, sera dégusté pour lui-même. Son goût est équilibré, corsé et fruité, ses arômes sont floraux et sa robe est d'un beau doré verdâtre.

Les blancs liquoreux, des chefs-d'œuvre, sont tous de couleur or épais, profonds, longs en bouche, parfumés et fruités allant jusqu'au goût de miel avec amertume chez certains quarts-de-chaume. Tous de longue garde, ils seront bus frais, non glacés, pour leurs seules qualités, à l'apéritif ou dans la journée; ils accompagneront à merveille les fromages gras à pâte persillée, les viandes blanches, le foie gras ou encore un dessert aux amandes ou à la poire.

Les vins effervescents, qu'ils soient saumur d'origine, crémant de Loire ou anjou, restent frais en bouche, le perlé doit être fin et le bouquet délicat. Servis traditionnellement aux fêtes, ils peuvent aisément accompagner tout le repas.

Les vins rouges (et rosés) sont légers et fruités comme l'anjou gamay. Par contre, l'anjou-villages est ample et assez charpenté, avec un goût de fruits rouges. Avec les saumurs et saumurs-champignys, les goûts de violette, de fruits rouges, sont plus marqués. Il reste que le saumur-champigny frais à 8-10 degrés fait merveille sur un poisson.

Les enquêtes ont été réalisées par : Mlle E. Dutertre, MM. J.-F. Adam (charcutier), J.-Y. Blandin (Cifam, Nantes), Biteau (charcutier), Papinot, Rousse (CFA Le Mans), B. Thibault, F.-X. Trivière, F. Véronneau.

et les experts : MM. H. Chiron (INRA, Nantes), J.-F. Drilleau (INRA, Rennes), G. Grosclaude (INRA, Nantes), B. Laurioux (recherche historique).

LES **P**RODUITS

DU CONSEIL NATIONAL DES ARTS CULINAIRES

par Jean FROC (INRA)
Laurence BÉRARD et Philippe MARCHENAY (CNRS)
Mary et Philip HYMAN (Historiens)

LA REGION DES PAYS DE LA LOIRE

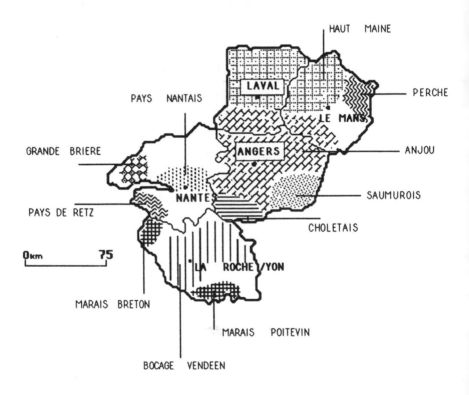

LA GÉOGRAPHIE AGRICOLE
DES PAYS DE LA LOIRE

Cette région est née d'un découpage administratif regroupant cinq départements, la Loire-Atlantique, le Maine-et-Loire, la Mayenne, la Sarthe et la Vendée. A l'énoncé, il est clair que la région est moins homogène que la Bretagne voisine ou la Normandie toute proche. C'est une région qui appartient au Massif armoricain ancien pour ses quatre-cinquièmes, celui-ci s'arrêtant quasiment à la Sarthe, partie occidentale du Bassin parisien. Au sud, le Massif armoricain englobe la Vendée jusqu'au Marais poitevin, début du Bassin aquitain. Les sols de cette région sont donc dominés par les roches cristallines et métamorphiques, les zones est et extrémité sud étant sédimentaires. Les paysages sont divers et les bocages dominent. Le littoral au climat humide et tempéré et les zones de Marais proches de la côte (Brière, Marais poitevin et breton) apportent à cette région des particularismes qui contrastent avec l'ensemble. Quant à la Loire et à ses affluents, elle est le trait d'union de l'ensemble. Elle crée une ligne de partage entre le nord et le sud. Le sud se rapproche volontiers du Poitou via la Vendée, alors qu'au nord Sarthe et Mayenne constituent le haut et bas Maine, le centre, c'est l'Anjou couvrant le Maine-et-Loire et la zone limitrophe du Sud-Mayenne. Compte tenu de cette diversité géographique, à laquelle il faut ajouter les événements historiques nombreux qui ont été sources de division, la région est plurielle et les produits agricoles et alimentaires mis en place sont nécessairement divers, sans qu'un lien direct entre tous puisse être fait.

La région des Pays de la Loire est une région agricole. Au XIXᵉ siècle la création de nombreux fours à chaux en zones calcaire a facilité le chaulage des terres, améliorant ainsi leurs qualités. Conjointement, l'utilisation des déchets des raffineries de sucre installées à Nantes a joué le même rôle. Ajoutés aux modifications techniques diverses, ces amendements ont permis le développement des plantes fourragères, du gros bétail, la substitution au seigle du froment. Parallèlement, l'essor de la viticulture, un temps handicapée par le phylloxéra, fera place aux cultures fruitières et maraîchères. Au total, à la fin du siècle dernier, la surface moyenne des exploitations agricoles sera supérieure à la moyenne française. Dès les années 1960, la production agricole régionale devient la deuxième, en valeur, après la Bretagne. Très tôt donc, les départements ou « pays » non viticoles seront spécialisés dans l'élevage des bovins, puis de la volaille (canard, poulet, pintade). La région devient ainsi la première région d'abattage de ces animaux. Avec eux, ces produits entraînent la production de lait et beurre, l'appellation d'origine du beurre Poitou-Charentes étant, pour une part importante, produite en Vendée.

Dans les domaines légumier et fruitier, les régions nantaise, angevine, saumuroise et de nombreuses vallées où coulent les affluents de la Loire deviendront fortes et célèbres.

La côte Atlantique, de son côté, apporte la « mer à table ». Les coquillages, poissons, sel et salicorne sont nombreux et hérités de pratiques anciennes qui se retrouvent dans les industries et l'artisanat régionaux. Il en est de même pour les produits des eaux douces ou saumâtres, sandre, anguille, lamproie, mais aussi le célèbre brochet.

Mais les Pays de la Loire sont aussi une région où les villes et les ports, parmi lesquels Nantes, Angers, Le Mans... seront déterminants dans les activités de commerce, de transport maritime, de création d'industries agro-alimentaires, au point que plus du tiers des exportations de cette région est basé sur ces activités. Cet important secteur ne pourra que marquer fortement les productions régionales spécifiques. Ce sont les produits basés sur le blé et le sucre appartenant à la biscuiterie nantaise, à la chocolaterie et à la confiserie. De l'activité urbaine, y compris portuaire, naîtront les spiritueux (Guignolet) à base de fruits rouges locaux, de fruits importés comme l'orange (Cointreau) ou encore à base de café (Kamok). Des produits plus inattendus feront de Nantes un pôle à vocations nationale et européenne dans le domaine de l'amidon de manioc et de pomme de terre.

Nous n'oublierons pas cependant les traditions locales encore riches et qui offrent souvent des produits très originaux. A titre d'exemples, citons le lard nantais, la fressure vendéenne et la gogue en charcuterie, l'huile de noix à Saumur, les multiples gâteaux de Retz, de Saint-Guénolé, et autres spécialités, la brioche vendéenne et ses variantes, les pigeon, cidre et poiré de la Mayenne, la civelle de l'estuaire, le fromage du Curé et le crémet d'Anjou, beaucoup d'autres encore.

LES PRODUITS PAR DÉPARTEMENT

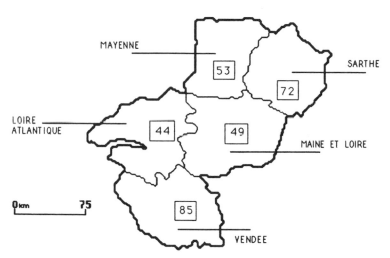

Loire-Atlantique

Eaux-de-vie de vins

Fouace nantaise
Tourton
Berlingot nantais
Françoise de Foix
Rigolette nantaise

Beurré nantais
Casse-croûte
Galette de Saint-Guénolé
Galette de Saint-Michel
Gâteau minute
Gâteau nantais
Goûter fourré
Paille d'Or
Petit beurre
Petit Mouzillon
Sablé de Retz

Perle Japon
Farine de blé noir
Semoule de millet
Tapioca

Carotte nantaise
Mâche nantaise
Poireau primeur

Alose
Anguille
Brochet, Sandre
Civelle
Coque du Croisic

Lamproie
Moule bouchot
Saumon de Loire

Beurre au sel marin
Crémet nantais
Fromage du curé

Gogue
Lard nantais
Saucisse au muscadet

Sel de Guérande

Maine-et-Loire

Cointreau
Guignolet
Liqueur de cassis d'Anjou
Menthe-Pastille

Fouée d'Anjou

Galette
    de Doué-la-Fontaine
Pâté aux prunes d'Angers
Quernon d'ardoise

Crémet d'Anjou

Asperge
Champignon de couche
Cornette d'Anjou
Oignon de Mazé
Doyenné du comice
Melon
Pomme tapée

Échalote grise
Huile de noix
Salicorne

Pâté de «casse»
Rillaud d'Anjou

Mayenne

Cidre
Eaux-de-vie de cidre
Poiré

Croquant de l'Anjou

Port-Salut
Trappe-de-Laval

Sarthe

Sablé de Sablé

Reinette du Mans

Bœuf à l'herbe du Maine
Chapon du Mans
Pigeonneau
Poulet fermier de Loué

Rillette

Vendée

Kamok

Brioche vendéenne
Échaudé
Gâche vendéenne
Préfou

Fion
Foutimasson
Merice de l'île d'Yeu
Pâté aux pruneaux
    de l'île d'Yeu
Semoule de millet

Mogette de Vendée
Pomme de terre
    de Noirmoutier

Salicorne
Sel de Noirmoutier

Huître de Vendée-
    Atlantique
Sardine à l'huile
Thon blanc germon

Canard fermier
    de Challans
Volailles de Challans

Fressure
Grillon vendéen
Jambon de Vendée

Beurre AOC
Beurre salé au sel marin
Caillebotte

L A   M É T H O D E

L e premier objectif de l'inventaire est culturel. Il consiste à fixer la mémoire des savoir-faire traditionnels et spécifiques existant dans les régions et les terroirs, de réaliser un «état des lieux» et de le communiquer au grand public.

Le deuxième objectif est économique. Il doit permettre de mieux connaître le patrimoine alimentaire de la région étudiée et d'y associer des actions spécifiques permettant la relance de productions restées trop méconnues.

1. Contenu des termes «agricole», «alimentaire» et «traditionnel»

Agricole est pris ici dans son sens le plus large, incluant les productions végétales et animales, y compris les pêches maritimes et continentales. Selon la force des usages régionaux, les activités de cueillette (récolte de champignons) et de chasse seront prises en compte quand elles font appel à des techniques particulières. Enfin, les produits minéraux entrant dans l'alimentation humaine sont retenus ; c'est le cas du sel de mer et des sels de carrière à usages spéciaux (teneur particulière en magnésie, en chlorure).

Alimentaire concerne à la fois les produits d'origines agricole (viande et volaille, fruits et légumes, etc.), artisanale (boulangerie, pâtisserie, confiserie, charcuterie...), industrielle (boissons, alcools, produits laitiers). Les productions domestiques (au sens large, incluant la restauration) n'entrent pas dans la logique de l'inventaire ; elles ne seront donc pas recensées.

Tradition s'entend dans son sens étymologique, c'est-à-dire impliquant une transmission de savoir-faire et d'usage sur une longue période. Cette tradition propre à un groupe, à une collectivité, est l'expression d'une culture. Elle est partagée, et, par conséquent, les créations ou «spécialités» individuelles, qui ne découlent pas de pratiques et de savoirs locaux, ne seront pas prises en compte.

2. Critères de sélection des produits

Une «grille» a été établie afin d'aider à la sélection des produits régionaux traditionnels. Elle repose sur les critères suivants :

Commercialisation : le produit est l'objet d'échanges et par là, il existe. Les niveaux de production sont notés, mais non discriminants, ils peuvent aller de quelques kilos à plusieurs tonnes.

Histoire : puisque le produit est traditionnel, la notion de temps est évidente et forte. La dimension historique du produit est corrélative à sa pérennité et à sa renommée. L'attention portée à sa datation ou à sa profondeur historique permettra de faire le tri entre le produit découlant d'une politique de marketing d'une firme, produit à référence ou à consonance ancienne, et le produit issu de l'histoire du groupe social qui l'a fait naître.

Local : le produit est né dans un «pays», une ville, il est lié à un lieu. Bien que la zone d'usage et/ou de fabrication puisse recouvrir plusieurs régions, il sera attribué, dans la plupart des cas, à sa région (administrative) d'origine. Lorsqu'un produit est dénommé par un éponyme (cas de nombreux produits AOC), ce nom éponymique a pour correspondance géographique un lieu précis. Le produit sera attribué à la région l'incluant. Le calvados est un alcool de Normandie, même si la réglementation prévoit sa production dans une zone beaucoup plus large, de même pour les comté, chavignol et autres camembert. Certaines anciennes provinces sont aujourd'hui situées sur plusieurs régions administratives. Dans ce cas, les produits qui en sont issus apparaîtront dans les inventaires de ces différentes régions. C'est le cas par exemple des volailles de Bresse. Enfin, un produit générique, issu de techniques communes mais bénéficiant d'une renommée locale, pourra être retenu dans les différentes régions de production à condition de posséder des caractères locaux. C'est le cas du cidre, qui n'est pas fait avec les mêmes variétés de pommes en Thiérache, en Pays d'Auge ou en Bretagne. Enfin, pour bien marquer la liaison entre le local et la dénomination, la moutarde de Dijon sera attribuée à la Bourgogne seule. Si un produit est fabriqué, de nos jours, en totalité, dans une autre région et reste commercialisé dans sa zone originelle, il sera retenu quand sa notoriété reste forte.

Notoriété : la notoriété ou renommée d'un produit est liée à son aire de rayonnement, qui peut être limitée — la farine de Millet — ou au contraire très étendue, comme pour le Véritable petit beurre. Dans tous les cas, la notoriété existe.

Pérennité : l'action d'une technique sur la matière conduit à la mise en place de produits caractéristiques différents. Il est donc important de vérifier si les techniques de fabrication et/ou de production restent pérennes, dans des limites d'évolution technique à apprécier. Un produit fabriqué dans deux filières, la première traditionnelle et artisanale, l'autre industrielle, sera décrit sur le premier mode. Toutefois, si les éléments historiques montrent que ledit produit est d'origine industrielle, c'est cette voie qui sera choisie.

Savoir-faire : celui-ci est directement lié à la région concernée et prend en compte les facteurs humains et naturels. Le produit devra être l'objet d'un savoir-faire « local » appliqué sur un maillon, au minimum, de la chaîne opératoire. A défaut, il doit exister une survivance du savoir-faire originel. C'est ce maillon qui constitue un savoir spécifique et qui caractérise la dimension régionale de ce produit. C'est le cas de l'affinage d'un produit et non de sa fabrication, du traitement d'une matière première et non de sa production, etc. Ainsi les matières initiales peuvent être tout à fait exotiques (café, chocolat, houblon, banane...) et conduire à un produit fini spécifique de la région, en relation, par exemple, avec la création d'un port, d'une usine de trituration...

En complément, le produit pourra être mis en commerce à l'état brut (légume ou fruit), après une première transformation (cerneaux de noix), après élaboration complète (cidre, fromage), etc., mais il n'est pas le résultat d'une recette de cuisine. Par ailleurs, le produit qui aura changé de nature dans le temps (une confiserie devenant une pâtisserie) ne sera pas retenu, même si son nom est intégralement respecté.

Un produit doit en principe répondre, pour être retenu, à l'ensemble de ces critères. Toutefois, ils pourront être aménagés, lorsque par exemple un produit de grande renommée, sur le point de disparaître, n'est plus commercialisé.

En résumé : le produit est commercialisé, il est lié à l'histoire locale, dans sa fabrication, dans son usage, il est « stabilisé » sur le plan technique et dans sa dénomination.

LEXIQUE

Acon
Petite embarcation rectangulaire pour se déplacer dans les bouchots, notamment lors de la récolte des moules à la demi-lune.

Baronnet
Découpe de pigeonneaux (cuisse et filet).

Billons
Plantage des semences en deux rangs.

Bosselle
Nasse traditionnelle à entonnoir, de taille variable, en osier, en grillage ou en plastique.

Bouchot
Alignement de 50 à 100 mètres de pieux plantés sur l'estran pour l'élevage des moules.

Buttage
Procédé technique consistant à pratiquer une butte de terre afin de protéger l'asperge de la lumière dans sa phase de croissance.

Cahouènes
Buttes sableuses générées par l'action du courant et des dépôts d'algues.

Captage
Première étape de l'élevage des huîtres, qui consiste à fixer des larves d'huîtres sur des capteurs en bois ou métal.

Chaffourner
Se dit du temps changeant, qui tourne à l'orage.

Claire
Bassin d'élevage huîtrier. Plongées dans ce bassin, les huîtres sont affinées, ce qui leur confère l'appellation Fine de claire.

Côme
Vivier qui constitue la partie centrale des plates de Grand-Lieu.

Compostage
Préparation du substrat dont le champignon de couche va se nourrir, obtenu en décomposant les matières végétales (fumier de cheval, paille) par fermentations successives.

Corps de meule
Ce qui reste du compost après que la récolte des champignons de couche a été effectuée.

Crapaudine
Découpe de pigeonneaux (entiers décarcassés).

Demi-lune
Instrument à manche terminé par une poche de grillage fixée sur une lame en demi-lune pour gratter les moules de bouchot sur les pieux lors de la récolte.

Détronquage
Terme employé en matière d'élevage des huîtres, qui consiste à séparer entre eux huîtres ou coquillages.

Dornic
Unité de mesure en degré (°D) de l'acidité lactique du lait ou du lactosérum.

Emprésurage
Ajout de présure dans le lait pour le coaguler.

Enouler
En Anjou, opération de tri manuel des cerneaux de noix de la coque.

Etier
Canal qui amène l'eau de mer dans les marais salants.

Filer
Mouiller des filets de pêche.

Flot
Courant d'estuaire de marée montante.

Fouine
Longue fourche à quatre doigts dentés, lancée dans les zones vaseuses pour capturer l'anguille. Elle est utilisée en Grande Brière Mottière (foène).

Franc
Fond marin sablo-vaseux, dépourvu d'obstacle pour un chalut de fond.

Gamate
Nom désignant, en Anjou, un récipient confectionné dans un fond de bidon et représentant une mesure nécessaire pour «faire une presse» d'huile de noix.

Goémon
Nom donné au Varech (algue brune) en Bretagne et Normandie.

Gobetage
Opération par laquelle les caisses de compost ensemencé en blanc de champignon sont recouvertes d'une mince couche de terre de 2 à 3 centimètres de tuffeau broyé et tourbe, mélangés et désinfectés.

Griffe
Plant de l'asperge appelé ainsi en raison de la configuration des racines.

Grille métallique
Ustensile de cuisine constitué de tiges métalliques parallèles ou d'une plaque de métal striée pour faire cuire à feu vif la viande, le poisson.

Jusant
Courant d'estuaire de marée descendante.

Lait cru
Lait non pasteurisé et non thermisé, entier ou écrémé.

Lardage
Encemencement du blanc de champignon (filaments de mycélium fixés sur des grains de céréales) dans le compost.

Limu
Dépôt d'algues vertes sur l'estran. Sur les parcs, le limu peut former un tapis préjudiciable à l'élevage des coques.

Marguin
Au lac de Grand-Lieu, le marguin est l'anguille dite sédentaire, de couleur jaune-vert.

Paillage
Couverture de sol réalisée principalement avec un film plastique permettant d'améliorer le rendement, la précocité de la récolte, de maintenir la structure du sol et d'empêcher le développement des mauvaises herbes.

Parquet
Unité d'un bâtiment d'élevage de pigeonneaux contenant de 25 à 35 couples chacun.

Passe-pieds
Intervalle entre deux planches (cf. Planche), large de soixante à soixante-dix centimètres.

Pâte molle
Fromage à égouttage naturel, sans ou avec faible pression artificielle (à croûte fleurie et lavée, à pâte persillée).

Pâte pressée
Fromage à égouttage forcé, croûté, avec cuisson (PPC) ou sans cuisson (PPNC) du caillé.

Pelisse
Sorte de manteau formé par un naissain de moule sur un pieu de bouchot ou sur une corde de captage.

Pimpeneau
Nom assez répandu qui désigne l'anguille d'avalaison. Se métamorphosant pour l'occasion, elle prend une couleur noire et argentée.

Planche
Dans la technique culturale de l'échalote, bande de terre légèrement bombée sur laquelle on pratique un paillage plastique (cf. Paillage).

Poumailler
Pour les marins pêcheurs sablais, tirer sur un filet.

Primeur
Ce dit généralement à propos des fruits et légumes (pommes de terre, carottes...) commercialisés avant l'époque de maturité normale et provenant d'une culture forcée ou d'une région plus chaude.

Princer (coup de princer ou coup d'aubé)
Dans l'estuaire de la Loire, évoque le phénomène du soleil « se mirant dans l'eau » au moment de l'étale de soirée ou de matinée. Ce phénomène présage une bonne pêche : le poisson, en particulier l'alose, se décolle du fond sous l'effet des rayons, dit-on.

Radar
Masse de chaînes qui leste le chalut et racle le fond pour décoller le poisson.

Ramaille
A Grand-Lieu, un dispositif formant barrage pour guider le poisson vers les bosselles.

Rimer
En Vendée, s'emploie pour un aliment qui cuit trop longtemps, par exemple d'un féculent qui commence à caraméliser au fond du récipient.

Rigadeau
Appellation locale de la coque.

Relevage
Terme employé en matière d' élevage des huîtres, quand on retire les capteurs.

Robe
Aspects de l'écorce du melon.

Sas et branlette
Récipients dont le fond est une grille, que l'on secoue ou que l'on brasse pour séparer le sable des coques lors de la récolte à la pelle-fourche.

Talonnage
Coupe à 22 centimètres des asperges qui viennent d'être récoltées.

Toue
Grand bateau plat de Loire, en bois ou en fer.

Tourteau
Ce qui reste des cerneaux de noix, une fois l'huile extraite de la presse. Il est utilisé pour l'alimentation du bétail, ou alors comme appât pour la pêche, une fois décomposé en farine.

Tramail
Filet de pêche à trois toiles. Le poisson s'emmêle dans les nappes extérieures à larges mailles lorsqu'il tente de se dégager de la toile centrale au maillage serré.

Trémie
Distributeur de grains pour l'alimentation du pigeon en parquet (cf. Parquet).

Turion ou asperge
Tige non ramifiée de la plante qui constitue la partie comestible.

Virer
Rembarquer des filets de pêche.

Vouillée
Sorte de chalut de type Devisme utilisé sur la Loire.

Aromates
et
Condiments

Échalote

Huile de noix

Salicorne

Sel de mer

Deux grands types de produits sont originaires de cette région, on pourrait dire qu'il y a les produits « terriens » et les produits « marins », ces derniers appartenant au monde végétal — salicorne — et au monde minéral — sel.

Les produits marins proviennent, depuis une époque très reculée, des marais salants créés tout au long de la côte Atlantique, de Guérande à l'Île d'Oléron. Ces marais mis en place par le travail de l'homme dans les zones dépressionnaires, pénétrant très loin dans les terres, laissent entrer l'eau de mer à marée haute. Captée dans de grands espaces, celle-ci ne ressort, par gravité, qu'à travers un long et complexe itinéraire, pendant lequel elle décante et se concentre en sel. Arrivée au stade final du parcours, elle est orientée vers les œillets, « poche » de cristallisation du chlorure de calcium et de nombreux oligo-éléments constitutifs du sel marin.

Ce sel est une production agricole. C'est le circuit complexe en marais imposé à l'eau qui en fait un produit très pur, par opposition au sel de mine qui nécessite un raffinage. Le sel gros, broyé et séché de façons très spécifiques, de manière à ne pas détériorer ses qualités propres, donne le sel fin. L'un et l'autre sont utilisés pour la table, mais aussi pour les productions spécifiques régionales (charcuterie, beurrerie...).

La salicorne, plante herbacée qui vit sur les sols salés des marais, s'accommode de très hautes teneurs en sel. Elle ne craint pas l'immersion occasionnelle par la mer. D'une hauteur de 40 centimètres environ, elle durcit vite et prend un ton rouge en fin de saison. Espèce encore sauvage, elle n'est « domestiquée » que de façon indirecte ; c'est la présence des marais salants et de leur exploitation qui favorise sa pousse. Jadis récoltée pour en extraire, par incinération, la soude contenue, elle est aujourd'hui, consommée en légume frais (rarement) et en conserve au vinaigre, à l'instar des cornichons.

Les produits terriens sont issus de la partie opposée de la région. L'Anjou, pour des raisons climatiques et de qualité des sols, nous offre l'huile de noix et l'échalote. Alors que cette dernière est en plein développement au plan de la production, l'huile de noix est en régression. Cette culture n'étant plus de mise compte tenu des modifications profondes de l'agriculture, la noix locale ne peut suffire aux huileries, qui ont quasiment disparu.

ÉCHALOTE

BULBE
CONDIMENTAIRE

Production
Elle est cultivée principalement dans la vallée de l'Authion. Sur les 40 000 tonnes d'échalotes produites en France, près de 4 000 le sont en Maine-et-Loire. L'échalote connaît un récent mais important développement, étant passé de moins de 10 000 tonnes en 1970 à environ 40 000 tonnes actuellement. La récolte s'étale de la mi-juin à la mi-juillet. La disponibilité sur le marché est constante tout au long de l'année. Elle concerne 60 producteurs environ.

AUTRE APPELLATION : cuisse de poulet.

PARTICULARITÉ : cette échalote est la seule à donner des graines, même si elle est reproduite par bulbe.

Description

La variété cultivée est l'échalote type Jersey. Le bulbe est long, de couleur rose cuivré, les feuilles étant d'aspect glauque.

Historique

Décrite dans l'Antiquité par le naturaliste Pline l'Ancien, les échalotes sont largement cultivées au Moyen Age et les cris de Paris de Guillaume de Villeneuve présentent le vendeur d'« eschaloignes » comme une figure familière de la capitale au XIIIᵉ siècle. Cependant, on ne les utilisait pas alors comme aujourd'hui. Pour Olivier de Serres, qui vécut dans le Languedoc en 1600, « les eschalotes semblent estre une espèce d'aulx... leur teste est fort petite se divisant en menues dausses [gousses] ». Mais ce ne sont pas les « dausses » que l'on recherchait, car il continue : « C'est des feuilles qu'on tire la principale commodité des eschalotes, les mangeant crues en salades, et cuites en plusieurs viandes où elles sient très-bien, dont portent aussi le nom d'apétits. » Cela dit, les bulbes n'étaient pas totalement négligés. « Comme espinars, explique toujours cet auteur, est tondue l'herbe des eschalotes, pour l'usage : aussi se sert-on des racines, en l'appareil des viandes... » Au cours du XVIIᵉ siècle les « racines » des échalotes s'utilisent de plus en plus, comme en témoigne l'auteur du *Jardinier françois*, qui écrit en 1651 que « au mois d'Aoust vous retirerez de Terre ce que vous en voudrez », et qui recommande de les garder avec les aulx pour un usage ultérieur.

Du nord au sud de la France donc, de nombreux témoignages attestent de l'utilisation de l'échalote en cuisine, mais il faut attendre le début du XIXe siècle avant
qu'on ne parle de la culture en grand des échalotes
en Pays de Loire. En 1804, Cavoleau la localise en Vendée, précisément aux Conches, village côtier situé à
l'extrémité nord-ouest du Marais poitevin. Là, sur le
sable, on cultivait l'ail, l'échalote et les oignons, ainsi
que les haricots blancs et les choux-pommes. La production était particulièrement renommée et Cavoleau
vante en particulier les oignons, « très sucrés et qui se
conservent un an sans germer », expédiés vers l'île de
Ré, La Rochelle et même Bordeaux. Aujourd'hui la culture de l'échalote se concentre dans la vallée de
l'Authion, entre Angers et Saumur, où chaque année
elle progresse d'avantage. De ce fait, le Maine-et-Loire
est devenu le deuxième département producteur de ce
condiment, loin devant la Vendée qui ne se situe plus
qu'à la onzième place au niveau national.

Usages

L'échalote est un condiment utilisé cru en assaisonnement dans la vinaigrette, revenue ou cuite dans le court-
bouillon ou les sauces comme le beurre blanc. A
l'exception de la faible partie commercialisée en primeur en juin et juillet, la quasi-totalité de la production est vendue sèche.

Savoir-faire

Cette échalote longue, ou «cuisse de poulet», est
cultivée en Maine-et-Loire en raison de sa bonne
conservation en silo aéré. La plante est reproduite par
multiplication végétative, la semence est constituée de
bulbes issus de la récolte précédente. La plantation
manuelle de l'échalote s'échelonne de début mars à
la mi-avril. Le bulbe est enterré à demi sur plusieurs
rangs dans des bandes de terre appelées planches, légè-

rement bombées, sur lesquelles est déroulé un film plastique (paillage) qui permet de maintenir une bonne structure de sol en surface, contrarie le développement des mauvaises herbes et améliore le rendement. L'intervalle entre deux planches, large de 60 à 70 centimètres, appelé passe-pieds, permet les nombreuses interventions non mécanisées de la culture de l'échalote. La date de récolte dépend du stade de culture mais aussi des objectifs de commercialisation. L'arrachage manuel en vue de la commercialisation en demi-sec est réalisé vers la mi-juin alors que le feuillage est encore vert. L'arrachage des échalotes destinées à la vente tardive et à la conservation est effectué jusqu'à la deuxième quinzaine de juillet, lorsque les deux tiers des feuilles ont séché. Après quelques jours de séchage dans les champs afin de réduire le volume des fanes, les plantes sont dirigées vers les lieux de stockage. Les bulbes sont conservés en silo ventilé, de façon à pouvoir être écoulés sur le marché tout au long de l'année. Le rendement moyen est de l'ordre de 15 tonnes à l'hectare.

Huile de noix

HUILE VÉGÉTALE

Production
Quelques milliers de litres par an sont produits, essentiellement destinés au marché régional. Il y a deux producteurs en Maine-et-Loire. La forte demande de noix sur le

PARTICULARITÉ : elle est fabriquée à partir de cerneaux de noix séchés issus de la production régionale.

Description

Les fruits proviennent du noyer et l'amande, enlevée de la coque, est cassée en cerneaux (les deux parties hémisphériques de l'amande). Il existe plusieurs variétés à rendement en huile variable selon les conditions de climat et la qualité recherchée du bois.

marché intérieur (importation de 5 000 tonnes), la qualité du bois, très recherché en ébénisterie, ainsi que la concurrence des autres huiles alimentaires contribuèrent à la fermeture des huileries artisanales. La consommation d'huile de noix, assez marginale, connaît depuis une dizaine d'années un regain d'intérêt avec le développement du marché des produits biologiques. Alors que la récolte des noix s'effectue au mois d'octobre, il faut attendre le mois de février pour que commence la production de l'huile. Les noix pouvant être conservées, la production est ensuite répartie sur toute l'année en fonction de la demande.

Historique

Alors que l'ouest de la région, proche de la Bretagne, utilise traditionnellement le beurre, l'huile de noix a constitué pendant longtemps la graisse de cuisine la plus courante vers l'est, aux limites du Poitou ou de la Touraine.

A la fin du XVIIIᵉ siècle, l'*Almanach général des marchands* signale sa production à Saumur et la *Géographie de la France* de Couëdic rappelle que le territoire de Sablé, dans la Sarthe, « produit [...] des noix dont on fait de l'huile ». La Sarthe et surtout le Maine-et-Loire sont encore considérés comme des départements producteurs d'huile de noix par les dictionnaires de commerce parus dans le deuxième quart du XIXᵉ siècle. Beaufort-en-Vallée connaît alors un commerce « assez considérable » en huile de noix et Baugé abrite une vingtaine de fabriques. Millet, en 1856, note que les noyers sont surtout cultivés dans les arrondissements de Saumur et Baugé, et vante l'excellence d'une huile qui permet des exportations et dont la production totale est estimée à 2 000 tonnes.

Néanmoins, le compte rendu de l'exposition universelle de 1867 ne cite plus que la Sarthe comme département producteur de noix. Est-ce le signe du déclin que commencent alors à connaître les huileries du Maine-et-Loire ? Elles sont en effet condamnées par les coupes de noyers destinés à l'ébénisterie et la concurrence d'autres huiles alimentaires qui ont moins tendance à rancir. Malgré une reprise récente de la consommation d'huile de noix, il n'existe plus aujourd'hui que deux producteurs en Maine-et-Loire, et plus aucun département de la région ne figure parmi les principaux producteurs de noix.

Usages

En assaisonnement dans les salades. Elle est particulièrement recommandée pour les salades de gésiers et le fromage de chèvre chaud.

Savoir-faire

La production d'huile de noix était une activité agricole hivernale très répandue dans la région. Pour produire de l'huile de noix, il faut qu'elles soient suffisamment sèches afin de faciliter l'extraction. Si les noix sont désormais cassées à la machine, les cerneaux sont triés de la coque manuellement (dans la région, on dit « énouler » pour désigner cette opération). Seuls les cerneaux suffisamment charnus sont ensuite introduits dans « l'aplatisseur », qui réalise le broyage effectué autrefois à l'aide d'une meule en pierre. Les cerneaux broyés sont recueillis dans une « gamate », récipient confectionné dans un fond de bidon et représentant une mesure nécessaire pour « faire une presse » (de l'ordre de 30 kilogrammes de cerneaux). Puis ils sont portés à une température d'environ 50 degrés dans une « poêlette », chaudron chauffé en partie avec les coques de noix. Cette opération qui facilite l'extraction permet de donner son goût particulier à l'huile, qui est obtenue ensuite à l'aide d'une presse hydraulique. Le liquide ainsi extrait est ensuite mis à décanter pendant une semaine, puis filtré et stocké en fût avant l'embouteillage. Il faut environ 2 kilogrammes de cerneaux pour faire un litre d'huile. L'huile ainsi produite est dite « de première pression à froid » (tolérance jusqu'à 50 degrés dans le Cahier des charges). Elle peut être conditionnée sous une forme vierge ou alors être mélangée, en raison de son goût assez prononcé, avec une huile plus neutre, de type colza ou soja par exemple. Dans ce cas, elle est appelée « huile noitée ». Une fois l'huile extraite, le reste, le « tourteau », est utilisé pour l'alimentation du bétail, ou alors comme appât pour la pêche une fois décomposé en farine.

Salicorne

CONSERVE
CONDIMENTAIRE

Production
En juin dans la
zone des marais de
Guérande, quelques
producteurs, dont
une entreprise,
fabriquent environ
7 à 10 tonnes
(selon l'année),
vendues sous
marques.

PARTICULARITÉ : les salicornes sont des plantes de la famille des chénopodiacées, très communes des terrains salés, et en particulier des zones de marais côtiers. Elles sont marinées dans du vinaigre ou stérilisées.

Description

Elle constitue la sommité charnue et turgescente de la plante constituée de segments courts d'une longueur voisine du centimètre et de quelques millimètres de section. De couleur verte soutenue s'atténuant à la cuisson ou au cours de la macération, la texture doit rester le plus possible craquante, ce qui implique de limiter au strict nécessaire la pasteurisation ou la stérilisation. Les produits marinés sont composés de : salicorne, vinaigre de vin ou d'alcool, eau, sel, aromates, oignon, sel, graine de moutarde, piment... ; les produits stérilisés, de salicorne, eau, sel, éventuellement acidifiant léger.

Historique

La salicorne se trouve partout en Europe à l'état sauvage dans les marais. Dans un premier temps, elle était employée principalement comme source de soude. Son importance était réelle autrefois car, d'après Auguste Chevalier, « jusqu'à la fin du XVIIIe siècle, c'est exclusivement en incinérant certaines de ces plantes [riches en soude naturelle], vivant au bord de la mer que l'on fabriquait la soude nécessaire, notamment pour la préparation du verre et des savons ». Effectivement, en 1600, Olivier de Serres, par exemple, souligne l'utilité de cette plante, qu'il nomme *salicor*, dont « les gens d'esprit font profit » en verrerie.
Si l'utilisation « industrielle » de la salicorne est très ancienne, son emploi en tant qu'aliment est plus diffi-

cile à dater. Pour Chevalier, « sur presque tout le littoral français, et même en Lorraine, la Salicorne est employée depuis un temps immémorial, comme condiment, à la manière des pickles ». Mais autrefois — comme actuellement, d'ailleurs — la salicorne était très souvent confondue avec la criste-marine, ou perce-pierre, qui pousse sous les rochers au bord de la mer, et les recettes anciennes pour l'une s'appliquaient tout aussi bien à l'autre. Ainsi, on peut considérer la préparation de criste-marine « confite » que l'on trouve dans *Le Thresor de santé* en 1607 comme l'ancêtre de la salicorne au vinaigre commercialisée aujourd'hui. L'auteur de cet ouvrage explique que, après avoir séjourné dans un mélange de vinaigre et sel, cette plante devient « savoureuse » et qu'« on la mange crue ou cuite comme en salade ».

La confusion est complète, au XVIIIe siècle, entre criste-marine et salicorne si l'on en juge d'après un article du *Dictionnaire domestique portatif* de 1762, où il est clair que la « criste ou crête marine qui croît au bord des marais, & sur les bancs de terre que la marée couvre tous les jours » n'est autre que la salicorne. D'après l'auteur, « cette plante a un goût piquant & aromatique. Les paysans des environs la cueillent & la vendent pour servir aux salades d'hiver. Il faut la mettre dans un vinaigre foible, avec un peu de sel, auquel on ajoute du gros poivre, des cloux de girofle, quelques feuilles de laurier, & même un peu d'écorce de citron [...] le vinaigre blanc de la Rochelle est celui qui convient le mieux ».

A plusieurs reprises les scientifiques et les industriels ont essayé de promouvoir la salicorne en tant que légume. Chevalier raconte que, dans les années 1847-1857, une première campagne est entreprise par le Normand René Viaud pour qui la salicorne est « un excellent plat d'entrée ou d'entremets, exempt de saumure ou de vinaigre. Elle ressemble assez bien pour l'aspect et pour le goût au haricot vert... » En 1851, on annonce que la consommation des conserves de salicorne, principalement par la marine, « s'est élevée déjà en 1849 et 1850, à plus de 14 000 boîtes, et [qu']elle prend tous les jours une extension plus grande». Dix ans plus tard, «deux cents navires au long cours emportèrent dans leurs voyages 25 000 boîtes de conserves de salicorne». Mais brusquement, vers 1860, suite à un rapport qui contestait les bienfaits de cette plante pour les marins, la salicorne fut abandonnée par la Marine nationale et, selon Chevalier, «la plante fraîche qui avait pris un certain développement sur le littoral tomba aussi dans l'abandon».

Depuis, plusieurs tentatives pour relancer la salicorne ont été entreprises mais, encore de nos jours et malgré des progrès certains, elle reste méconnue du grand public, qui la confond fréquemment avec les algues, et ne sait trop que faire de ce légume si particulier dont l'alimentation et la cuisine des Français n'ont pas encore reconnu l'intérêt.

Usages

Condiment ou légume d'emploi très varié, notamment pour accompagner les viandes et charcuteries.

Savoir-faire

Une espèce annuelle et herbacée est seule consommable, dans la mesure où la cueillette se limite à la partie supérieure de la tige et n'intervient pas trop tard dans la saison (mois de juin). Il existe plusieurs variétés pouvant croître sur les talus ou en zone submersible, et dont les aptitudes et les qualités culinaires sont un peu différentes. Des tentatives de culture ont été faites mais sans beaucoup de succès jusqu'alors, la salicorne restant une plante de cueillette récoltée manuellement par des ramasseurs professionnels ou amateurs. On procède au triage et au lavage de la plante avant la mise en bocaux (les produits stérilisés devant être blanchis avant le conditionnement avec une eau neutre ou légèrement acidifiée).

Il y a jutage avec du vinaigre pur pour les marinades au vinaigre fort (vinaigre à 7 degrés), jutage avec du vinaigre dilué dans des proportions variables. Le jutage peut se faire à chaud avec retournement du récipient pour pasteuriser le couvercle. On peut également pratiquer une légère pasteurisation dont les caractéristiques de temps et de température sont variables et fonction de l'acidité du liquide de jutage, de la forme du récipient.

Dans le cas de produits stérilisés, les conditions de chauffage sont plus sévères que pour les produits pasteurisés, mais la richesse en sel du produit, le blanchiment à l'eau acidulée ou l'acidification légère de l'eau de jutage permettent de limiter l'intensité du chauffage et de limiter les effets sur la texture du produit. Des températures voisines et peu supérieures à 100 degrés sont généralement suffisantes. Les salicornes sont ensuite emballées en bocaux de verre de formats divers.

Sel de mer de Guérande et de Noirmoutier

SEL DES MARAIS DE L'ATLANTIQUE

PARTICULARITÉ : sel provenant de l'évaporation partielle de l'eau de mer dans les marais salants, sans raffinage ultérieur.

Production
Dans les salines de Guérande et de Noirmoutier. Il existe encore quelques exploitants sur l'île d'Yeu et dans la baie de Bourgneuf. Récolté de juin à septembre, quand le climat le permet (il y a de très fortes variations de

Description

Cristaux, de couleur dominante blanche à dominante rose, grise, verte ou jaune, selon la nature de l'argile tapissant le fond de « l'œillet », la technique de récolte et la durée du stockage. Tailles variables nécessitant un passage au crible pour obtenir un produit relativement homogène. Cristaux très humides et très friables, du fait de la forte hygroscopicité due principalement à sa richesse en sels de magnésium, et de la variété

production d'une année sur l'autre), la production totale dépasse les 11 000 tonnes par an. Il existe de nombreux paludiers, certains restant indépendants et trois grandes entreprises à Guérande, une à Noirmoutier qui regroupe 32 paludiers sur 37. Il existe un label rouge pour le sel fin calibré et, depuis peu, un label biologique.

des minéraux constitutifs du cristal (forte teneur en oligo-éléments).

Historique

L'exploitation des salines de l'Atlantique remonte au Néolithique, comme le montrent les installations de briques destinées à faire évaporer le sel que l'on a découvertes sur les côtes bretonnes et vendéennes. Certains érudits ont cru reconnaître dans la région guérandaise des installations de l'époque romaine aujourd'hui fossilisées et ont mis en relation la naissance des marais salants avec la vaste régression marine qui commence alors. Le sel continue à remonter la Loire à l'époque mérovingienne, probablement en provenance des marais côtiers proches de l'embouchure du fleuve, mais il faut attendre le IXe siècle pour avoir les premiers textes sûrs concernant leur exploitation. Entre 854 et 859, les moines de Saint-Sauveur de Redon reçoivent en effet en donation plusieurs salines dans la presqu'île guérandaise et sur l'île de Batz. Constitués de bassins — les œillets — et exploités par des paludiers, ces marais salants ne vont plus guère changer par la suite, et les noms celtiques qu'ils portent dans les chartes ont laissé penser que l'immigration bretonne du très haut Moyen Age aurait joué un grand rôle dans leur installation. Plus au sud, dans la baie de Bourgneuf, le rôle moteur est joué par l'abbaye Saint-Philibert-de-Noirmoutier, dont la prospérité sera fondée en grande partie sur le commerce du sel.

Mais le véritable développement des marais salants de la région intervient seulement aux XIVe et XVe siècles. A la recherche d'un fret de retour pour leurs navires de fort tonnage, les marchands de la Hanse trouvent dans le sel de la baie de Bourgneuf le produit idéal : disponible en grandes quantités, il est peu coûteux, grâce à une fiscalité très favorable qui fait payer la dîme au propriétaire ou au vendeur, tandis que l'acheteur n'acquitte que des droits de transport inversement proportionnels au volume transporté. Résultat, le sel gris de Bourgneuf, qui convient en outre à merveille pour conserver les harengs dont les Hanséates se sont fait une spécialité, remplace presque complètement les autres sels sur les marchés d'Europe du Nord ; le sel de la baie, *Baiensalz* ou encore *Bay Salt* car les Anglais s'y intéressent aussi, y est devenu le sel par excellence. Dès 1429, la baie exportait la moitié de sa production, et, cinquante ans plus tard, près de 20 % des navires entrés dans le port de Danzig en provenaient.

L'animation, inimaginable aujourd'hui, que connaissaient alors la petite ville de Bourgneuf et son avant-port du Collet se poursuivit au XVIe siècle grâce aux besoins en sel de la grande pêche à la morue dans les bancs de Terre-Neuve. Mais très vite s'amorce le déclin : concurrencés par les sels blancs du Portugal et menacés par l'envasement de la baie qui rend difficile l'approche des navires, les marais salants de la Baie sont de plus victimes de la volonté délibérée des rois de France de favoriser les salines hautement taxées par la gabelle comme celles des Charentes. L'auteur des *Aperçus statistiques sur le département de la Loire inférieure* a beau affirmer, en 1839, que « les marais salants de la Loire inférieure donnent les meilleurs produits de l'Europe », on préfère désormais, au sel de Bourgneuf, de Noirmoutier, de Bouin ou de Beauvoir, celui des marais situés plus au sud, aux Sables, à Talmont, Olonne ou Croix-de-Vie, très recherché, jusqu'à Bilbao et Saint-Sébastien, pour sa blancheur, notamment par l'industrie des salaisons. Les Sables-d'Olonne furent d'ailleurs aussi un port important pour la pêche à la morue jusqu'à la fin du XVIIIe siècle.

N'ayant pas connu la même gloire, les marais de Guérande n'ont pas subi le même déclin que ceux de la Baie. Exportant surtout vers l'Angleterre et la Bretagne, ils ont pu maintenir leur prospérité jusqu'à aujourd'hui. Au début du XIXe siècle, leur production représentait près de vingt fois celle des marais de la Baie, désormais bien déchus.

Usages

Dans l'alimentation humaine exclusivement, sauf pour les sels de mauvaise qualité. Orienté principalement vers la table, la salaisonnerie régionale, les industries beurrières.

Savoir-faire

1. Admission de l'eau aux fortes marées dans le système du marais. Progression lente de l'eau par gravité vers «l'œillet» où se formera le cristal de sel. Au cours de cette progression, décantation de l'eau de mer et concentration progressive.
2. Fabrication : dans l'œillet poursuite de la concentration saline sous l'effet du soleil et du vent jusqu'à saturation et cristallisation du chlorure de sodium. En particulier, emprisonnement dans le cristal d'une certaine quantité d'eau et de l'argile constituant le fond de l'œillet (couleur du sel). Une fine pellicule de cristaux se forme à la surface et constitue la fleur de sel récoltée séparément. Très blanc et odorant, ce sel est le plus recherché, mais il ne constitue qu'une minime partie de la production (guère plus de 2 %). La plus grande partie du sel se dépose sous forme de cristaux sur le fond de l'œillet et constitue le gros sel gris récolté par raclage délicat. Le sel est égoutté et séché, d'abord en tas à proximité immédiate du lieu de récolte, puis en salorge (grenier à sel).
3. Finition : les opérations de finition sont essentiellement des opérations de tri pour éliminer des lots qui pourraient être trop chargés en argile, et par là même trop gris, ou contenir des corps étrangers comme des plumes d'oiseau ou des petites mottes d'argile. Un criblage permet d'obtenir des lots de granulométrie régulière et un tri selon la couleur peut être pratiqué.
Le conditionnement, très divers, laisse généralement voir le sel dont la qualité commerciale tient à sa forme cristallisée et à sa couleur révélatrice du mode de production naturel.

Le gros sel est travaillé par séchage et broyage, dans l'usine de la Compagnie des Salins du Midi, à Batz-sur-Mer, pour la fabrication du sel fin. Cette opération est réalisée par l'envoi d'un air chaud pulsé sur le sel. Le contrôle est rigoureux, le sel ne devant pas libérer de chlore, ce qui le déprécie. Chez Bourdic, la technique choisie est celle du séchage par micro-ondes avec un balayage des vapeurs par air pulsé, ce qui ménage le caractère naturel du sel (température inférieure à 100 degrés).

BIBLIOGRAPHIE

Almanach général des marchands, Paris, 1774 (chapitre Saumur : huile de noix).

BOUHIER (C.), « Le commerce maritime du sel à Noirmoutier au XVᵉ siècle », in *Revue du bas Poitou et des provinces de l'Ouest*, janvier-février 1968 (pp. 57-69).

BRIAND DE VERZÉ, *Dictionnaire complet, géographique, statistique et commercial de la France*, Warin-Thierry, Paris, 1834, 2 vol. (tome 1, « Andard, Beaufort-en-Vallée » ; tome 2, « Maine-et-Loire, Vendée » : huile de noix).

BROHAN (A.), *Histoire des marais salants guérandais*, Nantes, 1937.

CHEVALIER (A.), « Les salicornes et leur emploi dans l'alimentation », in *Revue de botanique appliquée et d'agriculture coloniale*, bull. nº 16, 2ᵉ année, 1922.

CHEVALIER (M.), « L'Exposition universelle de 1867 à Paris », in *Rapports du Jury international*, tome 11, groupe VII, classes 67 à 73, P. Dupont, Paris, 1868 (p. 241 : huile de noix).

DUNOYER DE SEGONZAC (G.), *Les Chemins du sel*, Paris, 1991 (pp. 73-85).

HORVENO (C.), *Les Marais salants de la presqu'île guérandaise*, Paris, 1904.

LABBÉ (A.), « L'origine des marais salants du Croisic », in *Annales de l'institut océanographique*, Paris, 1927 (pp. 339-344).

BOISSONS
ET
SPIRITUEUX

CIDRE

COINTREAU

EAU-DE-VIE DE CIDRE

EAU-DE-VIE DES COTEAUX DE LA LOIRE

GUIGNOLET

KAMOK

LIQUEUR DE CASSIS D'ANJOU

MENTHE-PASTILLE

POIRÉ

On rencontre en Pays de la Loire trois types de boisson et spiritueux. Le premier type comporte les produits du bocage, de Mayenne et de Sarthe, à base de pommes et de poires. Là, la boisson de tous les jours est le cidre, plus rarement le poiré. Avec celles-ci, par distillation, on obtient des eaux-de-vie de cidre et de poiré, dont une partie de la zone de production peut relever de l'appellation Calvados. Cette distinction réglementaire devant tomber, nous avons fiché ces produits sous le nom d'eaux-de-vie. Il en est de même pour un produit apéritif, associant moût de pommes et eaux-de-vie de cidre, le Pommeau, autrefois dénommé « pineau », et que l'on rencontre encore en Mayenne. Seulement, le Pommeau sera, en 1994, exclusivement fabriqué en Normandie, il n'a donc pas été retenu dans cet inventaire.

Le deuxième type concerne une autre région de production et d'autres spécialités : celles à base de fruits rouges (cassis, cerises et guignes). C'est l'Anjou avec les Guignolet et Cassis, liqueurs digestives et médicamenteuses à l'origine, devenues liqueurs de salon au XIXe, pour entrer de nos jours dans un ensemble de préparations. Mais l'influence étrangère a marqué la région, notamment la présence des Anglais et de leur fameuse pastille à base de menthe poivrée. Giffard, à la fin du XIXe siècle, s'en inspirera pour créer la liqueur Menthe-Pastille, à base de cette menthe anglaise. De son côté, la maison Cointreau, liquoriste dès 1850, créera, à la fin de ce même siècle, son produit devenu célèbre. La base aromatique en est l'écorce d'orange d'Haïti. Sachant que le Grand Marnier est né aussi à cette époque, il semble qu'une mode certaine fut développée autour de ces liqueurs.

Du côté de la région nantaise, l'existence du vignoble proche et la qualité souvent médiocre des vins ont de longue date favorisé la distillation et la production d'alcool. Ce savoir en place a trouvé tout naturellement un prolongement dans l'élaboration d'eaux-de-vie de vins depuis un siècle, aujourd'hui réglementées. La maison Seguin fabrique une eau-de-vie des Coteaux de la Loire à partir de vins muscadet et gros plant.

Le troisième type de boisson, lui, enfin, est né sur la côte vendéenne, grâce aux Hollandais, venus au XVIIe siècle prêter main forte aux paludiers lors de la mise en place de nouveaux marais, mais aussi faire commerce de sel et de vin. Le café aurait touché les petits ports vendéen ; il en reste un produit original, le kamok, liqueur à base de café, créée par le fondateur de la Société Vrignaud, en 1860, à Luçon.

CIDRE

BOISSON FERMENTÉE
À BASE DE JUS
DE POMMES

Production

Les ateliers de transformation sont situés essentiellement dans les zones de production de fruits : Mayenne, moitié nord de la Sarthe, quart ouest du Maine-et-Loire et moitié nord de la Loire-Atlantique. La récolte de pommes et l'extraction des jus se déroulent pendant le dernier trimestre de l'année. Volume produit : environ 120 000 hectolitres par an dont 85 % sont le fait d'un industriel ; le reste concerne cinq artisans et une trentaine de fermiers.

AUTRE APPELLATION : cidre fermier, cidre traditionnel, cidre bouché.

PARTICULARITÉ : boisson fermentée à base de moûts de pommes à cidre de variétés locales telles que Bedan, Doux Normandie, Fréquin Rouge, Jamette, Tardive de la Sarthe, Tesnières. Ces variétés appartiennent essentiellement aux catégories douce, douce-amère, et amère. Elles sont peu à peu remplacées par des variétés recommandées.

Description

Le cidre se présente sous la forme d'un liquide effervescent d'une couleur jaune ambré dont le goût résulte d'un équilibre entre une saveur sucrée et une saveur amère. Les cidres du nord de la Loire-Atlantique sont plus jaunes, moins amers et plus acides que ceux du reste de la région. Le cidre est composé exclusivement de jus de pommes.

Historique

Connu dans le Pays d'Auge depuis le XIIIᵉ siècle au moins, le cidre se diffuse lentement dans les régions avoisinant la Normandie et la Bretagne. Parlant du Pays de Laval au commencement du XVᵉ siècle, A. Angot écrit que « le vin seul est mentionné comme boisson dans les comptes de l'Hôtel-Dieu ». Cependant, poursuit-il, « vingt-cinq ans plus tard... il est enfin question du cidre mais combien modestement », car les comptes précisent que cette boisson est destinée aux valets, chambrières et « ouvriers » plutôt qu'à leurs maîtres, qui consomment toujours du vin.

Au XVIᵉ siècle, les classes plus élevées de la société se convertissent enfin au cidre à la suite de plusieurs

années castrophiques pour la vigne. Elle fut abandonnée à de nombreux endroits et le cidre remplaça le vin,
même sur la table des seigneurs qui peu de temps avant
le méprisaient tant. C'est aussi à cette époque que
paraît le premier traité consacré au cidre, manifestant
le nouvel intérêt porté à cette boisson, dont on cher-
che désormais à améliorer la qualité.

Si le cidre s'impose dans le bas Maine dès le XVIe siècle, son extension est beaucoup plus lente dans le haut
Maine. En 1802, Auvray, dans sa *Statistique du département de la Sarthe*, note que c'est depuis seulement
quelques années qu'«on a commencé à planter des
arbres à cidre », toutefois « les cidres y acquièrent un
degré de bonté qui le dispute à ceux de la [...] Normandie ». Il est vrai qu'ici la vigne a longtemps résisté
et qu'en beaucoup d'endroits le cidre tiré du pressoir
subit la concurrence de boissons moins coûteuses,
comme le « petit cidre », obtenu en passant de l'eau
sur le marc de pommes et qui, dans la région d'Evron,
constitue à la fin du XVIIIe siècle la boisson du peuple.
Les cormes fournissent également une boisson « aussi
douce que saine ».

L'aire de production du cidre est très étendue au début
du XIXe siècle. Outre la Sarthe, 8e département français
pour la production du cidre, et la Mayenne, qui produit vers 1839 600 000 hectolitres de cidre et de poiré
(voir Poiré), il faut mentionner la partie septentrionale
de la Loire-Atlantique, dont la production totale est estimée à 130 000 hectolitres. Cela dit, le cidre est toujours considéré à cette époque comme boisson
« rustique » et, d'après Husson, en dehors de ses régions
de production en 1875 « la consommation du cidre a
peu d'importance à Paris ». Mais, poursuit-il, « quelques
personnes, qui ont pris en Normandie l'habitude de
cette boisson, en font servir sur leurs tables ». Les plus
grandes quantités sont selon lui consommées « soit
dans les cabarets » soit, tout simplement, « dans quelques petits ménages en quête d'une boisson économique... [étant] comme la petite bière, à la portée des
petites bourses ».

Au début de ce siècle, le cidre attire néanmoins l'attention des auteurs des guides gastronomiques et touristiques dont le guide UNA de 1931 qui invite ses lecteurs à en goûter dans de nombreuses localités des Pays de la Loire. Il signale des cidres reputés dans la Loire-Atlantique, à Abbaretz, Le Croisic, Guérande, Herbignac, Noizay, Pont-Château, Pornichet et Pouliguen ; dans la Sarthe, à La Flèche, Mamers, et Sommé-le-Guillaume ; dans la Mayenne à Ambières-le-Grand et à Pré-en-Pail et même dans le Maine-et-Loire, dans l'arrondissement de Segré où il est attesté dès le milieu du XIXe siècle.

Usages

Boisson traditionnelle dans les campagnes, mais également vendue en ville, tout d'abord au tonneau, maintenant en bouteilles. La transformation des pommes en cidre a donné lieu au développement d'un « artisanat » agricole et à quelques entreprises de dimension industrielle.

Savoir-faire

Les fruits, issus du verger haute tige mais de plus en plus de basse tige, sont récoltés du début octobre à la mi-novembre.

Après une conservation d'environ trois semaines, l'extraction des moûts à lieu. Après fragmentation du fruit au moyen d'une râpe, la pulpe obtenue est envoyée sur un pressoir. Le cuvage de la pulpe, c'est-à-dire la macération, préalable au pressurage, a pratiquement disparu.

Le moût est additionné de sels défécants qui sont destinés à assurer la régularité de la clarification préfermentaire. Dans le moût laissé sur lui-même pendant quelques jours, il y a formation d'un « chapeau brun » qui vient flotter à la surface. Le moût devenu limpide est séparé du chapeau brun par soutirage, puis envoyé dans des fûts de bois ou des cuves en matériaux plus modernes. La fermentation se déroule alors à une température moyenne de l'ordre de 10 à 12 degrés ; si la fermentation devient trop rapide, la levure en excès est éliminée par décantation, filtration ou centrifugation.

Pour réaliser l'effervescence du cidre dans la bouteille, il est procédé à une prise de mousse en bouteille ou à une imprégnation par du gaz carbonique exogène. La première méthode est utilisée principalement par les artisans ; dans ce cas, le cidre est soumis à une filtration légère ou à une filtration plus sévère suivie d'une addition de levures. Dans le cas de l'industrie, il est fait appel à une imprégnation de gaz carbonique suivie d'une stabilisation thermique. Le produit doit être parfaitement stabilisé pour supporter le transport et les délais de consommation importants. L'embouteillage est fait en « champenoise » de 70 centilitres, bouchée et cerclée.

Il n'existe qu'une réglementation générale qui définit la composition des produits donnant droit à la dénomination « cidre », accompagnée de « mentions » et de qualificatifs divers.

COINTREAU, LIQUEUR À 40 DEGRÉS

LIQUEUR
DE DISTILLATION

Production
Produite dans les ateliers angevins, la liqueur est fabriquée toute l'année. La production de 1992 a atteint 9 millions de litres. En

VARIANTE : Cointreau Gastronomie à 60 degrés.

PARTICULARITÉ : liqueur obtenue par macération et distillation d'écorces d'oranges douces et amères en présence d'alcool neutre surfin.

Description

Composée d'essences d'écorces d'orange amère (les bigarades) d'Haïti et d'oranges douces d'Espagne et du

constante augmentation, la production est exportée à 80 % dans le monde entier.

Brésil, d'alcool pur de betterave, de sucre liquide pur et d'eau distillée, la liqueur est onctueuse, parfaitement incolore, cristalline et brillante. Goût alcoolisé et sucré aux arômes d'oranges. Elle titre 40 % d'alcool en volume (60 % pour le Cointreau Gastronomie).

Historique

La maison Cointreau existe à Angers depuis le début du XIXe siècle. Adolphe Cointreau, alors confiseur, y vend des liqueurs qu'il prépare lui-même à partir des fruits d'Anjou, notamment le célèbre guignolet. Le succès de ses ventes le détermine en 1849 à fonder avec son frère Edouard-Jean, boulanger-pâtissier, la société Cointreau Frères qui installe en ville un atelier de fabrication artisanale. La société prend de plus en plus d'importance et, à la fin du siècle, elle emploie à elle seule 40 % de la production locale de cerises.

Le goût des consommateurs les portant de moins en moins vers les liqueurs sombres aux saveurs fondues, Louis Contreau, héritier de la société, met au point en 1875 une nouvelle spécialité à l'aspect cristallin et à base d'écorces d'orange amère et d'oranges douces macérées dans l'alcool puis distillées. Sans doute inspiré par le curaçao blanc de Hollande, le liquoriste angevin tirait ainsi habilement parti d'un produit exotique distribué depuis le port de Nantes dans tout le Val de Loire.

Ainsi naquit le Cointreau. La nouvelle liqueur rencontra un vif succès, notamment grâce à une habile publicité. L'affichiste Tamagno créa en 1898 le célèbre Pierrot muni d'un lorgnon et léchant avec gourmandise le goulot de la bouteille carrée, qui fit aussi beaucoup pour l'image de la boisson. La production, assurée aujourd'hui depuis 1972 à Saint-Barthélemy, est toujours importante et nécessite 1 500 à 2 000 tonnes d'écorces d'orange par an.

Usages

Consommé sur glace ou nature, le Cointreau entre aussi dans la composition de nombreux cocktails, desserts et mets. La variante Cointreau Gastronomie, plus forte en alcool, est réservée aux professionnels des métiers de bouche.

Savoir-faire

Bien que tenus secrets, les procédés de fabrication sont basés sur le séchage d'une partie des écorces alors que l'autre partie d'écorces fraîches est mise en macération dans de l'alcool pur (96 % d'éthanol en volume). Dans des proportions et durées « bien gardées », les matières (produits de macération, écorces des diverses oranges, eau distillée et alcool) sont mises en distillation. A la sortie, l'alcoolat est additionné de sucre liquide et d'eau pure pour la mise au dégré final. Après contrôle, la liqueur est embouteillée dans un flacon de verre ambré, de forme carrée aux coins arrondis, de 75 centilitres de contenance, cerclé d'un lacet rouge et cacheté. Cointreau est une marque déposée.

EAU-DE-VIE DE CIDRE

ALCOOL À 40 DEGRÉS ENVIRON

PARTICULARITÉ : cidre et poiré distillés.

Production
Cette eau-de-vie peut être élaborée dans la Mayenne, dans la Sarthe et dans le quart nord-ouest du Maine-et-Loire. Fin 1994,

Description

L'eau-de-vie se présente sous forme de liquide ambré résultant du vieillissement en fût, sa teneur en alcool est d'environ 40 % en volume. Les cidres et poirés utilisés sont issus de variétés locales (cf Cidre et Poiré). L'arôme particulier dépend des esters et alcools supé-

cette appellation réglementée devra disparaître, seule l'appellation Calvados produite dans le nord de la Mayenne et le nord-est de la Sarthe sera autorisée. La distillation a lieu après quatre mois de fermentation du cidre ou du poiré à partir du printemps et s'arrête au mois d'août. Il est produit 3 000 hectolitres d'alcool pur, pour une grosse entreprise et cinq artisans.

rieurs produits au cours de la fermentation, ainsi que des bois de chêne et de châtaignier utilisés pour les fûts.

Historique

Les dictionnaires commerciaux du début du XIXᵉ siècle signalent que plusieurs villes de la Sarthe — Le Mans, La Ferté-Bernard et Mamers — s'adonnaient au commerce des eaux-de-vie. Mais s'agissait-il bien de l'eau-de-vie de cidre ? Le vignoble sarthois, aujourd'hui fort réduit, s'étendait à l'époque aux localités de Château-du-Loir, Chahaignes, Marçon, Asnières, Courcillon, Sainte-Cécile, La Flotte, Champagné, Les Aiguebelles et Mareil, qui produisaient des vins blancs légers et médiocres dont la distillation devait souvent être le seul moyen d'en tirer un bénéfice commercial.

Par contre, dans l'ouest du Maine, sur le territoire actuel de la Mayenne, le vin s'était effacé dès le XVIᵉ siècle devant le cidre (voir Cidre), mais sa distillation en eau-de-vie reste, très longtemps, une affaire familiale. Ardouin-Dumazet, à la fin du siècle dernier, déplore même que « une grande plaie pour la Mayenne, [ce soit] le privilège des bouilleurs de cru. Il est peu de familles, surtout chez les paysans, où l'on ne transforme le cidre en eau-de-vie destinée à être consommée en grandes lampées par tous les membres de la famille ».

Au début du XXᵉ siècle, à la suite de la Première Guerre mondiale et de l'émigration normande et bretonne vers Paris, l'usage de l'eau-de-vie de cidre, désormais appelée calvados, se développa considérablement en France. Une série de décrets ministériels, de 1941 à 1963, a délimité avec précision les zones de production. Le nord de la Mayenne et de la Sarthe participe des appellations réglementées Calvados, tandis que la totalité de ces deux départements, ainsi que celui de la Loire-Atlantique, appartient à la zone des eaux-de-vie de cidre. Toutefois, ces dernières ne connaîtront pas la popularité de la première car leurs ventes chutent de 25 000 hectolitres vers 1950 à seulement 6 000 hectolitres vers 1972, alors que pendant cette même période celles du calvados ont triplé (de 11 000 à 35 000 hectolitres), dont la renommée est devenue internationale.

Usages

Boisson traditionnelle dans les campagnes, puis les villes. Utilisée de nos jours en alcool, cocktail, arôme de plats et desserts. Production soumise de nos jours au contrôle du Service des Douanes.

Savoir-faire

A la différence des cidres et des poirés destinés à la consommation, ceux distillés doivent subir un cuvage (macération) obligatoire d'une heure minimum. Après 6 semaines environ, la fermentation alcoolique terminée, les cidres sont conservés sur leurs lies. La distillation est faite en alambic, dit de premier jet, qui assure un degré alcoolique de 65 à 70 % en volume. L'eau-de-vie est alors mise en fûts. Le savoir-faire de l'éleveur est primordial et s'ajoute à la qualité des cidres et poirés. Celui-ci, par des brassages périodiques, des assemblages, atténue l'agressivité des eaux au sortir de l'alambic. Par addition d'eau, le degré d'alcool est abaissé à 40 % environ, à l'occasion de ces manipulations. Après le vieillissement, selon l'âge souhaité, l'eau-de-vie est mise en bouteille de verre teinté. Les stocks sont gérés sur des « comptes » par le Bureau des calvados et eaux-de-vie de cidre. Les appellations Eaux-de-vie de cidre (poiré) du Maine sont réglementées par décret du 10 avril 1963, elles tomberont fin 1994.

EAU-DE-VIE DE VIN DES COTEAUX DE LA LOIRE

EAU-DE-VIE
DE VIN

Production
La production qui suit celle des vins est réalisée à Machecoul avec les seuls vins des Coteaux de Loire du Pays nantais. A raison de 200 hectolitres d'alcool pur, le volume de production est stable et correspond à environ 6 000 caisses de douze bouteilles. L'Eau-de-vie de vin des Coteaux de la Loire est une appellation réglementée.

AUTRE APPELLATION : eau-de-vie de vin Fine Bretagne, 40 degrés.

PARTICULARITÉ : eau-de-vie vieillie issue de la distillation des vins gros plant et muscadet.

Description

De couleur jaune ambré, limpide, son nez est équilibré, entre vanille et bois, avec une tonalité florale et fruitée. En bouche, elle est charpentée et complexe, mariant fruité et boisé. La Fine Bretagne est exclusivement à base de distillats vieillis de vins AOC gros plant et muscadet, amenée au degré à l'aide d'eau pure.

Historique

A la fin du Moyen Age, les vins de la rive sud de la Loire, près de Nantes, étaient, tout comme ceux des Charentes, très recherchés par les commerçants du nord de l'Europe — Flamands puis Hollandais — qui appréciaient leur légèreté et pouvaient facilement accéder à des vignobles situés près de la mer. Mais l'extension de la navigation hollandaise au XVIIe siècle condamnait des vins qui vieillissaient mal et que les principaux clients, également motivés par le goût nouveau pour les alcools forts, incitaient à distiller. Au XVIIIe siècle, l'eau-de-vie produite dans la région nantaise primait encore, sous le nom de Nantz, toutes les autres eaux-de-vie sur les tables de Hollande et d'Angleterre. La production semble en avoir disparu au XIXe siècle et, en 1898, le voyageur Ardouin-Dumazet signale que «les Nantais rêvent de reprendre cette industrie».
Ce vœu était en passe d'être exaucé puisqu'en 1886 s'était installée dans la vieille bourgade viticole de

Machecoul, au sud du lac de Grand-Lieu, la distillerie Seguin. La ruine du vignoble charentais à la suite du phylloxéra avait en effet poussé les négociants à trouver de nouvelles sources d'approvisionnement. D'ailleurs les vignes de la région étaient pour la plupart plantées en folle blanche — ou gros plant —, c'est-à-dire le même cépage qu'en Cognaçais. Enfin Nantes, à 40 kilomètres de chemin de fer, constituait un débouché intéressant. Mais c'est surtout entre les deux guerres que la production d'eau-de-vie à partir des vins locaux — muscadet aussi bien que gros plant — allait être relancée et que, par un décret du 23 février 1942, les appellations Eaux-de-vie de vin originaire des Coteaux de la Loire et Eaux-de-vie de marc originaire des Coteaux de la Loire serait créées. En 1940, la distillerie Seguin est reprise par M. Hériard Dubreuil et, peu après, elle passe dans le groupe Rémy Martin. Ainsi, depuis près de trois quarts de siècle cette société produit une eau-de-vie de vin du Pays nantais.

Usages

Traditionnellement consommée en digestif, se sert aussi en apéritif mélangée à des jus de fruits, ou en grog et « eau chaude » en remplacement du rhum ou du calvados. Enfin, elle aromatise desserts et tartes.

Savoir-faire

Les vins gros plant et muscadet sont distillés chez le distillateur Pacaud à Saint-Philbert-de-Grand-Lieu. La chauffe est faite sur alambic de cuivre, en colonne, et l'eau-de-vie sort à 72° d'alcool. Expédiées chez la Société Seguin, les eaux sont mises en fûts de chêne neufs du Limousin, dits « bocaux », d'une contenance de 200 litres, qui restent en chais deux ans avant embouteillage en flacons de 70 cl, de verre satiné de couleur verte, de forme ronde légèrement évasée, dits carafes Seguin (forme déposée).

GUIGNOLET

Production
Fabriqué seulement dans la région d'Angers, il est mis en bouteille toute l'année mais la fabrication est fractionnée selon les marchés. En stagnation depuis quelques années, voire en régression, ce produit ayant une image un peu « vieillie » chez les consommateurs. Cointreau produit 40 000 litres et Giffard 100 000 litres par an. Marques déposées Guignolet d'Angers chez Giffard, et Royal Guignolet chez Cointreau.

PARTICULARITÉ : apéritif traditionnel sucré et alcoolisé issu de la macération de cerises, griottes et guignes de différentes provenances.

Description

Liquide rouge profond légèrement ambré. Goût de cerise prononcé, d'alcool et de sucre, nez fruité de fruits rouges mûrs, pruneaux. Composition : cerises, guignes et griottes, sucre cristallisé, alcool neutre à 96 degrés et eau pure.

Historique

C'est au XVIIe siècle que se répand en France l'usage du *ratafia*, liqueur composée de fruits macérés dans de l'eau-de-vie et additionnés de sucre, qui peut être aisément fabriquée à la maison. La recette la plus populaire est, au XVIIIe siècle celle du ratafia rouge, à base de cerises rouges, de cerises noires et sucrées ainsi que de guignes, petites cerises noires et aigres. C'est encore aujourd'hui à peu de choses près la composition du Guignolet d'Angers.
Cette boisson est réputée avoir été inventée au début du XVIIe siècle par les sœurs bénédictines de la Fidélité de Notre-Dame du Bon Conseil à Angers. Grâce à la vogue des ratafias et à la saveur caractéristique que lui donnaient les griottes, les cerises et surtout les guignes locales, le guignolet connut un réel succès. Après la dissolution des ordres religieux en 1791, la fabrication passa aux nombreux liquoristes locaux, notamment aux maisons Cointreau et Giffard. M. Giffard nous dit que c'est au XVIIIe siècle que l'essor du guignolet est pris. A cette époque, le Guignolet d'Angers est déjà exporté vers l'île Bourbon (la Réunion d'aujourd'hui) et aux Antilles, sources du sucre

utilisé. La fabrication devient alors l'affaire des confiseurs, avant d'être reprise, plus tard, par les distillateurs angevins au XIXe siècle. Les deux fabricants actuels produisent depuis la moitié du XIXe chez Cointreau et 1885 chez Giffard. Cette activité a pris une ampleur considérable. Millet, auteur d'une description statistique de Maine-et-Loire, note en 1856 que certaines communes comme Villévêque ou Plessis-Crammone effectuent un commerce important de cerises vers Angers. Malgré un fléchissement de la production de liqueur, les environs d'Angers, entre le Louet et la Loire, restent couverts de cerisiers à la fin du siècle. La quantité de cerises récoltée dans le département peut être alors évaluée à 500 tonnes par an. Il est vrai que les Anglais, grands amateurs de cerises aigres, venaient également s'approvisionner en Anjou, au point que, la production locale ne suffisant plus, les liquoristes angevins durent faire appel aux fruits de l'Angoumois et du Bordelais pour satisfaire à la demande de leur célèbre Guignolet.

Usages

Habituellement consommé frais en apéritif, il peut être pur ou associé à du gin, glacé et allongé d'eau gazeuse.

Savoir-faire

Les différents lots de cerises, guignes et griottes de provenances régionale (en diminution) et nationale (vallées de la Garonne et du Rhône) sont achetés en frais en juin. La cerise de base est aigre, c'est la griotte ou cerise de Montmorency, à laquelle est jointe une cerise plus foncée apportant la couleur rouge. Une part est traitée directement, le reste est conservé au froid ou congelé pour les besoins ultérieurs. Les fruits sont équeutés et une partie sont écrasés afin de permettre à l'alcool de pénétrer l'amande du noyau. L'extraction du jus des fruits est fait par macération en alcool pur durant un mois minimum, ou jusqu'à plusieurs mois. Un « jus » rouge est ainsi obtenu. Selon les besoins, la macération est faite à température plus élevée, c'est l'infusion. Dès l'obtention des macérats au degré moyen de 28 % en volume, ils sont filtrés et le guignolet est préparé par adjonction de sirop de sucre et mis au degré final, de 15 à 18 %, à l'eau pure. Il n'y a pas de vieillissement. La mise en bouteille suit en flacon traditionnel cylindrique d'1 litre chez Cointreau et Giffard.

KAMOK

LIQUEUR D'INFUSION
À BASE DE CAFÉ

Production
Fabriqué depuis l'origine à Luçon, en Vendée, toute l'année à raison de 20 000 litres environ par an. Consommation en stagnation. Le Kamok est une marque déposée.

PARTICULARITÉ : liqueur alcoolisée obtenue à partir d'un mélange de cafés Arabica torréfiés.

Description

Liquide de couleur marron-brun foncé, légèrement sirupeux, au goût marqué de café. Le Kamok est composé d'extraits d'Arabica, d'alcool neutre, de sucre cristallisé, d'eau pure osmosée et de quelques ingrédients, secrets de fabrication. La teneur en alcool est de 40 % en volume.

Historique

Au début du XIXe siècle, la production des liqueurs et spiritueux est presque inexistante en Vendée. Les viticulteurs n'ont guère suivi les recommandations des savants qui les incitaient à distiller les mauvais vins produits par le cépage « folle blanche », choisi surtout pour sa grande productivité. Mais vers 1860, Henri-Émile Vrignaud, petit-fils d'un négociant en spiritueux établi à Luçon, crée une liqueur originale. Appelée à l'origine Café Liqueur, le nom fut changé par la suite en Kamok — anagramme du mot moka qui désignait déjà le meilleur café.

Doit-on croire, comme l'affirment certains, que l'utilisation du café se justifiait par l'abondance de sa consommation en Vendée, sous l'influence des Hollandais venus participer au défrichement des marais méridionaux à partir du XVIe siècle, ou bien Vrignaud s'est-il inspiré d'autres liqueurs de café déjà existantes ? Quelle que soit la réponse, l'invention de Vrignaud connaîtra un vif succès, aussi bien en tant que digestif que comme parfum, savamment exploité par des pâtissiers habiles et entrant dans la fabrication de nombreuses confiseries.

Usages

Consommée en digestif, glacée ou mieux en mélange avec de la glace pilée, cette liqueur sert aussi à la confection de cocktails et à l'aromatisation de desserts et de glaces, mais aussi en grog flambé.

Savoir-faire

Les procédés de fabrication sont « jalousement » gardés par l'entreprise, toutefois les modalités d'élaboration sont décomposées de la façon suivante : réception des cafés Arabica torréfiés sur place séparément, puis écrasés en mouture moyenne avant d'être incorporés dans les différentes phases de la fabrication. La liqueur finale est mise à degré par adjonction d'eau et de sucre. Le vieillissement a lieu en tonneau de chêne neuf durant deux ans afin d'obtenir la meilleure qualité. La mise en bouteille est effectuée après filtrage, en flacons de 70 centilitres de forme carrée et de 35 centilitres de forme ronde.

LIQUEUR DE CASSIS D'ANJOU

LIQUEUR
DE MACÉRATION
À BASE DE BAIES
DE CASSIS

PARTICULARITÉ : macération de baies de cassis d'Anjou dans l'alcool neutre, avec addition de sirop de sucre et mise au degré alcoolique.

Description

Liquide légèrement sirupeux de couleur rouge foncé, composé exclusivement d'extraits de baies de cassis, d'alcool pur neutre à 96 %, de sirop de sucre (400 grammes par litre au minimum) et d'eau pure.

Historique

La liqueur de cassis est connue au XVIIIe siècle sous le nom de *ratafia de cassis*. Ce type de boisson de ménage, obtenue par macération de fruits rouges dans l'alcool additionné de sucre, est alors recommandé pour ses propriétés médicinales. Au début du XVIIIe siècle, Paul Contant, apothicaire à Poitiers, aurait mis le premier sur le marché un ratafia de cassis destiné à combattre l'hydropisie et les morsures de serpent. Cette boisson connaît une vogue immédiate et le ratafia de cassis passe toujours, au début du XIXe siècle, pour « la plus stomachique et la première des liqueurs ».

D'autres régions fabriquent aussi des ratafias de cassis et, vers 1885, c'est encore le cassis de Grenoble qui est le plus réputé. En Anjou, la fabrication industrielle de liqueur de cassis ne se développe qu'à la fin du XIXe quand, à la suite peut-être de la crise du phylloxéra, toute la vallée de la Loire à l'est d'Angers se couvre de plantations de cassissiers. A cette époque, les liquoristes ne furent pas les seuls à la recherche de ce fruit car, comme dira Ardouin-Dumazet dès 1894, « les Anglais [...] emploient pour leurs confitures d'immenses quantité de cassis verts, qu'ils font acheter à Angers ; les fruits sont emballés dans de petits paniers. Les

Production

Liqueur fabriquée dans le département de Maine-et-Loire, à partir des baies de cassis produites localement, de variétés Noir de Bourgogne (petit grain coloré parfumé noir) et Burgo, Andéga et des hybrides obtenus par la station INRA de Beaucouzé. Fabriquée toute l'année. Les cassis issus de la production locale (60 à 70 producteurs et 2 000 tonnes) sont traités par deux fabricants de liqueur. Les volumes de production (non communiqués) ont été multipliés par cinq depuis dix ans.

achats pour Londres se font avec tant d'ardeur que les liquoristes se sont vus menacés de ne plus avoir de fruits... »

En 1922, le Maine-et-Loire se classe au 6e rang des producteurs de cassis, loin derrière la Côte-d'Or. Mais, sous l'impulsion de quelques liquoristes de Maine-et-Loire, comme la maison Giffard, et sous l'égide de l'INRA, la production a été récemment revivifiée, et aujourd'hui l'Anjou est redevenu l'une des premières régions productrices de cassis en France.

Uages

Traditionnellement en apéritif, en mélange avec vin blanc, vin effervescent, cidre et poiré. Liqueur utilisée dans l'aromatisation de glaces, sorbets et desserts.

Savoir-faire

Les fruits frais comme ceux conservés par congélation (période hors récolte)sont mis à macérer entiers et légèrement écrasés dans l'alcool. Après quelques semaines, le jus est soutiré, filtré et amenés à 400 grammes par litre de sucre à l'aide d'un sirop concentré. La teneur en alcool est alors ajustée à l'eau pure par simple dilution. La mise en bouteille de 70 centilitres a lieu sitôt après.

MENTHE-PASTILLE

LIQUEUR
DE DISTILLATION
DE MENTHE POIVRÉE

Production
Toujours fabriquée
aux environs
d'Angers, toute
l'année, avec une
pointe en saison
chaude. En
développement, le
volume annuel n'est
pas communiqué.
Elle est vendue sous
marque déposée
depuis l'origine,
l'étiquette portant la
signature d'Émile
Giffard.

PARTICULARITÉ : liqueur translucide, sucrée et alcoolisée. La double distillation d'extraits de feuilles de menthe poivrée (*Mentha peperita*) lui confère son aspect cristallin et parfaitement incolore.

Description

Liquide incolore et brillant, légèrement sirupeux. Goût de menthe prononcé, d'alcool et de sucre. Composition : extraits de menthe poivrée (essences), sucre pur en sirop, alcool neutre, eau pure.

Historique

Les dictionnaires de commerce du début du XIXe siècle signalent des distilleries de liqueurs et d'eaux-de-vie à Chalonnes, Beaufort, Saumur et surtout à Angers. L'abondante production des vignes de la région est encore médiocrement estimée et la plus grande partie des vins du Saumurois est convertie en eaux-de-vie et en liqueurs, qui, à l'époque, sont toujours considérées avant tout comme des produits médicinaux. Rien d'étonnant, par conséquent, à ce que l'on doive l'invention de la Menthe-Pastille au pharmacien angevin Émile Giffard, qui la crée en 1885. M. Jacques Giffard nous raconte la légende familiale qui prévalut à son « invention » et qui est encore transmise par les descendants :

« C'est l'été 1885 à Angers, Émile Giffard est pharmacien près du Grand Hôtel, il a 43 ans et est membre du Conseil d'hygiène de Maine-et-Loire. Déjà réputé localement pour son sérieux, un jour de cet été va le faire changer d'activité. Il fait très chaud, un soleil de plomb, au point que des clients de l'hôtel voisin ne se sentent pas bien. Le gérant cherchant à les réconforter, se rend chez Emile Giffard chercher quelques remèdes rafraîchissants. Celui-ci, ayant déjà préparé une boisson à cette fin, en profite pour tester ses effets. Elle est à base de menthe, les clients l'apprécient et en redemandent les jours suivants. »

En créant cette liqueur, Émile Giffard suivait une tradition bien établie de fabrication de crèmes de menthe blanche, inaugurée en 1796 par Jean Get, créateur du célèbre Pippermint. Cherchant par la suite à améliorer sa boisson, Émile Giffard s'intéresse à la menthe poivrée anglaise dite Mitcham, dont les propriétés rafraîchissantes et digestives font le succès des pastilles de menthe anglaises. C'est cette origine qui donnera le nom de la liqueur, la Menthe-Pastille. A cette époque, il établira des contacts avec les producteurs du comté de Surrey qui lui fournissent des essences redistillées. C'est une période où de nombreuses liqueurs voient le jour, et ce contexte sera favorable à la renommée de la Menthe-Pastille. Installée d'abord à Angers, la distillerie Giffard a été transférée à Avrillé, près d'Angers, en 1972. Là, en 1985, sous l'œil de Jacques Giffard, petit-fils de son fondateur, la distillerie fête non seulement son centenaire mais aussi celui de la Menthe-Pastille qui franchit cette même année le cap du million de bouteilles.

Usages

Les vertus digestives, gustatives et la sensation de fraîcheur attribuées à la menthe poivrée se retrouvent à travers ses usages ; pure sur glaçons ou glace pilée ou étendue d'eau, elle sert aussi à la préparation de divers cocktails.

Savoir-faire

La menthe poivrée utilisée est toujours la variété anglaise Mitcham, mais sa provenance n'est plus britannique, elle est cultivée sur le continent. Les feuilles fraîchement cueillies sont distillées une première fois sur le lieu de production. Ce distillat est stocké, il contient les huiles essentielles qui seront purifiées par une deuxième distillation dite de « double rectification ». Ce procédé a de plus l'avantage de produire un distillat parfaitement limpide. Ce deuxième distillat est solubilisé dans l'alcool neutre, puis on y ajoute sirop de sucre, alcool et eau pure afin d'obtenir une liqueur à 24 % d'alcool en volume. La clarification complémentaire est faite à froid avant filtration. Dès lors, la liqueur est mise en bouteille cylindrique de 100, 70 et 50 centilitres. Un flaconnage de 2 litres est réalisé pour les professions de bouche.

POIRÉ

BOISSON FERMENTÉE
À BASE DE JUS
DE POIRES

Production
Les ateliers de transformation, peu nombreux, sont situés dans la zone de production des fruits, c'est-à-dire tout à fait au nord de la Mayenne, région limitrophe du Donfromtais sis en basse Normandie. La récolte de poires à poiré et l'extraction des jus se déroulent pendant le premier mois et demi du dernier trimestre de l'année. La production est

AUTRES APPELLATIONS : poiré fermier, poiré traditionnel, poiré bouché.

PARTICULARITÉ : boisson fermentée à base de moût de poires à poiré de variétés locales telles que champagne, plant de blanc (vert ou jaune), fausset, etc.

Description

Le poiré se présente sous la forme d'un liquide effervescent d'une couleur jaune très pâle dont le goût résulte d'un équilibre entre une saveur sucrée et une saveur astringente plus ou moins marquée. Il n'existe qu'une réglementation générale qui définit la composition des produits pour avoir droit à la dénomination Poiré accompagnée de mentions et de qualificatifs divers.

d'environ 4 500 hectolitres par an. 90 % sont faits par une entreprise, le reste étant produit par quelques fermiers. Vendu en bouteille champenoise, bouchée et cerclée.

Historique

Le poiré est un cidre obtenu exclusivement à partir du jus de poires. A la fin du XVIIIe siècle, le poiré qui passait pour le meilleur de la province se fabriquait comme aujourd'hui dans le nord du Maine, aux abords du Domfrontais. Une bonne partie des 600 000 hectolitres de cidre produits vers 1834 par la Mayenne devait être en fait du poiré. Au début du XIXe siècle, du poiré se faisait aussi en Loire-Atlantique, près de Châteaubriant, avec les variétés lanigon et blanchard. A cette époque, Joseph Roques décrit le poiré comme « liqueur spiritueuse [...] claire, ambrée, douce, agréable, plus sucrée, moins acide que le cidre ». Toutefois, comme le cidre de pomme (voir Cidre), le poiré était une boisson de consommation plutôt locale, ainsi qu'en témoigne Husson qui, en 1875, écrit : « Quant au cidre de poires, généralement plus alcoolique que le bon cidre de pommes, on n'en boit pas dans la capitale ! » Encore aujourd'hui, il reste à découvrir cette boisson si typique de la France de l'Ouest.

Usages

Boisson traditionnelle dans les campagnes. Principalement destiné à la distillation, son faible développement en tant que boisson de consommation résulte d'une instabilité physico-chimique entraînant la formation de précipités nuisibles à sa présentation.

Savoir-faire

Les fruits, issus de vergers hautes tiges plantés il y a plusieurs dizaines d'années, sont récoltés fin septembre jusqu'au début novembre. Des tentatives d'adaptation en vergers basses tiges sont en cours d'étude. Les poires devenant rapidement blettes, l'extraction doit avoir lieu très rapidement après le ramassage. Après fragmentation du fruit au moyen d'une râpe, la pulpe obtenue est envoyée au pressoir. Le cuvage de la pulpe préalable au pressurage a disparu presque complètement. Du fait de sa richesse en acides citrique et malique, la clarification préfermentaire au moyen de sels défécants est peu utilisée, contrairement au cidre. Il lui est préféré un débourbage. Le froid est de plus en plus utilisé. De plus, pour éliminer certains composés tanniques qui confèrent à la boisson une astringence trop marquée et qui ont tendance à former des précipités nuisibles à l'aspect du produit fini, il est procédé à un collage au moyen de gélatine qui, en se combinant à ces composés, les entraîne dans les lies. Après séparation du moût et des lies de clarification, la fermentation se déroule à une température de 10-15 degrés dans des fûts en bois ou des matériaux plus modernes. Plusieurs filtrations peuvent être utiles pour ralentir la fermentation et la maintenir à une vitesse convenable. Le liquide est filtré plus ou moins finement, certains s'arrangent pour y laisser une certaine proportion de levures naturelles, d'autres, par précaution, préfèrent un levurage au moyen de souches de levures commerciales. Dans le cas de l'industrie, l'effervescence fait appel à une imprégnation de gaz carbonique ; le produit fini subit une stabilisation thermique. Le poiré doit être parfaitement stabilisé pour supporter le transport et les délais de consommation importants.

BIBLIOGRAPHIE

Dictionnaire biographique et album, Paris (pp. 363-368 et 390-393).

ANGOT (A.), « Le cidre, son introduction dans le pays de Laval », in *Revue historique et archéologique du Maine*, 1889, 1er semestre, (tome XXV, pp. 209-219).

AUDIGER, *La Maison réglée 1692 dans Franklin (A.). La vie privée d'autrefois. La vie de Paris sous Louis XIV*, Plon, 1898.

AULAGNIER (A.-F.), *Dictionnaire des aliments et des boissons*, Masson, 3e éd., 1885 (p. 184 : cassis).

AUVRAY (L.-M.), *Statistique du département de la Sarthe*, Paris, An X (1802) (p. 157 : cidre).

BOIS (D.), *Les Plantes alimentaires chez tous les peuples et à travers les âges, histoire, utilisation, culture*, 4 vol., P. Lechevalier, 1927-1937 (tome II, p. 321 : cassis).

BOUTON (André), « L'alimentation dans le Maine aux XVe et XVIe siècles », in *Bulletin philologique et historique du Comité des travaux historiques et scientifiques*, 1969 (pp. 169 et suiv. : cidre).

BRIAND-DE-VERZÉ, *Dictionnaire complet, géographique, statistique et commercial de la France*, 2 vol, Warin-Thierry, 1834 (s.v. Angers, Chalonnes, Saumur : menthe-pastille ; s.v. Lion d'Angers et Loire-Inférieure : cidre ; s.v. La Ferté-Bernard et Mamers : eau-de-vie de cidre).

CANDOLLE (A. de), *Origine des plantes cultivées*, Germer Baillière, 1883 (p. 222 : cassis).

FREBET, *Topographie médicale d'Evron* [Mayenne], 1779 (Académie de médecine, Archives de la Société royale de médecine 157/7/1 : cidre).

FREBET, *Topographie médicale du Haut-Maine*, 1788 (Académie de médecine, Archives de la Société royale de médecine 175/1/3 : poiré).

GHOZLAND (F.), *Un siècle de réclames. Les boissons*, 1986 (n° 379-381 : menthe-pastille et cassis ; n° 451-463 : cointreau).

HUSSON (Armand), *Les Consommations de Paris*, Hachette, 2e éd., 1875 (pp. 278-279 : cidre et poiré).

LEDRU (Ambroise), « Du Guesclin et le cidre », in *La Province du Maine. Union historique et littéraire du Maine*, 1895 (tome III, pp. 337-339).

ROQUES (Joseph), *Nouveau traité des plantes usuelles*, 4 vol., Dufart, 1837 (tome 1, pp. 494-495 : cidre ; tome 2, pp. 502-503 : poiré).

Société royale académique de Nantes, séance du 14 mai 1839 (p. 18 : cidre).

WALDEN (Hilaire), *Loire gastronomique*, 1992 (p. 104 : guignolet et cointreau).

BOULANGERIE-VIENNOISERIE CONFISERIE

BRIOCHE VENDÉENNE

ÉCHAUDÉ

FOUACE NANTAISE

FOUÉE D'ANJOU

GÂCHE VENDÉENNE

PRÉFOU

TOURTON

BERLINGOT NANTAIS

FRANÇOISE DE FOIX

QUERNON D'ARDOISE

RIGOLETTE NANTAISE

PÂTISSERIE

BEURRÉ NANTAIS

«BN» GOÛTER FOURRÉ

«CASSE-CROÛTE BN»

CROQUANT DE L'ANJOU

FION

FOUTIMASSON

GALETTES

de Doué-la-Fontaine, de Saint-Guénolé, Saint-Michel

GÂTEAU MINUTE

GÂTEAU NANTAIS

MERICE

PAILLE D'OR AUX FRAMBOISES

PÂTÉ DE PRUNES D'ANGERS

PETIT MOUZILLON

SABLÉS de Retz et de Sablé

TARTE AUX PRUNEAUX DE L'ÎLE D'YEU

VÉRITABLE PETIT BEURRE

Cette région, hétérogène parce que composée de nombreux « pays » de culture différente, possède, au total, une richesse et une variété extraordinaires de produits issus de la transformation de la farine et du sucre.

Nous rencontrons aussi bien des produits de provenance strictement urbaine dans le domaine de la confiserie qu'une production rurale de pâtisserie et boulangerie, comme, et cela est caractéristique de cette région, de nombreux produits industriels inspirés par les besoins spécifiques des activités marines toutes proches. Il s'agissait d'assurer le ravitaillement des équipages de tout type en boulangerie, gâteaux « alimentaires » et desserts. Ainsi, ajoutant aux savoirs et pratiques en place, l'industrie nantaise de la biscuiterie a multiplié la variété.

Grand port de commerce, Nantes a, de longue date, expédié les produits de la région et reçu ceux venant d'ailleurs. Déjà sous l'influence du commerce flamand, puis hollandais, du vin et du sel, Nantes était apte à recevoir les produits exotiques des colonies et des comptoirs de commerce. Le sucre jouera un rôle dominant, et, dans une moindre mesure, le cacao, le café — antérieurement « débarqué » par les Flamands sur les côtes vendéennes —, les aromates, etc. S'y est adjointe, depuis un siècle, l'importance grandissante du trafic des céréales, et des produits laitiers. Tous les ingrédients étaient réunis pour que soit mise en place une industrie spécifique, celle de la biscuiterie.

Ainsi verront le jour, à Nantes et dans un périmètre proche, les fabriques Lefèvre-Utile (LU), Biscuiterie Nantaise (BN), Saint-Michel-Chef-Chef... Il en sortira des produits devenus « classiques », au point d'être, dans l'esprit du consommateur, des produits de toujours. Au plan de la typologie des pâtes, nous rencontrerons naturellement une grande variété : celle des sablées, des galettes dites bretonnes, des fourrées, des gaufrées, etc.

Mais le monde de la campagne n'est pas en reste. Ainsi, par opposition à la richesse des produits, le fabriquant du Petit Mouzillon a inventé, avant l'heure, le produit « allégé » puisque, depuis maintenant cent cinquante ans, ce gâteau ne contient ni graisse ni sel. La merice, lui, est un gâteau de l'île d'Yeu qui se conserve longtemps, au point qu'il était embarqué par les pêcheurs. On peut en citer bien d'autres encore.

En boulangerie, même si la variété n'est pas aussi grande, remarquons les nombreuses fouace nantaise, fouée d'Anjou, gâche et brioche vendéennes, aux formes toutes plus originales les unes que les autres ; les échaudé et préfou vendéens, ou encore le tourton nantais.

HISTORIQUE DE LA BRIOCHE ET DE LA GÂCHE VENDÉENNES

Dès la fin du XVe siècle, les « gaisches » sont offertes par les autorités municipales bretonnes aux hôtes de prestige. Environ un siècle plus tard, en 1611, le lexicographe anglais Cotgrave considère la « gasche » comme une spécialité normande, tout comme la brioche (qu'il définit comme un petit pain aromatisé avec des épices).

En somme, depuis bientôt quatre siècles, « gâche » et « brioche » sont des spécialités de l'ouest de la France. Elles s'apparentent, toutes les deux, à la vaste catégorie des pains enrichis que l'on fabriquait dans les campagnes vendéennes, surtout à l'époque de Pâques. L'originalité de ce type de préparation tenait au fait qu'on interrompait la fermentation de la pâte en vue de la production de gâteaux d'une consistance serrée. Dailleurs, l'un d'entre eux, « l'alize », doit vraisemblablement son nom à l'ancien français « aliz », adjectif désignant un pain insuffisamment levé. Au sujet de cette « galette » pâcaude, N. Vielfaure et A.-C. Beauviala nous apprennent que dans la région des Mauges et du haut Bocage vendéen, « le Samedi saint est consacré entièrement à la fabrication de ces gâteaux briochés, souvent énormes (jusqu'à 10 livres). On en cuit autant qu'il y a de membres dans la famille ».

Quant à la brioche vendéenne, elle se différencie aujourd'hui de ses devancières par une pâte plus onctueuse et légère. Elle connaît depuis quelques décennies un grand succès, bien au-delà des limites de la région. Actuellement, elle est commercialisée tout au long de l'année, ayant perdu presque tout rapport avec la fête de Pâques à laquelle elle était autrefois si étroitement liée.

BRIOCHE VENDÉENNE

Production
La totalité des boulangers-pâtissiers vendéens ainsi que plusieurs briocheries industrielles. Quelques agriculteurs commercialisant des brioches fermières cuites au feu de bois. En forte progression.

AUTRES APPELLATIONS : galette pacaude (prononcer pacaoude), pain de Pâques, alize vendéenne.

PARTICULARITÉ : brioche régionale sucrée et très parfumée, soit avec de l'eau-de-vie, de l'eau de fleur d'oranger ou un mélange. Les Vendéens en ont, de longue date, consommé des quantités impressionnantes. Née dans le bocage vendéen, cette brioche vendéenne est désormais consommée dans toute la France et même à l'étranger. Excellente conservation.

Description

Brioche tressée (un, deux ou trois brins) sans excès, avec une coloration de la croûte cuite avec ou sans moule. Produit très moelleux dont la mie doit être, selon les professionnels, longue, c'est-à-dire non cassante. Mie jaune au parfum caractéristique. Très bonne conservation. Forme la plus courante : barre de 400 à 800 grammes. Présentation possible en briochette de 50 grammes voire en gâteau de noce de 20 kilogrammes. Elle est composée de : farine de froment 1 000 grammes, sucre 250 grammes, beurre 250 grammes, œufs 6, pâte à pain fermentée 250 grammes, sel 20 grammes, levure biologique 50 grammes, eau 50 grammes, parfum : eau-de-vie et/ou eau de fleur d'oranger et/ou rhum.

Usages

Hormis la période pascale, la brioche vendéenne était fabriquée lors des grandes fêtes de familles — communion, mariages... La tradition voulait que les parrains et marraines de la mariée offrent une énorme brioche, qui pouvait peser 20 à 30 kilogrammes suivant l'aisance des intéressés. Des cartes postales anciennes attestent que ce gâteau de la mariée avait une forme rectangulaire (parfois la longueur du four de ferme). Plus récemment, il est rond, d'un diamètre allant jusqu'à 15 mètres. Ce gâteau était présenté à la mariée sur une civière tenue par deux personnes. On dansait la brioche au son de l'accordéon. Les plus costauds relevaient le défi de soulever la civière seul et de danser en maintenant l'ensemble à bout de bras. Cette danse de la brioche se pratique toujours.

Signalons également plusieurs fêtes et foires de la brioche dans le bocage vendéen, à Chavagnes-en-Paillers, Saint-Paul-en-Pareds. Des concours de la meilleure brioche y sont organisés (catégorie boulangers, pâtissiers), et aussi des concours de la meilleure brioche ménagère. Il existe également un concours du plus gros mangeur de brioche.

Savoir-faire

Délayer œufs, sucre, sel, l'eau et le parfum. Ajouter la pâte à pain préalablement fermentée, verser la farine et la levure. Commencer le pétrissage en ménageant éventuellement des périodes de repos. Lorsque la pâte est de consistance souple et presque lisse, ajouter le beurre pommadé et continuer à pétrir jusqu'à l'obtention d'une pâte lisse, élastique et très extensible. Laisser fermenter 2 à 3 heures. Peser des morceaux de pâte, les allonger pour réaliser des tresses à trois brins. Laisser à nouveau fermenter en un lieu tiède à l'abri des courants d'air, la brioche doit doubler de volume. Dorer à l'œuf entier et cuire à four doux (180 degrés). La phase du pétrissage est la plus délicate, l'incorporation du sucre peut être fractionnée au fur et à mesure du pétrissage. Il est nécessaire de pétrir avec intensité jusqu'à ce que la pâte se décolle bien des parois du pétrin ou du plan de travail. La brioche est ensuite emballée sous sachet plastique.

GÂCHE VENDÉENNE

PÂTE BRIOCHÉE
DENSE

_____

Production
Importante toute
l'année et
particullèrement à
Pâques. Dans le
département de la
Vendée, la gâche
est plus
particulièrement
fabriquée sur la
côte, de Saint-
Gilles-Croix-de-Vie
à la Tranche-sur-
Mer, avec une
incursion d'une
trentaine de
kilomètres dans les
terres comprises
entre ces deux
communes.

AUTRES APPELLATIONS : gâche sablaise, alize vendéenne (*alize* signifiant dense, compact, serré).

PARTICULARITÉ : produit traditionnel resté très proche du produit initial, que ce soit par la recette, la forme
et la texture de mie dense.
La recette de la gâche diffère de celle de la brioche : plus
de sucre, autant de beurre, avec, en outre, un fréquent
apport de crème fraîche, qui apporte de la fraîcheur
en bouche, et l'utilisation plus systématique de rhum.

Description

Brioche en forme de pain court présentant une grande
incision longitudinale. Produit à croûte molle, mie
jaune assez serrée beaucoup plus friable que celle
d'une brioche. Cuisson sans moule, section évasée.
Poids variables de 400 à 900 grammes, voire plus.
Dimensions d'une gâche de 900 grammes : longueur
35 centimètres, largeur 16 centimètres, hauteur maximale 10 centimètres, composée pour 1 000 grammes
de farine : sucre 300 grammes, beurre 250 grammes,
crème fraîche 100 grammes, œufs 5, pâte à pain fermentée 250 grammes, sel 20 grammes, levure biologique 50 grammes, rhum.

Usages

Elle se consommait traditionnellement avec des œufs
au lait ou une crème fouettée. Elle était également
offerte par les parrain et marraine de la mariée.

Savoir-faire

Pétrissage : battre les œufs et sucre, ajouter crème fraîche, beurre, rhum, pâte à pain fermentée, sel et farine.

Pétrir énergiquement jusqu'à ce que la pâte soit suffisamment liée. Laisser fermenter 2 à 3 heures en rabattant la pâte à mi-parcours. Peser et façonner en forme de pain court. Remettre en fermentation en un lieu tiède à l'abri des courants d'air, la pâte lève très lentement, cette seconde fermentation doit durer plusieurs heures. Dorer à l'œuf entier, effectuer avec un couteau une incision dans la grande longueur et cuire à 18 degrés. Contrairement à la brioche, il est préférable de ne pas consommer la gâche trop fraîche. Elle est meilleure le lendemain et se conserve très bien, emballée en pochon plastique transparent.

ÉCHAUDÉ

FOND DE TARTE

Production
Occasionnellement, le pâtissier Berthomé, des Sables-d'Olonne, en produit sur le marché, mais il tient la recette et le savoir-faire du pâtissier Pierre Maligorne de Mareuil-sur-Lay, dernier fabricant d'échaudés. Ce dernier n'en produit plus qu'une centaine par an, pour la foire de Mareuil-sur-Lay en novembre. Sa recette provient de

AUTRES APPELLATIONS : échaudi, échaudisse, coireau.

PARTICULARITÉ : il se distingue des échaudés provençaux ou bretons par sa taille qui varie de 10 à 40 centimètres de diamètre. Aujourd'hui, la taille est fixe : autour de 25 à 30 centimètres de diamètre.

Description

Les échaudés sont généralement de grande taille et cette particularité fait qu'ils sont aussi utilisés depuis les années 1970 comme fond de tarte, de flan ou de gratin. De couleur jaune doré, aux bords relevés, et d'un poids de 100 à 300 grammes, les échaudés sont d'un goût neutre. Farine, eau, œufs, sel, beurre et levain composent ce produit boulanger qui se vend à la pièce.

son père (1933) qui lui-même la tenait d'un boulanger de Féole.

Historique

L'échaudé était, au Moyen Age, un pain de luxe qui améliorait l'ordinaire des moines bénédictins les jours de fêtes. Il était aussi fabriqué par les boulangers des villes, où il prenait des formes très diverses. C'était encore le cas à Laval à la fin du XVIIᵉ siècle et au Mans au siècle suivant. Une recette de l'époque précise que « c'est un pain pesant 9 onces, pétri ferme, que l'on met dans l'eau bouillante et que l'on remue jusqu'à ce qu'il monte sur l'eau. Après on le tire pour le mettre dans un seau d'eau froide, et puis on le met égoutter sur des paniers ou des linges, et cela fait, on le met au four plus chaud que pour le pain ordinaire. On [lui] donne la figure d'un croissant ; il est d'un usage ancien au Mans et se mange en Carême ». Le dimanche des Rameaux était en effet appelé dans la capitale du Maine « Journée des échaudés » et un auteur nous décrit les habitants manceaux envahir, sitôt la procession et les joutes terminées, « les diverses hôtelleries où vont se consommer, en quantité effrayante, les échaudés et les harengs traditionnels ».

La description statistique de la Vendée éditée par Cavoleau en 1818 mentionne pour le bourg de la Réorthe « grande fabrique d'échaudés », puis, dans la réédition de cet ouvrage en 1844, il est précisé que « il y a 26 boulangers qui se livrent à l'industrie de la fabrication des échaudés, [...], 18 dans la commune de La Réorthe et 7 dans la commune de Saint-Juire-Champgillon. [...] Quelques fabricants d'échaudés se sont fixés parfois à Luçon, à Fontenay et ailleurs, mais cette industrie ne s'y est point naturalisée. Aussi La Réorthe et son annexe en ont conservé le monopole ». En Vendée, les échaudés étaient encore consommés au début du XXᵉ siècle lors des foires. Aujourd'hui-même la production n'a pas entièrement disparu et, dans les années 70, un boulanger de Fontaines, près de Fontenay-le-Comte, et un pâtissier d'Avrillé, près des Sables-d'Olonne confectionnaient encore des « échaudis » qu'ils vendaient dans les foires alentour.

Usages

Consommés en l'état avec une boisson (café, vin, etc.), ils sont utilisés, de nos jours, en fond de tarte.

Savoir-faire

Pour 16 échaudés de 300 grammes chacun, il faut : 3 kilogrammes de farine, 1/4 de litre d'eau, 20 œufs, 50 grammes de sel, 100 grammes de levure boulangère, 300 grammes de beurre.

Constituer une pâte bien ferme et la laisser reposer une demi-heure. Peser des boules de 300 grammes chacune puis faire des abaisses rondes de 20 centimètres de diamètre au rouleau à pâtisserie. Laisser reposer 10 minutes environ, puis remonter les bords de la pâte en forme de casquette. Echauder la pâte au fur et à mesure dans une eau frémissante pendant 3 à 4 minutes. Dès leur sortie de l'eau, passer une éponge mouillée pour les nettoyer et remonter les bords droits. Laisser sécher ensuite 2 heures puis faire un décor avec un couteau sur le pourtour de la pâte pas encore trop dure. Laisser sécher à nouveau 2 heures puis cuire une demi-heure à 250 degrés dans un four.

FOUACE NANTAISE

PÂTE LEVÉE
(LA PANIFICATION
PEUT ÊTRE ASSIMILÉE
À UN GÂTEAU)

Production
Fabriquée
initialement le
dimanche d'avant le
11 novembre
jusqu'aux deux

AUTRES APPELLATIONS : fouace, fouasse, corne, fouace à six branches.

VARIANTES : guillaret (même recette que la fouace, en portion individuelle en forme de navette d'environ 55 grammes accolées par six au façonnage) ; la touace à cinq cornes de la commune de Bouaye.

PARTICULARITÉ : produit rustique, très original par

dimanches suivants. Plus récemment, du début des vendanges à Noël. En régression, le dernier fouacier de La Haye-Fouassière a cessé son activité fin 1992. Néanmoins, les artisans boulangers-pâtissiers de la région nantaise de La Haye-Fouassière et de Bouaye continuent à en fabriquer, préférentiellement à l'automne et en hiver.

sa forme étoilée à six cornes, qui fut très populaire dans le vignoble nantais. Texture très serrée, saveur légèrement sucrée appréciée des hommes dégustant le muscadet.

Description

Produit assez plat présentant six branches aux extrémités arrondies (étoiles à six branches). Couleur marron clair, légèrement terne. Diamètre variable pouvant atteindre 20 centimètres, avec une épaisseur du centre de 8 centimètres. Texture de mie dense, mâche caractéristique (les habitués disent que le produit s'égrène en bouche comme aucun autre). Fort pouvoir d'imbibition, rassissement assez lent à relier avec la compacité du produit. La fouace est composée de farine de blé type 55, 1 000 grammes, sucre (éventuellement cassonade blonde) 270 grammes, beurre 170 grammes, sel 20 grammes, levure de panification 30 grammes, lait 270 millilitres, eau 270 millilitres.

Historique

Issu de l'expression *panis focacius*, pain cuit sous la cendre, le terme de *focacia* — qui a donné fouace dans le nord de la France et fougasse dans le sud — désigne au Moyen Age un pain de luxe. Simple pain blanc de qualité supérieure à Amiens, c'est le plus souvent dès cette époque un pain enrichi aux œufs, au beurre, voire au sucre. Les seigneurs l'exigent des paysans comme redevance lors des grandes fêtes de l'année, mais la fouace figure aussi sur l'étalage des boulangers parisiens. Dans la région, les boulangers de Laval à la fin du XVIIe siècle et ceux du Mans au siècle suivant fabriquent couramment des fouaces. Elles sont également connues en Anjou sous le nom de fouées, et dans les Mauges où elles se présentent sous la forme de galettes assez épaisses.
La fouace se fabriquait et se servait surtout lors des

grandes fêtes. C'est ainsi qu'au XIXᵉ siècle la Foire aux cornes, qui se tenait le 11 novembre à Chantenay (Loire-Atlantique), était l'occasion pour les fouaciers du Pays nantais d'écouler leur marchandise en grandes quantités. Les plus nombreux venaient d'une bourgade rebaptisée durant la Révolution La Haye-Fouassière. La présence de fouaciers y est attestée dès le XVIᵉ siècle et l'on y trouvait encore plus de quatre-vingts artisans spécialisés dans cette production avant la Première Guerre mondiale. Il y avait plusieurs pâtisseries dérivées de la même pâte de base et dont les trois principaux types étaient : la galette des rois de forme ronde ; le guillaré ou guiharé, avec les bords repliés en portefeuille ; enfin, la fouace à cinq cornes dont les pointes étaient obtenues en pinçant la pâte. Cette dernière, qui accompagnait le vin nouveau servi lors de la Foire aux cornes, était une spécialité nantaise.

De nombreux producteurs vinrent dès le début du XIXᵉ siècle s'installer à Nantes même, notamment à proximité de l'endroit où se tenait la foire de Chantenay. Cependant, le goût pour les fouaces, considérées comme lourdes et indigestes, diminua peu à peu, et ils durent diversifier leur production. Déjà en 1908, Paul Eudel explique que le guillaré avait presque complètement remplacé la fouace traditionnelle, ou « gâteau nantais ». Mais même cette fouace améliorée paraissait « mastoc » et « indigeste » à ceux qui n'y étaient pas habitués et « on l'a délaissée pour des gâteaux plus coquets, pour le rond sucré... fait à peu près de la même pâte, mais largement caramélisé sur le dessus et parsemé souvent de morceaux d'angélique ». Cependant, dans les foires, on continue à consommer la fouace et, maintient Eudel, « cette tradition sauvera de l'oubli le gâteau nantais ».

Concernant la technologie de fabrication, un détail très intéressant mérite d'être souligné : l'usage à l'origine d'une lirie, outil utilisé pour compléter le pétrissage des pâtes très fermes dès le XVᵉ siècle (échaudés, craquelins, pain de Clailly et plus tardivement, au XVIIIᵉ, les pâtes d'Italie).

Plusieurs témoignages précisent que le Vendredi saint, sur le marché de Clisson, la vente de petites fouaces était particulièrement importante. En effet, la légende voulait que celui qui consomme une fouace ce jour-là soit protégé de la fièvre pendant le reste de l'année.

Usages

Fêtes des cornes à Chantenay lors de la Saint-Martin. Produit initialement vendu par des fouaciers ruraux sur les marchés nantais. Vente importante le dimanche, à la sortie de la messe, aux hommes, avant qu'ils n'entrent au café. Plus récemment, remise à l'honneur à la période du vin nouveau.

Savoir-faire

Préparation : réaliser un levain (pâte fermentée avec un quart de la farine mise en œuvre, eau, sel et levure de panification). Préparer un sirop composé de la partie mouillante, 50 % eau — 50 % lait, avec la totalité du sucre et du beurre. Faire chauffer jusqu'à ce que le beurre soit fondu. Pétrir de façon non intensive, de façon à obtenir une consistance ferme en fin de pétrissage. Première fermentation de 40 minutes à 25 degrés avant pesée.

Finition : façonnage manuel non mécanisé nécessitant une solide expérience pour « corner » avec suffisamment de dextérité et surtout de vitesse. Pas d'outil spécifique, pétrin classique et four. Peser un paton de 400 grammes, le bouler, laisser détendre la pâte 10 minutes puis étendre cette pâte au rouleau et pincer la périphérie avec les deux doigts de chaque main à trois reprises, ce qui donne, après plusieurs temps de repos et plusieurs pinçages, six cornes. Retourner la fouace en la posant sur la plaque (côté lisse dessus), laisser fermenter environ 2 heures à 25 degrés. Dorer au lait et cuire sur plaque à 220 degrés pendant 30 minutes.

FOUÉE D'ANJOU

PAIN FOURRÉ

Production
Quantités modestes
mais en
progression.
Fabrication à
l'année dans le
Saumurois.

PARTICULARITÉ : produit de tradition ancestrale, très apprécié dans tout le Saumurois. La fouace nécessite la préparation d'une galette de pâte à pain qui sera enfournée dans un four fortement chauffé au bois. Sous l'effet de la température, la galette se transforme en un pain creux, défourné rapidement afin qu'il reste moelleux.

Description

Galette généralement ronde, peu épaisse, contenant très peu de mie. Croûte moelleuse irrégulièrement colorée. Cette galette à la particularité d'être creuse à l'intérieur, ce qui facilite son fourrage. Certains boulangers réalisaient des fouaces en forme de pains longs qui étaient ensuite débités en sandwichs. Le diamètre et le poids des fouaces varient, ils sont fonction de l'appétit du consommateur. Composée de farine, eau, sel, levain et levure.

Historique

« Fouée » est le nom angevin de la fouace (voir Fouace nantaise pour l'historique des périodes anciennes). Jusqu'en 1939, les boulangers fabriquaient des fouées dans le Saumurois pour des clients ouvriers qui passaient le matin à heures fixes. Ceux-ci allaient ensuite les tartiner de beurre ou de rillettes dans un café proche, en guise de casse-croûte du matin. Après la dernière guerre, la tradition s'est un peu perdue. Depuis plusieurs années, on assiste à une renaissance des fouées. Dans la région de Saumur, en plein habitat troglodite, plusieurs caves dotées de fours proposent des repas à base de cette spécialité. Les clients retrouvent ainsi à la fois les odeurs et les saveurs d'antan.

Usages

La particularité tient au fait qu'elle se consomme sur place. Chacun coupe sa fouace encore fumante pour la fourrer de diverses préparations : beurre salé, haricots, rillettes, fromage de chèvre.

Savoir-faire

Pétrir une pâte à pain à partir des ingrédients. Laisser fermenter au moins 1 heure en ambiance tiède à l'abri des courants d'air. Chauffer le four à bois, la température devra être élevée et atteindre environ 280 degrés. Il importe que la «sole» du four (le plancher) en brique réfractaire soit très chaud afin de favoriser le gonflement rapide de la galette. Peser les boules de pâte, les bouler sans serrage excessif, laisser les morceaux se détendre quelques instants puis les applatir énergiquement au rouleau. Ecarter les braises au fond du four, enfourner les galettes peu de temps après les avoir applaties. Certains fourniers les retournent à mi-cuisson. La durée de cuisson doit être courte afin d'obtenir une croûte moelleuse. Produit non emballé.

PRÉFOU

PÂTE À PAIN
SALÉE ET AILLÉE

Production
Assez limitée,
essentiellement les
dimanches ou
périodes de fête.
Parfois sur
commande.
Toutefois le nombre

PARTICULARITÉ : produit traditionnel typique de la région de Fontenay-le-Comte, et surtout très épisodique. Le préfou revient en force sur les tables vendéennes depuis une dizaine d'année.

Description

Pain très plat de couleur pâle incisé sur un ou deux côtés et fourré d'un beurre salé et recouvert d'ail haché

de boulangers de la région de Fontenay-le-Comte qui fabriquent le produit ne cesse d'augmenter.

cru ou cuit. Dimensions variables, environ 33 centimètres de long, 9 centimètres de large, 2 à 3 centimètres d'épaisseur. Poids environ 330 grammes.

Le pain est composé de farine de blé, eau, sel, levure biologique, la préparation contenant ail cru passé à la moulinette, ou, épluché, cru en papillote ; sel et poivre.

Historique

Traditionnellement, dans certaines localités de la Vendée, on avait l'habitude de faire cuire un morceau de pâte à pain applati sur une tuile chauffée à la gueule du four avant de cuire le pain, le but étant de vérifier la température du four. Retiré même avant la coloration de la pâte, le « préfou » — car c'est ainsi qu'on l'appelait — était frotté d'ail, « graissé » copieusement de beurre et mangé encore chaud. Certains ajoutant volontiers du sel et du poivre. Pratiquement disparu, ce n'est que depuis une dizaine d'années que les préfous sont commercialisés, surtout dans les environs de Fontenay-le-Comte où les boulangers les proposent fourrés de beurre et d'ail, principalement en période de fête.

Usages

Dégusté chaud, le préfou est très apprécié en accompagnement de l'apéritif. En outre, il se marie parfaitement avec le gigot. Produit plus largement consommé lors des fêtes de fin d'année et en hiver.

Savoir-faire

Faire une pâte à pain, laisser fermenter au moins 1 heure dans un endroit tiède à l'abri des courants d'air. Applatir cette pâte avec insistance, lui donner la forme souhaitée et cuire immédiatement dans un four chaud. Après quelques minutes, avant même que la croûte ne se colore, défourner le pain, l'inciser sur un ou deux côtés et tartiner copieusement la préparation. Refermer le pain et l'envelopper dans un papier aluminium, repasser au four 3 à 5 minutes afin que le beurre aillé imbibe bien le peu de mie de ce pain plat.

Si, lors de la première cuisson, le pain gonfle exagérément, au bout de 6 à 7 minutes, le défourner, le rouler de nouveau sans ménagement. Il est vendu sous papier aluminium ou sac plastique.

TOURTON

PAIN AU LAIT, PAIN-SUCRE

Production
De nos jours, il est de faible importance dans les communes de Blain, Treillières, La Chapelle-sur-Erdre, Nozay... de Loire-Atlantique.

AUTRE APPELLATION : alize (Maine-et-Loire).

PARTICULARITÉ : le tourton se présente sous forme de boule, son aspect est rustique, le dosage des ingrédients de la recette ainsi que l'absence de parfum lui donnent un goût très particulier. Fidèle à ses origines, le tourton conserve une mie crème régulière et dense. Sa conservation est excellente.

Description

De forme ronde, il présente une croûte de teinte rouge légèrement terne. Le dessus de la boule est incisée. La mie est de couleur crème, sa texture est fine et régulière, le volume est faible. De par sa densité importante il rassasie plus vite mais le produit ne sèche pas rapidement. Poids variable : un tourton de 240 grammes a une base de 15 centimètres, une circonférence de 45 centimètres, une hauteur de 8 centimètres. Composé de farine, beurre, sucre, œufs, lait, sel, levure biologique.

Historique

Le tourton est un pain-gâteau autrefois très pratiqué
dans quelques localités du nord de la Loire-Atlantique,
entre Saint-Nazaire et Châteaubriant (plus particulièrement à Nozay, Blain, La Chapelle-sur-Erdre et Treillières). Lors de la fabrication du pain, on avait
l'habitude d'en prélever un morceau de pâte, de l'enri-
chir en lait, sucre et œufs et de la façonner en boule
dont le poids pouvait atteindre jusqu'à 4 kilos. Après
avoir levé dans un jède, sorte de panneton en paille
tressé, le tourton était cuit dans le four de la ferme, cuisson qui lui conférait une croûte légèrement grise.
Avec la livraison du pain à domicile dans les campagnes, cette pratique a presque complètement disparu.
Puis, il y a une vingtaine d'années, à force d'entendre
ses clients ruraux vanter les qualités du tourton, un boulanger de Treillières, M. Chatelier, en reprit la fabrication, avec un tel succès que le tourton se retrouve de
nouveau chez de nombreux boulangers de la région.

Usages

Consommé en pain, mais aussi lors du petit déjeuner,
au goûter et les jours de fête.

Savoir-faire

1 kilogramme de farine de froment, sucre 300 grammes,
beurre 100 grammes, 2 œufs, 20 grammes de sel,
50 grammes de levure biologique, 400 grammes de pâte
à pain préalablement fermentée, 1 demi-litre de lait.
Pétrissage : dissoudre le sucre dans le lait tiède, incorporer ensuite la totalité des ingrédients et pétrir jusqu'à
l'obtention d'une pâte lisse. Laisser fermenter 45 minutes, peser, façonner en boule. Laisser à nouveau fermenter dans un lieu tempéré à l'abri des courants d'air,
2 à 3 heures. Dorer au lait, inciser le dessus et cuire
à 200 degrés. Emballage en papier ou pochon plastique.

BERLINGOT NANTAIS

BERLINGOT

Production
Produit toute
l'année à Nantes
par quelques
confiseurs et deux
entreprises. Les
tonnages annuels
évoluent peu et
sont estimés à
55 tonnes par an.

AUTRES APPELLATIONS : délicieux berlingot nantais, belle nantaise, véritable berlingot nantais.

PARTICULARITÉ : il se distingue du berlingot de Carpentras par l'absence de filets.

Description

Tétraèdre aux côtés renflés, les berlingots sont de couleurs variées (blanc, vert, rose, rouge, orange, violet, marron clair) et pèsent, en moyenne, selon le fabricant, 5,5 grammes pour une longueur de côté d'environ 2,3 centimètres. Ils sont craquants, sucrés et d'arômes variés. La composition est faite de sucre, sirop de glucose, d'acide citrique (E 330), d'arômes naturels et de colorants.

Historique

Sous l'Ancien Régime, Nantes importait des Antilles de grandes quantité de sucre. Au début du XIXe siècle, la ville ne compte encore qu'une raffinerie, employant 72 ouvriers. Mais le dictionnaire de Briand fait état, vers 1830, de nombreux établissements de raffinage : le Lyonnais Louis Say avait installé le sien dès 1812, et les épiciers Colas et Rozier s'étaient à leur tour lancé dans le raffinage en 1817. Favorisée par l'achèvement de la liaison ferroviaire vers Paris, la croissance de cette activité s'accélère sous le Second Empire : en 1863, avec une production de 63 000 tonnes, Nantes tient la première place en France pour le sucre.

L'importation et le raffinage du sucre ont favorisé sur place l'activité de confiseurs. Nantes est citée en 1839 parmi les villes produisant en grande quantité des articles de confiserie, avec Lyon, Bordeaux et La Rochelle. Parmi ces articles figuraient les berlingots. Réalisé à partir de sucre tiré, le berlingot dérive peut-être d'une friandise italienne, le *berlingozzo*, mais l'étymologie n'en semble pas assurée. Peut-être antérieurs à leurs célèbres homologues de Carpentras, les berlingots nantais, qui avaient la forme de coquilles d'escargot, étaient aromatisés à divers parfums, mais ce sont surtout les piquants à la menthe que l'on appréciait au XIXᵉ siècle.

La boutique Bernardin, installée place Royale jusqu'en 1977, affichait une enseigne ainsi rédigée : « A la Renommée des véritables berlingots nantais. Maison fondée en 1780 ». Une certaine Mme Dupont (ou Doucet, selon certains) aurait à cette date commencé à vendre des berlingots dans une petite guérite située sous le porche du café d'Orléans, sur cette même place Royale. La guérite se transforma plus tard en boutique, passée à la maison Bernardin au début du XXᵉ siècle. La fabrication des berlingots était alors assurée par un atelier artisanal et le succès du produit avait incité d'autres vendeurs et d'autres fabricants à s'installer, amenant une certaine industrialisation du produit, que Paul Eudel regrettait déjà vivement en 1908.

Usages

Offert comme grande spécialité nantaise depuis l'origine.

Savoir-faire

Cuisson sous vide d'une venue de sucre, glucose et eau. Cuire jusqu'à 130 degrés. Malaxer manuellement sur un marbre après avoir introduit les colorants et les arômes. Pendant cette opération, le sucre se refroidit et durcit. L'étirage est falcultatif, mais peut être fait à la main, au crochet ou à la machine. Le but de l'étirage est de faire entrer de l'air dans le sucre, ce qui rend le berlingot opaque, en perdant de la transparence et en gagnant du craquant. Passer la masse de sucre dans une rouleuse, donnant un boudin continu, puis à la fileuse, sorte de laminoir, et pratiquer la découpe mécanisée des berlingots. La vitrification qui suit est faite dans une turbine en cuivre avec du sucre glace et du sirop. Elle a pour objet de givrer et d'améliorer la conservation. Emballés en sachets ou boîtes rondes en fer.

FRANÇOISE DE FOIX

BOUCHÉE CHOCOLATÉE

Production
Produite toute l'année avec une pointe en décembre. Fabriquée à Châteaubriant, par un seul producteur, à raison de 60 000 à 70 000 gobelets par an. En hausse. Marque déposée.

PARTICULARITÉ : présentation en gobelets d'une petite bouchée contenant du pralin au beurre et des raisins macérés au rhum, dans un enrobage au chocolat fondant mi-amer.

Description

En forme de gobelet de 3,5 centimères de diamètre supérieur et 2,7 centimètres de diamètre inférieur, hauteur 2,8 centimètres, de couleur blanche, recouvert d'une collerette rouge. Poids net 20 grammes. Texture de l'enrobage résistant. La bouchée est fondante à l'intérieur, composée de chocolat fondant mi-amer, de ganache pralinée au beurre frais, de raisins de Californie et de rhum.

Historique

Châteaubriant, en Loire-Atlantique, possède une longue tradition de confiserie. Au XVIIIe siècle, les confitures sèches d'angélique fabriquées dans les couvents de religieuses de la ville avaient une grande réputation. La dissolution des ordres religieux à la Révolution ne fit pas immédiatement disparaître cette activité puisque l'auteur d'un *Dictionnaire de commerce* paru en 1839 peut écrire que l'« on vante la menue pâtisserie de Châteaubriant, ainsi que ses confitures sèches d'Angélique ».

C'est en 1932 que Contant Lerochais, maître-pâtissier dans cette ville, crée une confiserie à base de chocolat qu'il baptise Françoise de Foix, en souvenir de la comtesse de Châteaubriant du même nom qui fut la maîtresse de François Ier. D'après une légende, la comtesse préparait des raisins macérés dans de l'alcool dont le roi était très friand, et c'est de cette friandise que s'est inspiré Lerochais pour faire son chocolat aujourd'hui renommé.

Usages

Friandise haut de gamme consommée toute l'année, et particulièrement au moment des fêtes. C'est l'ambassadeur gourmand de la ville, à déguster impérativement. Certains habitués sont devenus des « accro ».

Savoir-faire

Réalisées à la main, les Françoises sont chemisées (gobelet) au chocolat mou au pinceau. Après durcissement, déposer la ganache pralinée à l'aide d'une petite cuillère, ajouter du ou des raisins macérés dans le rhum pur, recouvrir par la même ganache. Déposer la couche molle supérieure de chocolat à la palette et poser la collerette rouge. Vente à l'unité ou en coffret de 12 ou 18 pièces.

QUERNON D'ARDOISE

CHOCOLAT
À LA NOUGATINE

Production
Un seul producteur.
Fabriqué toute
l'année, avec deux
pointes en été et en
fin d'année, le
quernon est fait à
Angers et revendu
dans 120 points de
vente. En constante
progression
(20 tonnes en
1992).

PARTICULARITÉ : chocolat bleuté recouvrant un mince rectangle de nougatine aux amandes et aux noisettes.

Description

Petit rectangle de 3,3 sur 3,2 centimètres, 0,6 centimètres d'épaisseur et pesant 7 grammes environ. La nougatine donne du craquant. Il est composé de nougatine, d'amandes et de noisettes à 65 % et d'une couverture chocolatée bleue à 35 %. Les ingrédients complémentaires sont glucose, lait, lécithine de soja, vanille, colorant et stabilisateur, entrant dans la préparation des deux parties.

Historique

Créé en 1963 par M. Mailleau, pâtissier-chocolatier au 22 rue des Lices à Angers, le quernon doit son nom au bloc d'ardoise brute débité dans les ardoisières d'Angers et de Trélazé. L'actuel artisan propriétaire, M. Michel Berrue, était déjà employé dans la confiserie lors de la création de cette spécialité. Bien que n'ayant que trente ans d'âge, ce quernon est retenu ici car il est très recherché à Angers et dans les environs, et a déjà fait l'objet d'imitations.

Usages

Friandise à déguster seule et à offrir.

Savoir-faire

Réalisation de la nougatine dans une pralinière en cuivre. Le nougat souple à 90 degrés est laminé et découpé en morceaux calibrés. La couverture est réalisée à partir de chocolat blanc teinté au plus près de la couleur de l'ardoise. La montée en température du chocolat est contrôlée de sorte à lui garder un aspect brillant. Des nougats sont trempés dans le chocolat, sans excès, puis recouverts d'un papier pour le lissé et, l'obtention d'une surface plane. Mise au tunnel réfrigéré à 5 degrés pour le durcissement, suivi de l'élimination des « non conformes ». Vente à l'unité ou en coffret décoré d'une reproduction de gravure ancienne.

RIGOLETTE NANTAISE

BONBON
FOURRÉ-FRUIT

Production
Vente à l'année, mais pointe de consommation l'été et surtout pendant les fêtes de fin d'année. Évolution en baisse.
A signaler : un projet de relance du produit par l'actuel propriétaire de la marque Paul Bohu. Tonnage 1992 supérieur à une tonne.

AUTRE APPELLATION : rigolette nantaise Bohu (nom de l'inventeur et de l'actuel propriétaire de la marque Paul Bohu).

PARTICULARITÉ : l'originalité tient dans la cuisson du sucre, l'humidité de la marmelade contenue. Bonbon de forme rectangulaire comprenant une fine coque de sucre cuit, dont l'intérieur contient une marmelade de fruits (5 parfums naturels).

Description

Bonbon de forme rectangulaire aux bordures latérales arrondies, entouré soigneusement d'un film plastique pesant 0,18 gramme. De couleur rouge, vert, orange et violet. Bel aspect brillant. Dimensions 18 sur 15 millimètres, pesant 6 grammes environ. La coque de sucre cuit est légèrement croquante, et la marmelade de fruits très fondante. Les rigolettes sont composées de sucre glucose, pulpe de pommes et d'abricots, agents de sapidité E 330, agent de texture E 334 ; arômes naturels de citron, cassis framboise mandarine, banane, ananas ; colorants.

Historique

L'industrie du raffinage se développe à Nantes de manière considérable au XIXᵉ siècle, et, malgré un certain recul après le Second Empire, la ville compte encore neuf raffineries à la fin du siècle. Cette activité a favorisé le développement des spécialités à base de sucre, et, dès 1839, Nantes était citée parmi les villes produisant les plus grandes quantités d'articles de confiserie, dont le célèbre berlingot en sucre tiré (voir Berlingot nantais). Charles Bohu, épicier installé depuis 1897 à Nantes, ne s'est pas contenté de revendre des berlingots. En 1902, il crée un nouveau bonbon fait d'une coque de sucre tiré fourré d'une confiture de fruits, qu'il baptise Rigolette, du nom de sa chatte. Le succès est tel qu'en 1930 le magasin est transformé en confiserie à part entière. Malgré le transfert des activités à une autre adresse en 1974, la superbe façade en mosaïques de l'ancienne boutique est encore conservée rue de la Marne, et les membres de la famille Bohu veillent toujours à la production de cette spécialité fabriquée suivant la recette mise au point par leur aïeul.

Usages

Ceux d'une confiserie classique, cadeau offert par les Nantais à leurs amis éloignés.

Savoir-faire

Préparation : une coque de sucre cuite à la vapeur sous vide, travaillée par étirage pendant qu'elle refroidit. Fabrication : fourrage de la marmelade de fruits de consistance et d'humidité idéales, effectuée grâce à une filière (système de coextrusion spécifique à la confiserie), sucre, glucose, pulpe de fruits, parfum naturel. Finition : pinçage des deux extrémités. La finition consiste à envelopper avec soin la rigolette nantaise dans un petit film plastique transparent. Elles sont vendues en sachets plastique de 250 grammes et en boîtes de fer rondes.

HISTORIQUE DES BISCUITS BN
(Casse-Croûte, Goûter)

A la fin du XIXᵉ siècle, l'industrie biscuitière nantaise, stimulée par le succès de Lu, est en plein essor. En 1896, Pierre Cosse fonde la Biscuiterie Nantaise (BN); il est rejoint en 1902 par la famille Lotz. Toutefois, leur renommée nationale ne débute qu'en 1922 avec leur première véritable création, le Casse-Croûte BN. BN avait cherché à faire un biscuit économique, qui puisse constituer l'élément essentiel du petit déjeuner ou du goûter, et le Casse-Croûte (marque déposée par la société la même année) connaîtra un succès immédiat.

Dix ans plus tard, en 1933, est lancé le Choco Casse-Croûte, biscuit fourré au chocolat. Le chocolat n'est plus un produit de luxe et ce nouveau biscuit vise également un public très large. Après la guerre, il est rebaptisé Choco BN (1953), et une nouvelle marque, Super Casse-Croûte, sera déposée en 1956. Le biscuit changera encore de nom pour devenir le Goûter BN en 1977, puis BN tout court l'année suivante.

Au cours des années la forme et le « fond » de ce biscuit seront également modifiés. Dans les années 30, le Choco Casse-Croûte mesurait 70x71 millimètres, mais, dans les années 60, il prit un forme nettement rectangulaire de 70 x 62 millimètres. Ce n'est que depuis peu, avec le lancement du format « géant », qu'il mesure de nouveau plus de 70 millimètres de côté. Ces modifications sont accompagnées par une diversification des parfums : les biscuits peuvent être désormais fourrés à la vanille, à la fraise, à l'abricot, etc.

La Biscuiterie Nantaise restera une société familiale jusqu'en 1990, quand Lionel Cosse, dernier représentant de la famille fondatrice, quitte la présidence. En 1992, BN prend place parmi les sociétés appartenant à PepsiCo Foods Int'l (PFI) — le département International Snack Foods de PepsiCo Inc et General Mills —, tous les deux ayant leur siège aux États-Unis.

BN, GOÛTER FOURRÉ

BISCUIT FOURRÉ

Production
Fabriqué toute
l'année à Nantes,
le tonnage est de
22 000 tonnes.

AUTRES APPELLATIONS : Choco BN, Goûter BN.

PARTICULARITÉ : il s'agit du premier biscuit du genre goûter, fourré, constitué de deux biscuits secs fourrés d'une pâte à base de matière grasse végétale, de sucre et de cacao. Il existe des variantes : les biscuits tout chocolat, biscuits avec deux yeux rieurs et une grande bouche laissant apercevoir le fourrage.

Description

Sandwich composé de deux biscuits carrés brillants, couleur marron clair (excepté pour le biscuit tout chocolat), fourré avec différentes préparations : parfum chocolat, vanille, chocolat noisette, chocolat au lait, pulpe de fraise, pulpe d'abricot. La composition moyenne est : farine de froment, sucre, graisse végétale partiellement hydrogénée, graisse animale dextrosée, amidon lactosérum en poudre, sirop de glucose, sucre inverti, poudre à lever, sel, émulsifiant, lécithine de soja. Dans l'exemple du parfum vanillé, la composition est : extrait de vanille, vanilline et autres arômes, lait.

Usages

Ce Choco tout prêt remplace la traditionnelle tartine de pain additionnée d'une barre de chocolat.

Savoir-faire

La firme ne désirant pas donner de détails, les principes de fabrication sont les suivants : réalisation des biscuits par pétrissage d'une pâte ferme avec repos. Puis laminage, découpage et cuisson. Il importe d'obtenir le format le plus régulier possible afin que, lors de l'assemblage, il n'y ait pas de différence de taille. Ensuite intervient l'opération délicate du fourrage, puis les deux biscuits sont comprimés et emballés. Le conditionnement est fait en paquets de 8 (4 × 2), de 16 et de 24 biscuits.

CASSE-CROÛTE BN

BISCUIT SEC

Production
Fabriqué toute l'année, à Nantes, la BN a inventé ce biscuit et elle reste le leader de ce marché. Le tonnage est de 4 500 tonnes.

AUTRES APPELLATIONS : goûter sec, casse-croûte, déjeuner-goûter.

PARTICULARITÉ : premier biscuit de prix très abordable. Dès sa sortie en 1922, ce biscuit n'est plus considéré comme un produit de luxe, il s'impose comme un aliment pratique pour le petit déjeuner et le goûter des enfants.

Description

Hors conditionnement, biscuit rectangulaire, épais, d'une très grande légèreté. Longueur moyenne 7,5 millimètres, largeur moyenne 63 millimètres, épaisseur moyenne 13 millimètres, poids moyen 14,6 grammes. Il s'agit sans doute du plus léger des biscuits, sa texture est très levée et très fondante. Il est composé de farine de froment, sucre, graisse animale, sirop de glucose, poudre à lever, bicarbonate de soude, lactosérum, sel, arôme artificiel. Il s'agit du biscuit le plus équilibré : lipides 5,3 %, protides 8 %, glucides 78,9 %. Le prix est modéré : à matière sèche égale, il revient moins cher que le pain.

Usages

Biscuit pouvant s'utiliser comme une tartine, donc très pratique car il s'accommode de tout : beurre, chocolat, confiture, pour le petit déjeuner ou le goûter.

Savoir-faire

Le Casse-Croûte nécessite une grande maîtrise des techniques biscuitières, la société ne désirant pas donner d'informations techniques quant aux « secrets ». La faible teneur en matière grasse impose des réglages minutieux des appareils de laminage et de découpage de la pâte, pour atteindre les dimensions souhaitées du biscuit.
Par ailleurs, la grande légèreté du produit, due à sa texture très aérée, ne peut s'obtenir que par une parfaite connaissance des matières premières mises en œuvre.
Les biscuits sont emballés en paquet de 24 ou de 48 Casse-Croûte BN.

CROQUANT DE L'ANJOU

CROQUANT

Production
Fabriqué toute l'année à Bierné, un seul producteur assure un tonnage (non communiqué), en hausse constante depuis que sa vente est faite en épiceries fines sur toute la France. Marque déposée.

AUTRES APPELLATIONS : croquant à... (selon le parfum), croquette.

PARTICULARITÉ : biscuit rond très fin au goût d'anis dominant. Entre biscuiterie et confiserie.

Description

Forme parfaitement ronde de 5 centimètres de diamètre environ et de 2 millimètres d'épaisseur, d'un poids de 3 grammes. Il est quasiment translucide de couleur blond à doré brillant. Sa texture est cassante, craquante sous la dent, le parfum « éclatant » en bouche. La composition est à base de farine de froment, sucre, lait, œufs, beurre, anis à 0,2 %, mais aussi d'arômes divers (menthe, gingembre, jasmin, bergamote, pomme-cannelle, kiwi, orange), sans additifs chimiques.

Historique

C'est en 1882 que les sœurs hospitalières de Saint-Julien à Château-Gontier auraient créé un biscuit à l'anis, vraisemblablement destiné d'abord à leurs malades. Le choix de l'anis venait, peut-être, de la disponibilité en grandes quantités d'anis, alors cultivé dans les environs de Tours, de Bourgueil et de Chinon. Depuis des siècles, d'ailleurs, on attribuait à cette plante des propriétés digestives. Au XVIIIe siècle, Lémery écrit, par exemple, que « l'anis fortifie l'estomac, chasse les vents, est cordial, apaise les coliques, excite le lait aux nourrices, et donne bonne bouche ».

Lémery signale déjà que « les pâtissiers font des biscuits fort agréables, où ils font entrer de l'anis ». Autrement dit, les sœurs de Château-Gontier reprennent à leur manière une vieille tradition de biscuits à l'anis et en 1898 elles déposent la marque Biscuits hygiéniques anisés Saint-Julien auprès du greffe du tribunal de Château-Gontier. La même année, elles signent un contrat d'exclusivité avec le négociant angevin Alfred Pelé, qui s'assure le monopole de la revente du nouveau produit hors de la Mayenne. Les sœurs conservent le droit d'écouler une petite partie de la production dans le département. La production commercialisable de ce que le contrat appelle des pains anisés est alors estimée à 5 tonnes par an.

A une date inconnue, mais postérieure à 1909, les religieuses de l'Hôtel-Dieu ont vendu la recette à un boulanger-pâtissier de la ville ; peu de temps après, Danger, successeur de L. Taffatz, se proclame le seul fabricant des véritables Croquettes digestives anisées créées par les sœurs de sa ville. Plusieurs commerçants prendront le relais par la suite, mais, depuis 1981, une seule famille assure la totalité de la production des célèbres croquettes dans leur biscuiterie de Bierné, située à 12 kilomètres à l'est de Château-Gontier.

Usages

Ce produit, à qui on attribue des valeurs digestives, est dégusté seul ou en accompagnant thé, café, glaces ou salades de fruits, desserts.

Savoir-faire

Fabrication protégée, le croquant n'est pas décrit dans ses modalités de production. Il est d'une très grande régularité et d'une extrême finesse. Sa faible teneur en eau après cuisson lui assure une conservation d'un an. Il est vendu en sachets de 100 grammes, en boîtes transparentes cylindriques de 150 à 350 grammes et en boîtes métalliques de 500 grammes.

FION

FLAN

Production
Importante, mais non calculée, en période pascale pour le fion (à Poire-sur-Vie, à Aizenay) ; à l'année pour le flan maraîchin.

AUTRES APPELLATIONS : fionc, fllun, flan maraîchin.

PARTICULARITÉ : dessert typique de l'ouest de la Vendée, préparé à partir d'une recette très riche en œufs, lait et crème fraîche, vanille, cannelle et parfois fleur d'oranger. Le fion est donc très parfumé, il peut se garder plusieurs jours.

Description

Fion : timbale en croûte d'environ 12 centimètres de diamètre et de 12 centimètres de hauteur, dont le pourtour supérieur présente des dentelures. L'intérieur est constitué d'une préparation parfumée à la cannelle, à la vanille et parfois à la fleur d'oranger. Il ressemble à des œufs au lait.
Flan maraîchin : flan de diamètre variable pouvant

atteindre 20 centimètres et 5 centimètres de haut, poids 1,1 kilogramme.

Dans le marais, le fond du flan est constitué d'une pâte à tarte, peu sucrée et précuite.

Le fion (et le flan) sont composés de farine de blé, sel, œufs, lait, crème, beurre, sucre, arômes.

Historique

Les vocables *fion*, *fllon*, sont des variantes de *flan*, dérivé à son tour d'un mot franc qui désignait un disque plat. A partir du XIIᵉ siècle, on appelait flans de grosses tartes à base de crème, d'œufs et de sucre. Certains fions sont de véritables flans (c'est le cas des flans maraîchins), alors que d'autres ressemblent plus à un parent proche du flan, la *dariole*.

Les darioles avaient des bords plus hauts que des flans et furent façonnées dès le XVIIIᵉ siècle dans des timbales, ce qui leur conférait la forme d'un gobelet. Les fions, réalisés encore dans la Vendée à l'époque de Pâques, reprennent cette forme mais atteignent souvent des dimensions très importantes (ils peuvent peser plus de 1 kilo). Autre différence avec les darioles, la pâte subit une cuisson à l'eau, comme un échaudé (voir Échaudé vendéen), avant d'être desséchée et cuite au four.

D'après les auteurs de *Coutumes en Vendée*, dans les environs de Poiré-sur-Vie, on commençait à fabriquer les fions seulement à partir du Vendredi saint. « On dit qu'il ne faut pas goûter les flluns (fions) avant le samedi midi de Pâques, ou bien avant que la patronne soit revenue de la première messe, sinon des crapauds, serpents et autres vermines se mettaient dedans. » Cependant, malgré une longue histoire dans la région, la fabrication des fions avait presque disparu quand, il y a une vingtaine d'années, une boulangère de Poiré-sur-Vie décida de « relancer » ce produit. Comme autrefois, Rachel Berriau, fait cette spécialité uniquement pendant la saison pascale. Aujourd'hui, des Vendéens viennent de partout pour acheter les fions fabriqués dans sa modeste boutique, une dizaine de kilomètres au nord de La Roche-sur-Yon.

Savoir-faire

Préparation de la croûte : farine de froment 500 grammes, sel 10 grammes, 1 œuf, 50 grammes de beurre. Préparation de la crème : 1 litre de lait, 8 œufs, 250 grammes de sucre, 15 centilitres de crème fraîche, vanille, cannelle et parfois fleur d'oranger. Cette crème est surnommée le *bon du fion*.

La réalisation des croûtes à fion, échaudées en forme de timbale, s'avère extrêmement délicate. Émoulage de la pâte dans le pot, sans plis, échaudage quelques minutes dans l'eau frémissante, séchage, dorage de la partie supérieure à l'œuf, puis cuisson.

La préparation de la croûte dans un moule à flan classique, qui sera précuit à blanc, pose moins de problèmes.

Pour la crème, faire bouillir le lait avec le sucre, la cannelle et une gousse de vanille. Verser les œufs, la crème fraîche et l'eau de fleur d'oranger. Bien mélanger, passer au chinois, verser immédiatement dans la croûte précuite qui aura été déposée. L'emballage des fions est fait en boîte de carton, dans un récipient plus grand dans l'hypothèse où la croûte ne serait pas étanche. Une ficelle peut être utilisée pour cercler le sommet de la timbale. Cuire à four doux, la crème ne doit pas bouillir.

FOUTIMASSON

BEIGNET

Production
Fabriqué à partir du Mardi gras, il est, de nos jours, présent sur le marché pendant toute la période estivale. Estimation de production : 10 000 à 12 000 pièces par an. Plusieurs pâtissiers-boulangers les produisent sur Challans et les environs, essentiellement pendant les périodes de Mardi gras, de la Mi-Carême et du Carnaval.

AUTRES APPELLATIONS : bottereau, tourtisseau, merveille, bottereau nantais, bottereau vendéen, feuilleté tourtisseau, beignée.

PARTICULARITÉ : pâte levée frite, bien ventrue, très traditionnelle en période de Carnaval et de jour gras (Mardi gras). Les tourtisseaux de l'ouest de la Vendée se classent dans la famille nombreuse des beignets, ailleurs dénommés foutimassons en Vendée et Poitou, bottereaux en bocage vendéen (Loire-Atlantique), beignée en région lyonnaise, etc. Notons que l'appellation tourtisseau existe également en Anjou, Touraine et Poitou. «Chaque pays, chaque mode», l'extrême popularité de ces beignets explique sûrement l'étonnante diversité des recettes et des tours de main. Les tourtisseaux, assez proches des foutimassons, ont la particularité de contenir de la crème fraîche en plus du beurre et d'être souvent parfumés à l'eau-de-vie.

Description

Beignet marron clair, saupoudré de sucre glace, de différentes formes. Rectangulaire, il mesure de 4 à 5 centimètres de long, 2 centimètres de large et 0,5 à 1 centimètre environ d'épaisseur. Mie jaune assez aérée et moelleuse. La variante bottereau feuilleté aura une texture spécifique. La découpe en losange est fréquemment utilisée.
Le foutimasson est composé pour 1 kilogramme de farine de froment : 20 grammes de sel, 200 grammes de beurre, 250 grammes de sucre, 6 œufs, parfum eau-de-vie ou de fleur d'oranger ou rhum, 40 grammes de levure biologique ou 20 grammes de poudre levante, huile pour friture.

Historique

Dans les campagnes françaises du XIXᵉ siècle, le Mardi gras était l'occasion de manger des crêpes ou des beignets, appelés dans les Pays de Loire foutimassons, bottereaux ou encore tourtisseaux. Dans leur *Glossaire du patois angevin* paru en 1908, Verrier et Onillon définissent le bottereau comme une « sorte de beignet fait avec une pâte levée et ferme, composée de farine que l'on a pétrie avec des jaunes d'œufs et du sucre » ; plus loin, ils donnent une autre définition : « gâteau frit dans la poêle ». Les mêmes auteurs citent longuement l'*Histoire de la Vendée* de l'abbé Deniau, qui précise que « le jour de la Purification ou de la Chandeleur, et au temps du Carnaval, il était d'usage dans toutes les familles de virer [c'est-à-dire retourner] des crêpes [dans leur poêle] et des botraux [dans leur graisse de friture] ». D'où l'expression populaire transcrite par les folkloristes : « V'nez dan' à Mardi gras, Je virant des botterais. »
De nos jours, cette tradition familiale se perd et le bottereau est préparé plutôt en saison par des pâtissiers. Le terme de foutimasson, qui désigne la même pâtisserie, est propre à la région de Challans, tandis que celui de tourtisseau se rencontre plutôt sur les côtes de Vendée.

Usages

Il se consomme encore tiède, et il faut souvent faire un effort pour s'arrêter d'en manger. Ce petit biscuit est consommé, dès la période du Mardi gras, en friandise ou en coupe-faim tout au long de la journée, mais aussi trempé dans le café.

Savoir-faire

Faire une fontaine avec la farine, casser les œufs au centre, y mélanger le sel, le sucre, le ou les parfums, la levure, le beurre fondu tiède et la crème épaisse.

Pétrir le tout jusqu'à l'obtention d'une pâte lisse. Laisser lever par la levure biologique. Ensuite, abaisser finement la pâte au rouleau, suivant le moelleux désiré. Découper des losanges de pâte ou différentes formes à l'emporte-pièce. Plonger les tourtisseaux dans une huile pour friture à 180 degrés environ. Laisser dorer la face inférieure puis « virer », retourner les tourtisseaux pour colorer l'autre face. Les sortir à l'aide d'une écumoire et les égoutter. Saupoudrer de sucre glace. En Vendée, certains bottereaux sont feuilletés à trois tours (essentiellement par les boulangers, qui, dans ce cas, ne mettent pas la totalité du beurre au départ). Emballés en pochon papier et en sac plastique.

HISTORIQUE
DES GALETTES BRETONNES
(Saint-Guénolé, Saint-Michel)

Dans les Pays de la Loire, le terme de galette désigne traditionnellement deux produits bien distincts : soit une crêpe plus ou moins épaisse, vendue à Nantes au XIXᵉ siècle, selon Paul Eudel, par des marchandes de rue « qui les confectionnaient en plein air » ; soit encore un gâteau peu levé et assez dense qui se fabriquait notamment à Pâques : c'était la galette pâcaude, bien connue au sud de la Loire. La galette bretonne participe un peu des deux : c'est un gâteau sec et sucré qui utilise l'excellent beurre produit dans la région. Dès la fin du XIXᵉ siècle, la célèbre biscuiterie LU à Nantes fabrique des galettes bretonnes : un article de la *Revue des spécialités alimentaires* du 12 juillet 1889 signale même que cette marque a été déposée au greffe du tribunal de commerce. Outre leur bon goût, ces produits offrent l'avantage de pouvoir être facilement emportés en voyage ou sur la plage : en 1931, le guide UNA recommande ainsi à ses lecteurs, lorsqu'ils se trouveront dans la station balnéaire de Préfailles près de la pointe Saint-Gildas, de goûter aux galettes de la Source, qu'il qualifie de « gâteaux de voyage ».

C'est à quelques kilomètres de là, dans la commune littorale de Saint-Michel-Chef-Chef, que s'installe en 1900 Joseph Grellier, boulanger-pâtissier sacré deux ans plus tôt Meilleur Ouvrier de Nantes. A partir de 1905, il met en vente auprès des touristes qui viennent durant l'été aux bains de mer la galette qu'il a conçue. Dès 1910, les galettes Saint-Michel reçoivent une médaille d'or lors d'une exposition nantaise. La production actuelle est toujours assurée par la famille Grellier.

La galette Saint-Guénolé est une création plus récente fabriquée depuis 1920 dans une autre station balnéaire, Batz-sur-mer. La production a gardé un caractère artisanal et s'écoule essentiellement durant la saison touristique d'été. La galette Saint-Guénolé utilise le beurre salé au célèbre sel de Guérande, qui a fait pendant des siècles la fortune de cette région.

GALETTE DE SAINT-GUÉNOLÉ

Production
A Batz-sur-Mer. La fabrication est continue avec une très forte pointe pendant la saison d'été. Tonnage non communiqué. De caractère artisanal, cette production est limitée en volume, en augmentation de 15 % par an depuis quelques années.

AUTRE APPELLATION : galette fine Avel Vor au beurre.

PARTICULARITÉ : galette bretonne pur beurre salée au sel de Batz-sur-Mer, dont l'essentiel de la fabrication est vendu sur le site même de production, souvent dans la journée. Produit sucré présentant les arômes caractéristiques du pur beurre.

Description

Forme ronde de 5,6 centimètres de diamètre, épaisse de 6 millimètres et pesant 8 grammes environ. Sa périphérie est dentelée (24 dents). De couleur blonde, assez brillante, elle est craquante et se comporte comme une pâte sablée en bouche. Sa composition est : farine de froment, sucre, beurre concentré 20 %, œufs pasteurisés, sel, acide tartrique, produit levant.

Usages

Usage habituel d'un prodruit type galette bretonne.

Savoir-faire

Préparation : pétrissage des ingrédients, repos suivi d'un laminage et d'une découpe à l'emporte-pièce. Dorage et cuisson au four tunnel biscuitier à chauffage direct. Finition : dorage. Refroidie, elle est emballée sous film plastique transparent avec protection UV. Nombreux boîtages différents, sachets pesant jusqu'à 1 kilogramme, boîtes en fer, etc.

GALETTE SAINT-MICHEL

BISCUIT SEC

Production
Toute l'année à
Saint-Michel-Chef-
Chef. La production
est d'environ
27 millions de
paquets par an.
Marque déposée.

PARTICULARITÉ : galette de type bretonne, tout au beurre, fabriquée depuis 1905 selon la même recette par la même famille, dans la même commune par un personnel local attaché depuis des générations à cette entreprise.

Description

De forme ronde, très brillante avec un motif central représentant un ange terrassant un dragon. La galette est « signée ». Sa couleur est marron clair très brillant, le diamètre moyen est de 53,5 millimètres plus ou moins 0,5 millimètre, la hauteur moyenne et de 6,7 millimètres plus ou moins 0,3 millimètre, et le poids moyen est de 6,5 grammes. Elle est très croustillante, puis fondante en bouche. Cette galette est composée de farine de froment, sucre, beurre, œufs entiers, arôme naturel, sel, poudre à lever, sirop de glucose, lactose, protéines de lait, farine de malt.

Usages

A toutes les occasions, et notamment avec le café ou le thé.

Savoir-faire

Pétrissage peu intense de tous les ingrédients, de sorte à obtenir une pâte sablée, puis mise en forme à l'aide d'une rotative. Dorage soigné puis cuisson en four tunnel. Emballage en paquets de 20 galettes d'un poids net de 130 grammes dans une boîte en fer.

GALETTE DE DOUÉ-LA-FONTAINE

**GÂTEAU SEC
À PÂTE SABLÉE**

Production
Plusieurs tonnes au
fur et à mesure de
la demande. Toute
l'année à Doué-la-
Fontaine (artisanat
seulement). La
galette ou gâteau de
Doué n'est pas
cerclé lors de la
cuisson. Les
dentelures sont
effectuées avec le
pouce et l'index de
la main droite.

PARTICULARITÉ : galette sèche appréciée de longue date par les Douessins. Produit nature, dont la qualité est due aux seules matières premières employées sans aucun recours à des parfums. A noter : la grande finesse de la recette. Le mariage farine, beurre, sucre, œufs fonctionne parfaitement — grande simplicité et vitesse de fabrication, aspect rustique dû au fait que la cuisson s'effectue sans cercle, la circonférence de la galette étant dentelée avec les doigts. Galette sablée, dense car généralement fabriquée sans poudre levante.

Description

Galette ronde de différents diamètres de couleur blonde, brillante, présentant des stries sur le dessus. De formes et grandeurs variées, le diamètre peut atteindre 25 centimètres. La circonférence du gâteau de Doué présente des dentelerures réalisées à la main. L'épaisseur varie de 1 à 2 centimètres. Plus la galette de Doué-la-Fontaine est fine et plus sa dureté et son craquant sont importants. L'emploi de sucre cristallisé en quantité importante associé à la rapidité du mélange influe directement sur la mâche du produit. Composition : farine de froment 1 000 grammes, beurre 500 grammes, sucre 500 grammes, œufs 2 à 3, sel 20 grammes (pas de poudre levante).

Historique

L'ancienneté de la fabrication de la galette de Doué-la-Fontaine ne fait aucun doute. Un témoignage extrêmement précis atteste de sa fabrication par un artisan boulanger, depuis 1932 au moins, sans aucune interruption depuis. Elle a été longtemps, et est toujours dans une moindre mesure, fabriquée à domicile par

les particuliers. La parenté de la galette ou gâteau
de Doué avec le broyé du Poitou semble évidente.
Sous l'Ancien Régime, le Poitou arrivait aux portes de
Doué.

Usages

Fabrication plus importante au premier de l'an et
pendant la fête des rois. La galette de Doué-la-Fontaine se voit, pour l'occasion, dotée d'une fève.
Consommation et vente plus importante lors des vendanges.
Se consomme telle quelle ou bien avec une crème
anglaise, ou encore un vin d'Anjou moelleux.

Savoir-faire

Réaliser une fontaine avec la farine au centre, déposer le sucre, le beurre, le sel et les œufs. Malaxer
ces ingrédients à la main en élargissant progressivement le geste de rotation de la main afin d'incorporer rapidement l'ensemble de la farine. La pâte doit
être de consistance ferme et présenter un aspect granité (peu lisse). Peser des morceaux de pâte, en faire
des boules puis étaler au rouleau, en étoile, de
manière à réaliser un rond de 1 centimètre d'épaisseur. Dorer à l'œuf deux fois, pratiquer des stries à
l'aide d'une fourchette trempée dans la dorure. Cuire
à 220 degrés une quinzaine de minutes environ. La
galette durcit nettement en cours de refroidissement.
Emballer en boîte de carton ou avec du papier sulfurisé.

GÂTEAU MINUTE

GÉNOISE

Production
Non communiquée, estimée en progression. Gâteau très apprécié dans le sud du département de la Vendée, ainsi qu'au nord des Deux-Sèvres. Nombreuses variantes à la fois dans la formulation et dans la mise en œuvre.

AUTRES APPELLATIONS : nombreuses appellations locales portant le nom de la commune concernée.

PARTICULARITÉ : produit typique, à mi-chemin entre la génoise et le quatre-quarts et jouissant d'une bonne conservation. Cette aptitude à bien se conserver explique peut-être la dénomination de ce gâteau. En effet, les maîtresses de maison avisées en avaient souvent en réserve. Ainsi, en cas de visite imprévue d'amis, le gâteau était prêt à être servi à la minute. Cela à une époque où il y avait beaucoup moins de gâteaux que de nos jours.

Description

Gâteau rond de couleur marron clair, légèrement terne. Présence fréquente d'un croûtage de sucre sur le dessus, bordure plissée. Diamètre de 15 à 20 centimètres, épaisseur de 5 à 6 centimètres, poids de 350 à 400 grammes. Texture moelleuse à cœur. Il est composé de 500 grammes de sucre, de 250 grammes de beurre, de 450 grammes de farine de blé, d'environ 7 œufs, de sel, de 10 grammes de poudre levante.

Historique

A l'origine, lors des mariages ou des communions dans la partie sud de la Vendée, ce gâteau était réalisé par des femmes, spécialisées dans sa fabrication, qui se déplaçaient de ferme en ferme pour l'occasion. Longtemps cuit sans moule, sa forme ronde était obtenue par la cuisson de la pâte dans un papier gras, assez rigide, dont les bords étaient relevés et entourés d'une ficelle. Cette technique, qui était souvent employée autrefois pour maintenir les côtés des pâtés en croûte cuits sans moule, est généralement abandonnée aujourd'hui.

Usages

Se déguste accompagné d'une crème fouettée et/ou d'un vin blanc moelleux.

Savoir-faire

Il existe au moins deux écoles : ceux qui utilisent les œufs entiers tels quels, et ceux qui séparent les jaunes puis montent les blancs en neige ferme pour les mélanger au reste de la préparation en fin de fabrication. Pommader le beurre puis mélanger vivement avec le sucre jusqu'à ce que le mélange blanchisse bien. Ajouter les œufs petit à petit tout en continuant à battre. Ensuite, ajouter la farine préalablement tamisée avec la poudre levante. Emmouler une quantité de pâte suffisante de manière à ce que le gâteau minute ait au final une épaisseur supérieure à 5 centimètres (gage d'un meilleur moelleux). Saupoudrer de sucre cristal qui croûtera à la cuisson. Cuire à 200 degrés. Veiller à ne pas sécher le produit. Emballer dans du papier sulfurisé ou dans un sachet de plastique.

HISTORIQUE LU :
Beurré et Gâteau nantais, Paille d'or, Véritable Petit Beurre

Depuis le Moyen Age, les marins se nourrissaient principalement de biscuits. Ce terme, du latin *biscoctus*, « cuit deux fois », désignait alors des petits pains très durs que l'on avait fait sécher au four et qui se conservaient fort longtemps. Port d'une grande importance depuis le XVIIe siècle, Nantes a longtemps abrité des fabricants de biscuits de ce type. L'un de ceux-ci, Thébaud aîné, installé à la Sécherie, présenta lors de l'Exposition régionale de 1825 une caisse contenant des biscuits de mer, dont le jury précisa qu'ils étaient « depuis longtemps appréciés par le commerce de Nantes ».

Dans ses souvenirs publiés en 1908, Paul Eudel se souvient encore avec émotion des biscuits de Thébaud : « Seulement, ajoute-t-il, il fallait une puissante et solide mâchoire pour broyer ces carrés durs comme du carton-pâte. » Les dictionnaires de géographie et de commerce des années 1830 mentionnent la fabrication des biscuits de mer comme une spécialité nantaise, et en 1873, sur les dix boulangers installés quai de la Fosse face au port, sept faisaient encore du « pain de mer ».

C'est en 1846 que vient s'installer à Nantes le jeune pâtissier Jean-Romain Lefèvre-Utile, originaire de Varennes-en-Argonne, petite localité spécialisée dans la fabrication des biscuits roses dits de Reims. Dans la pâtisserie qu'il tient rue Boileau avec sa femme, Isabelle Utile, il vend des biscuits sucrés « façon de Reims », présentés à l'Exposition industrielle de 1861, ainsi que les biscuits anglais Huntleys and Palmers. En 1882, les produits que l'on appelle déjà Lefèvre-Utile reçoivent une médaille d'or à l'Exposition de Nantes. La même année, Louis Lefèvre-Utile rachète la société à ses parents et décide, devant le succès des biscuits secs anglais, d'orienter ses efforts vers ce type de produits et d'industrialiser sa production.

Dans l'usine ouverte en 1885 quai Baco, au bord de la Loire, est mise au point toute une gamme de produits nouveaux. Parmi ceux-ci, c'est le Petit Beurre, conçu en 1886 et officiellement déposé en 1888, qui se taille la part du lion, avec au moins un tiers des ventes. En 1897, l'usine fabrique déjà 10 tonnes par jour ; en 1913, elle emploie 1 200 personnes sur plus de 40 000 mètres carrés.

A partir de 1905, toute une partie de l'usine est consacrée à la fabrication d'une nouvelle spécialité — les Pailles d'Or. Ces gaufrettes fourrées se révèlent d'une fabrication difficile (à tel point que ce produit n'a jamais été copié). Fourrées d'une gelée de framboise, les Pailles d'Or se classent parmi les produits haut de gamme de LU et restent une des gloires de l'entreprise. La même année où le public découvre les Pailles d'Or, un autre « classique » naît — le Beurré nantais. Longtemps présenté dans les boîtes contenant un assortiment de biscuits, ce n'est qu'à partir des années 30 qu'il est commercialisé en tant que tel, mais depuis lors ses amateurs ne cessent de le réclamer.

Quant au gâteau nantais, il a toujours occupé une place à part dans la production de LU. Fabriqué de manière semi-industrielle dans l'usine du quai Baco de 1910 à 1972, il s'agissait aussi d'un produit haut de gamme, dont la conservation ne dépassait pas quatre mois. Se rapprochait-il du produit du même nom qui avait été lancé, selon Paul Eudel, par « Rouleau, le roi des Fouaciers [installé] depuis 1820 rue Saint-Clément » ? Nous ne saurions répondre, mais, ce qui est sûr, c'est que ce gâteau, avec ses arômes de rhum et de fruits, acquit dès sa création la faveur des gourmands. A tel point que sa fabrication, qui fut interrompue en 1988, a été ressuscitée au début de 1993 par l'Amicale des anciens pâtissiers de LU, qui tenaient à ce que ce produit de qualité ne disparaisse pas du marché.

BEURRÉ NANTAIS (LU)

GALETTE SABLÉE
AU BEURRE

Production
2 000 tonnes par an
à l'usine LU, à
La Haye-Fouassière.

PARTICULARITÉ : née à Nantes, cette galette sablée est très originale. Il s'agit sans doute d'une synthèse réussie-des influences biscuitières bretonnes, vendéennes et poitevines. Dotée d'une grande finesse de goût, aucun arôme extérieur ne s'interpose entre le subtil équilibre du sucre, du beurre, de la farine et du lait. Les privilégiés qui ont goûté la pâte crue affirment que c'est déjà un régal...

Description

Galette ronde de 6 centimètres de diamètre, 0,7 centimètres de haut et pesant 7 grammes, croustillante de couleur marron clair sur laquelle est inscrit le patronyme LU de la famille fondatrice de la société Lefèvre-Utile. La galette est composée de farine de froment, sucre, beurre 18 %, lait, sel, poudre à lever, lait écrémé en poudre.

Usages

Dessert, coupe-faim, en toute occasion.

Savoir-faire

Préparation préalable d'un sirop de lait et de sucre, puis mélange de la totalité des ingrédients-farine, beurre, sel, poudre levante. Pâte ferme, pétrissage peu intense. Repos prolongé de la pâte. Succession de passages entre les cylindres afin d'améliorer la cohésion de la pâte et de calibrer son épaisseur à environ 2 centimètres. Laminage progressif de la pâte afin d'obtenir une bande de pâte continue de faible épaisseur. Passage sous un rouleau piqueur, puis découpe à l'aide d'un roto découpoir. Recyclage des rognures de pâte (la trame entre les galettes) en tête de ligne, dorage des biscuits puis enfournement dans un four tunnel. Cuisson. Les biscuits sont ensablés en paquets de 150 grammes (20 galettes).

GÂTEAU NANTAIS (LU)

GÂTEAU

Production
Chez quelques
boulangers-pâtissiers
nantais.

PARTICULARITÉ : dessert haut de gamme très caractéristique de la pâtisserie du début du siècle, comme le prouve l'importante quantité d'amandes mise en œuvre. Heureux mariage du sucre, de l'amande et de la confiture d'abricots, relevés par un généreux punchage au rhum des Antilles. Gâteau moelleux réputé pour sa bonne conservation.

Description

Gâteau rond de 14 centimètres de diamètre, 3 centimètres de haut, pesant 450 grammes. Le fond est constitué d'un biscuit amandé, moelleux et copieusement punché. Le dessus est nappé d'une gelée d'abricots puis d'une glace à l'eau de teinte blanche. Sa composition est faite d'amandes, sucre, farine, œufs, confiture d'abricots, sirop de sucre, rhum des Antilles, parfums, citron et punch.

Savoir-faire

Ingrédients : 300 grammes d'amandes émondées et rapées, 300 grammes de sucre, 100 grammes de farine, 6 œufs, 30 grammes de sucre vanillé, gelée ou confiture d'abricots, citron punch, sirop de sucre et rhum des Antilles. Réalisation de la pâte : fouetter énergiquement les amandes émondées et rapées avec la totalité du sucre, ajouter graduellement les œufs entiers, fouetter jusqu'à obtention d'une masse bien mousseuse. Incorporer délicatement à la spatule la farine tamisée et le sucre vanille. Beurrer les moules, y verser la préparation de manière à obtenir une hauteur avant cuisson de 3 centimètres. Cuisson à 200 degrés, environ 25 minutes. Le gâteau se bombe à la cuisson, le dessus doit avoir une couleur blonde. Vérifier que le gâteau remonte bien avec une pression du doigt.

Démouler de manière à ce que la partie supérieure soit en dessous. Laisser refroidir. Préparer le punch : sirop de sucre, rhum, citron et punch, copieusement afin de donner le maximum de moelleux. Faire bouillir à petit feu une gelée ou une confiture d'abricots sans les fruits, puis étaler à la spatule sur la partie supérieure du gâteau, laisser croûter. Préparer une glace à l'eau (sucre, glace, eau et rhum) et glacer le dessus du gâteau. Afin de profiter de tous les arômes et du moelleux optimal, il est opportun de préparer ce gâteau 24 voire 48 heures avant sa consommation.

PAILLE D'OR (LU)

GAUFRETTE FOURRÉE

Production
De l'ordre de
2 000 tonnes par an,
par l'entreprise LU
de Nantes.

PARTICULARITÉ : gaufrette légère et friable d'une finesse exceptionnelle, fourrée de framboises. L'un des produits les plus difficiles à fabriquer, à tel point que ce produit n'a jamais été copié. Technique de fabrication très élaborée mettant en œuvre un savoir-faire quasi centenaire afin que le croustillant de la gaufrette ne soit pas diminué par l'humidité du fourrage de framboise.

Description

Fines gaufrettes dorées et friables formant cinq petites canalisations fourrées d'un fourrage framboise. Longueur 8 centimètres, largeur 2 centimètres, poids 6 grammes, épaisseur 6 millimètres. Ingrédients : sucre inverti, framboise 36 %, farine de froment, sucre, lait écrémé en poudre, jus de groseille, graisse végétale, jaune d'œuf en poudre, émulsifiant : lécithine de soja, poudre à lever.

Usages

La tradition de gourmandise veut que l'on déguste les Pailles d'Or deux par deux.

Savoir-faire

Préparation de la pâte à gaufre, mélange des divers ingrédients puis pétrissage d'une pâte très liquide. Cette pâte est injectée dans des gaufriers (cuisson automatique de courte durée entre deux fers), éjection des feuilles puis contrôle. Fabrication en continu du fourrage framboise : réchauffe des fruits à 30 degrés, broyage et épépinage des framboises. Mélange des jus de framboise, de groseille et du sucre, cuisson sous vide. Les feuilles de gaufrettes sont tartinées par pulvérisation sur l'intérieur et assemblées par deux, puis pressées pour mieux les coller. Superposition de quatre plaques. Celles-ci sont ensuites sciées en longueur et en largeur. Les plots obtenus sont séparés en longueur et en largeur puis enveloppés dans un papier aluminium renforcé. Un plot est constitué de 12 gaufrettes.
Emballage particulièrement soigné (sachet fraîcheur) paquets de 85 grammes (deux plots de 12 gaufrettes) ou en paquets de 170 grammes (4 plots de 12 gaufrettes).

VÉRITABLE **P**ETIT **B**EURRE (LU)

BISCUIT SEC

Production
En 1991, 6 000 tonnes, chiffre qui inclue le dernier de la famille, le

AUTRES APPELLATIONS : véritable Petit Beurre, P'tit Lu.

PARTICULARITÉ : le Véritable Petit Beurre Lu n'est pas tout à fait un biscuit comme les autres. Inventé en 1886 par un génial pâtissier nantais : Louis Lefèvre-Utile, sa notoriété internationale n'a cessé d'augmenter. Biscuit exceptionnel par l'extrême simplicité et

Véritable Petit Beurre au blé complet apparu en 1989 pour satisfaire les goûts nouveaux des consommateurs.

l'équilibre de sa recette. Nombreux sont les gourmets avisés qui commencent par déguster ses quatres coins croustillants. Se méfier des nombreuses et décevantes imitations.

Description

« Qu'on se figure un biscuit de forme carrée longue, aux bords découpés en festons arrondis, qui croque sous la dent sans s'émietter, qui fond dans la bouche en y laissant un goût exquis sans être trop prononcé. » (Description de l'inventeur du biscuit Louis Lefèvre-Utile.) Texture très originale, croustillante grâce à une très discrète structure lamellaire. Longueur 6 millimètres, largeur 5 centimètres, hauteur 6 millimètres, poids moyen 8 ou 9 grammes. La composition est : farine de froment, sucre, lait, beurre 12 %, sel, poudre à lever.

Savoir-faire

Préparation d'un sirop de lait et de sucre, puis pétrissage de la totalité des ingrédients. Repos de la pâte dans un bac qu'un élévateur hisse ensuite dans une petite machine, à cylindres cannelés, qui améliore la cohésion de la pâte et calibre son épaisseur. La bande de pâte est ensuite progressivement laminée. Puis intervient une découpe en feuillets qui seront superposés cinq par cinq et à nouveau laminés par plusieurs paires de cylindres afin d'obtenir une bande continue de plus en plus mince, dirigée vers le découpoir alternatif. Celui-ci s'abaisse à intervalles réguliers sur la pâte, lui imprimant sa forme et son aspect. Les rognures, c'est-à-dire la trame de pâte non utilisée permettant un espacement suffisant entre les biscuits, sont dirigées vers les premiers laminoirs. Les Véritables Petit Beurres, disposés régulièrement sur un tapis métallique en grillage, traversent ensuite un long four tunnel. Durée de cuisson : 5 minutes. Ils sont conditionnés en paquets de 12 de 100 grammes et en paquets de 24 de 215 grammes.

MERICE

GÂTEAU

Production
A l'année, avec une
grosse pointe de
production pendant
la saison
touristique.

AUTRES APPELLATIONS : betchet ou bettchett's.

VARIANTE : bet-chet (même préparation que la merice, mais sous forme de gâteau individuel rond).

PARTICULARITÉ : gâteau traditionnel de l'île d'Yeu, volontairement compact et assez sucré, de manière à le conserver longtemps sans moisir. Forme caractéristique.

Description

Gros gâteau de forme allongée, de couleur dorée, présentant des croisillons sur le dessus. Mie de couleur crème, régulière et assez dense. Texture fondante. Longueur 28 centimètres, largeur 11 centimètres, hauteur 5 centimètres, poids d'environ 140 grammes.
Composé de 1 000 grammes de farine de froment, 250 grammes de lait, 300 grammes de sucre, 250 grammes de beurre, 20 grammes de sucre vanillé, 20 grammes de sel, 20 grammes de poudre levante, parfum rhum.

Historique

La merice, gros gâteau allongé, et les betchets, petites merices façonnées en gâteaux individuels ronds, sont connus depuis longtemps sur l'île d'Yeu. La pâte est très dense, avec des teneurs en sucre et en beurre assez élevées. A l'origine, la pousse de la pâte était assurée par une sorte de levain, remplacé aujourd'hui par des poudres levantes. Parfois, en plus du sucre et du beurre, on incorporait de la crème fraîche, élément qui entre dans de nombreux desserts vendéens.
Pâtisserie extrêmement nourrissante, la merice est également d'une excellente conservation une fois cuite. C'est sans doute pourquoi, autrefois, on embarquait ces

gâteaux à bord des bateaux qui partaient de l'île d'Yeu lors des campagnes de pêche, qui duraient, souvent, plusieurs mois.

Usages

Se consomme en l'état ou encore additionnée de confiture.

Savoir-faire

Pommader le beurre, puis incorporer l'ensemble des ingrédients (au préalable, tamiser la poudre levante avec la farine). Le mélange doit être court. Arrêter le pétrissage dès que la pâte semble lisse. Veiller à ce que la consistance de la pâte soit ferme. Laisser reposer environ 1 heure. Peser les merices à 750 grammes et les façonner en pain long. Dorer à l'œuf, inciser le dessus en losanges. Cuire à 220 degrés, environ 30 minutes. Pour les betchets, même procédure : peser à 150 grammes, bouler, dorer et cuire.

Pâté de Prunes d'Angers

TARTE AUX FRUITS RECOUVERTE

AUTRE APPELLATION : pâté de Prunes.

PARTICULARITÉ: dessert simple et succulent en raison de la qualité des reines-claudes locales et du mode de cuisson. En effet, la présence du couvercle de pâte, associé à la longue ébullition du jus de cuisson des reines-claudes concentre les arômes du fruit.

Production
Assurée par la grande majorité des boulangers et pâtissiers d'Angers et de ses environs. La période de production de ce pâté de prunes correspond à la disponibilité du

Description

Tarte recouverte ou tourte dotée d'un trou central appelé cheminée. Belle couleur dorée particulièrement

fruit, de la
mi-juillet à la
mi-septembre.

brillante. Cette cheminée est parfois bordée d'une fine torsade de pâte. Poids assez important par rapport au diamètre en raison de la quantité de prunes. La tarte est faite de farine, sucre, beurre, œufs, sel et prunes reines-claudes.

Historique

L'Anjou possède une longue et riche tradition fruitière. Les prunes notamment y poussaient en abondance. Au sud de la Loire, autour de Montsoreau et de Saumur, les prunes de Sainte-Catherine étaient expédiées séchées à Paris et à l'étranger, sous le nom de pruneaux de Tours. Mais la province était également riche en reines-claudes, qui entraient précisément dans la préparation du pâté aux prunes.

En 1908, Verrier et Onillon, dans leur glossaire de l'Anjou, distinguent deux sortes de pâtés aux prunes. Celui qui se fait à la campagne est de forme allongée et ovale, et les fruits y sont complétement enfermés dans une couche assez épaisse de pâte embeurrée. En ville, au contraire, la couche du dessus, appelée *courvoire*, est très mince, bien dorée et munie d'une cheminée avec couronne, ou bourrelet. Ce pâté amélioré est rond.

Ces pâtés pouvaient être servis notamment lors des noces et ils étaient alors de très grande taille. Les mêmes auteurs décrivent l'un de ces pâtés monstres, qui avait nécessité 24 livres de beurre, 24 douzaines d'œufs, 15 livres de sucre, 1 demi-litre d'eau de fleur d'oranger et 65 livres de farine ; mesurant 3,66 mètres en longueur et 70 centimètres en largeur, il pesait 75 kilogrammes avant cuisson, et encore 68 après.

Autrefois fabriqué à la ferme, ce dessert peu coûteux est aujourd'hui réalisé par de nombreux pâtissiers de la région. Il y a encore une vingtaine d'années, certains clients apportaient leurs prunes au boulanger pour qu'il en fasse un pâté.

Usages

Comme dessert, il se marie parfaitement avec le vin local : le coteau-du-layon.

Savoir-faire

Pâte pour 1 kilogramme de farine, 100 grammes de sucre, 250 grammes de beurre, 4 œufs, 15 grammes de sel, complément d'eau afin d'obtenir une pâte assez souple. Veiller à ce que l'abaisse de pâte soit suffisamment épaisse et surtout étanche pour contenir le jus de cuisson. Déposer cette abaisse sur le moule en prévoyant qu'elle déborde de 2 centimètres. Dorer à l'œuf ce pourtour. Compresser la bordure. Déposer des reines-claudes d'Anjou bien mûres. De nombreux connaisseurs assurent qu'il est préférable de choisir des prunes parfaitement mûres et que le fait de ne pas les dénoyauter améliore la qualité gustative.
Saupoudrer de sucre. Déposer une seconde abaisse de pâte, bien la souder à la bordure de celle du dessous. Surtout, ne pas oublier de découper une cheminée de 3 centimètres de diamètre au centre de l'abaisse supérieure. Border éventuellement cette cheminée d'une torsade de pâte. Dorer à l'œuf entier avant d'enfourner. Cuisson à four très chaud pendant 45 minutes. Ne pas s'inquiéter si le dessus du paté tressaute suite à l'ébullition et à la concentration du jus de cuisson. En fin de cuisson, la prune, après une bonne vingtaine de minutes d'ébullition, est complètement délitée. Aussitôt défournée, tremper un pinceau dans la cheminée et dorer avec le jus concentré et repasser 1 à 2 minutes au four pour obtenir une teinte brillante. L'opération peut être répétée une seconde fois.

PETIT MOUZILLON

BISCUIT SEC

Production
Production toute
l'année à Le Pallet,
en Loire-Atlantique,
par un seul
producteur. La
fabrication de 1 000
grandes boîtes par
semaine, soit
20 000 à 25 000
Mouzillons par
jour, correspond à
une progression
régulière depuis dix
ans, l'objectif étant
de dépasser le
cadre régional.
Marque déposée
depuis 1848.

PARTICULARITÉ : biscuit ne contenant ni matière grasse ni sel, dans sa formulation. Fabrication manuelle, forme originale en couronne dentelée irrégulière, biscuit très sec de faible densité et d'excellente conservation.

Description

Forme de couronne dentelée (neuf cornes), de couleur marron clair légèrement terne, d'un poids moyen de 5 grammes environ, pour un diamètre de 6,5 centimètres et d'une épaisseur de 8 à 9 millimètres. Le trou central mesure 27 millimètres. Très friable, ce biscuit est léger et très sec. Il est composé de froment, sucre, œufs frais, poudre d'amandes, poudre de lait, sirop de sucre inverti, agents levants, arômes naturels et artificiels (dont vanille).

Historique

En 1848, M. Guillaud, boulanger installé à Mouzillon, en plein vignoble nantais, crée un biscuit sec et léger qu'il baptise Petit Mouzillon. Par sa composition, il apparaît comme le biscuit de régime idéal. Une publicité de l'entre-deux-guerres précise que les Petits Mouzillons « ne contiennent ni sel ni matière grasse ; ils sont excessivement légers à l'estomac, et nombreux sont les malades, qui ne supportant aucune nourriture, se nourrissent de Petits Mouzillons. La plupart des médecins ayant reconnu leurs précieuses qualités, l'ordonnent de préférence à tout autre biscuit ou pain de régime ».

Toutefois, l'aspect gourmand n'est pas oublié, puisque la même réclame recommande d'utiliser ces gâteaux avec le thé et comme biscuits pour les desserts. Ces usages multiples ont sans doute contribué au succès du Petit Mouzillon; il s'en fabrique 50 000 par jour en 1963 dans l'usine de Clisson, qui ne suffira bientôt plus à une production sans cesse croissante. L'usine de Montevraud, créée en 1964, est à son tour remplacée par la nouvelle unité du Pallet, qui assure, depuis 1972, la fabrication du gâteau.

Usages

Très apprécié lors des vins d'honneur du vignoble nantais, en accompagnement du muscadet, du gros-plant et des autres vins secs.

Savoir-faire

Recette identique à celle de 1848. Préparation de la pâte avec farine, sucre, œufs, amandes, lait, arômes, etc. Pétrissage dans un pétrin à axe oblique, obtention d'une pâte assez molle, la veille du détaillage. Fabrication au laminoir d'une bande d'épaisseur régulière nécessitant un farinage conséquent, puis découpage à l'emporte-pièce manuel. Dépose, un à un, sur un tapis du four. Cuisson 20 minutes dans un four tunnel. Importante déformation à la cuisson : de forme ronde il devient ovale. Dorage à l'œuf et au lait. Ces biscuits sont vendus en sachets de plastique de 125 grammes et en boîte de carton de 450 grammes.

HISTORIQUE DES SABLÉS
DE RETZ ET DE SABLÉ

Vers 1870 Littré note que *sablé* est le « nom d'une sorte de gâteau en Normandie ». Effectivement, ce petit gâteau est, dans un premier temps, étroitement associé à cette province. Vers 1900, dans son célèbre *Mémorial historique et géographique de la pâtisserie*, Lacam nous dit pourquoi : « Voilà le gâteau à la mode. Vous n'avez pas de sablés, vous n'êtes pas assortis : voilà ce que vous disent ces dames revenant de Trouville et de Houlgate. Il y a trente ans, l'on ne trouvait des sablés que chez Dugé, faubourg Poissonière, dans tout Paris... aujourd'hui, tout le monde en a. Ils ont été créés à Lisieux (Calvados) en 1852. » Suite à ses remarques, Lacam présente cinq recettes de sablés : sablé de Lisieux, sablé de Trouville, sablé de Caen, sablé d'Houlgate et sablé à la mode (ces derniers étant aromatisés avec de l'eau de fleur d'oranger). Rien encore, donc, sur le sablé de Sablé.

Les pâtissiers de Sablé-sur-Sarthe reconnaissent que c'est seulement en 1923 que M. Etienne, pâtissier dans cette ville, élabore un petit gâteau, qu'il appelle tout naturellement sablé de Sablé. M. Etienne ne pouvait pas garder le monopole d'un si joli nom et, dès 1931, le guide UNA recommande aux gastronomes de passage à Sillé-le-Guillaume de goûter « les véritables sablés de Sablé préparés à la maison » dans une « fabrique de gâteaux de Sablé » située 7, Grande-Rue à Sillé !

Un autre sablé à succès en Pays de la Loire, le sablé de Retz, a été mis au point en 1920 par la biscuiterie Grellier à Saint-Michel-Chef-Chef, où l'on fabriquait déjà la galette Saint-Michel. Ce sablé se démarque des autres par une touche d'exotisme : il est le seul dans lequel la noix de coco aromatise la pâte.

SABLÉ DE RETZ

BISCUIT SEC
À PÂTE SABLÉE

Production
17 millions de
paquets par an, en
progression
jusqu'en 1985 et en
stagnation depuis.
Ce produit est
fabriqué toute
l'année, depuis sa
création, dans la
commune de Saint-
Michel-Chef-Chef.

PARTICULARITÉ : biscuit rond à la bordure dentelée présentant sur le dessus une fine collerette caractéristique. La noix de coco contribue à la fois au goût du produit, mais influe également sur sa croutillance, le rendant très typique. Produit fabriqué depuis sa création dans la commune de Saint-Michel-Chef-Chef.

Description

Forme ronde à bordure dentelée de 54 millimètres de diamètre, 7 millimètres d'épaisseur, pesant environ 6 grammes. Une fine collerette ceinture la dénomination Sablé de Retz. La couleur est marron clair avec de fines zones plus foncées dues à la noix de coco, l'aspect de surface est rustique. Ce sablé est composé de farine de froment, sucre, noix de coco, graisses et huiles végétales hydrogénées, beurre, lactose et protéines de lait, sel, fécule, émulsifiants E 471, lécithine, poudre à lever, farine de malt, acidifiant : acide citrique.

Savoir-faire

Habile mariage d'une recette de biscuit sablé avec un apport de noix de coco. La granulométrie de celle-ci apporte une texture particulière au produit. Les gourmets retrouvent bien la mâche particulière des fins morceaux de noix de coco, qui influe également sur sa croutillance, la rendant très typique au goût. Le savoir-faire n'est pas dévoilé, il est basé sur le mélange des ingrédients et le pétrissage peu intense d'une pâte sablée mise en forme par une mouleuse rotative. Dorage et cuisson en four tunnel.
Ventes en paquets de 20 biscuits. Poids net 120 grammes.

SABLÉ DE SABLÉ

Production
Supérieure à
100 tonnes par an.
En progression.
Tous les artisans
boulangers-
pâtissiers, deux
maisons spécialisées
et une entreprise
plus mécanisée.

PARTICULARITÉ : fin biscuit sablé de petite taille qui s'identifie de longue date à la ville de Sablé-sur-Sarthe. Notons que l'homonymie est parfaite. Les boulangers-pâtissiers de la ville excellent dans sa fabrication et promotionnent le produit depuis au moins soixante-dix ans.

Description

Petite galette dont la coloration varie du jaune pâle au jaune doré, plus ou moins brillant. Le pourtour du produit peut être lisse ou dentelé suivant les fabricants. Texture craquante puis fondante en bouche. Bon goût de beurre. Diamètre moyen 5 centimètres, épaisseur moyenne 6 millimètres, poids variable suivant les fabricants, de 6 grammes à 8 grammes. Ce sablé est composé de farine de froment, beurre, sucre, œufs, sel, eau.

Usages

Produit emblème de la ville, très apprécié par les touristes.

Savoir-faire

Tient à la sélection des beurres utilisés et à la granulométrie du sucre.
Pommader le beurre, le mélanger au sucre, ajouter le sel, les œufs et éventuellement un petit complément d'eau. Ajouter en dernier lieu la farine, la mélanger aux autres ingrédients sans trop prolonger l'opération de pétrissage. Laisser la pâte quelques minutes au frais, en prélever quelques centaines de grammes, l'abaisser au rouleau sur un plan de travail fariné et découper à l'emporte-pièce rond. Déposer sur une plaque, dorer à l'œuf entier et cuire quelques minutes à 220 degrés. Les sablés sont mis en sachets plastiques, paquets cartonnés, boîtes de carton, boîtes de fer de différents poids (100 grammes à 1 000 grammes).

TARTE AUX PRUNEAUX DE L'ÎLE D'YEU

TARTE AUX FRUITS

Production
A l'année.
Plus importante
pendant la saison
touristique.

AUTRES APPELLATIONS OU VARIANTES : tarte des mariés de l'île d'Yeu, tarte de noces, tarte aux pruneaux, chausson aux pruneaux.

PARTICULARITÉ : utilisation très originale d'une sorte de confiture de pruneaux (aux ingrédients bien évidemment non insulaires) pour réaliser une tarte très appréciée à l'île d'Yeu.
Cette tarte aux pruneaux est par ailleurs traditionnellement consommée en grandes quantités lors des mariages. Elle est toujours offerte de nos jours aux proches qui n'ont pu assister au mariage. Les Ogiens utilisent également les pruneaux dans beaucoup d'autres préparations culinaires.

Description

Tarte ronde de différents diamètres, constituée d'une pâte feuilletée recouverte d'une confiture de pruneaux parfumée à la cannelle, au rhum et à la fleur d'oranger. La bordure de la tarte enfournée est faite d'un bourrelet de pâte incisée en biais. Des croisillons de pâte forment un large damier sur les pruneaux. Diamètre 23 centimètres, poids 600 grammes.

Historique

Les tartes aux pruneaux remontent au moins au XVIIᵉ siècle. La recette d'une « tourte aux confitures » donnée dans *Le Pastissier françois* de 1653 est, à quelques détails près, celle qui est toujours pratiquée sur l'île d'Yeu. Elle se présente comme suit :
« Prenez du fruit seché au four ou au soleil, & les faites bouillir dans de l'eau pour les ramolir... vous pouvez y mettre du sucre. Lors que le fruit sera ramolly suffisamment, il faudra en oster les noyaux... puis vous pile-

rés le fruit, ou bien vous en tireres la moüelle [la pulpe]
par un tamis; adjoûtes y du sucre, un peu de farine,
& bien peu de canelle battuë...»

La « confiture » ainsi obtenue est mise dans une tour-
tière foncée d'une abaisse de « paste fine ou feuilletée », recouverte avec une autre abaisse de pâte ou bien
avec des bandes de pâte (telle qu'on la fait encore sur
l'île), et cuite au four.

Sur l'île d'Yeu, cette tarte est consommée traditionnellement à l'occasion des mariages, d'où son appellation
de « tarte des mariés » ou « tarte de noces ». Elle ne diffère guère de son ancêtre du XVIIe siècle si ce n'est par
l'inclusion de vin rouge et de rhum dans la confection
de la confiture. Autrefois de fabrication ménagère, elle
se trouve aujourd'hui également chez les pâtissiers, qui
en font, pour le plus grand plaisir des visiteurs, tout
au long de l'année... et, encore, sur commande pour
des noces.

Savoir-faire

Préparer une pâte feuilletée à quatre tours. Faire une
confiture de pruneaux : pour cela mettre à tremper
300 grammes de pruneaux la veille en les recouvrant
d'eau parfois additionné de thé. Dénoyauter, les faire
cuire une vingtaine de minutes à feu doux. Les passer
à la moulinette, y ajouter 120 grammes de sucre,
1 pincée de cannelle, 1 cuillerée à café de rhum,
1 cuillerée à café d'eau de fleur d'oranger, et, comme
le veut la tradition, un peu de vin rouge... Bien mélanger. Abaisser la pâte feuilletée sur un plat à tarte ou
sur une assiette en faïence. Faire déborder les bords
de 1,5 centimètre puis retourner la bordure vers l'intérieur en la soudant bien à l'abaisse. Y déposer la préparation de pruneau, inciser en biais la bordure.
Déposer sur les pruneaux de minces croisillons de pâte
afin d'obtenir un quadrillage. Dorer la pâte à l'œuf,
cuire à four chaud.

BIBLIOGRAPHIE

«Le berlingot», in *Nantes Gourmande* (Vieux Métiers Nantais, cahier n° 5), Nantes, 1985 (pp. 20-21).

«Les Biscuits LU. Un siècle d'industrie gourmande», in *ArMen*, n° 11, octobre 1987 (pp. 2-33).

«Les Mauges : haut bocage vendéen», in *Folklore de France*, bulletin n° 93, mai-juin 1967 (pp. 6-8 : brioche, fouace).

Mélanges offerts par ses amis à Jacques Charpy, Rennes, Fédération des sociétés savantes de Bretagne, 1991 (pp. 349-359, p. 358 : gâche).

Ouest France, 23 février 1963 (Petit Mouzillon).

«La Renaissance du gâteau nantais», in *Nantes Passion* février 1993 (p. 27).

BAUTIER (A.M.), «Pain et pâtisserie dans les textes médiévaux latins antérieurs au XIIIᵉ siècle», in *Manger et boire au Moyen Age*, Paris, 1984 (tome 1, p. 40 : fouace).

BONNAUD (Louis), «De quelques pâtisseries du cycle pascal en haut Limousin», in *Gastronomie populaire en Wallonie*, Bruxelles, 1978 (p. 256 : fouace).

BRIAND-DE-VERZÉ, *Dictionnaire complet, géographique, statistique et commercial de la France*, 2 vol., Warin-Thierry, Paris, 1834 (tome 2, s.v. Nantes : berlingot; tome 1, s.v. Châteaubriant : Françoise de Foix).

COMET (Georges), *Le Paysan et son outil. Essai d'histoire technique des céréales (France, VIIIᵉ-XVᵉ siècle)*, Rome, 1992 (p. 480 : fouace).

DESPORTES (Françoise), *Le Pain au Moyen Age*, Paris, 1987 (p. 91 : fouace; p. 98 : échaudée de Vendée).

KAHN (Claude) et LANDAIS (Jean), *Nantes et les Nantais sous le Second Empire*, Nantes, 1992 (pp. 122-124 : berlingot; pp. 134-135 : Lu, Petit Beurre).

LEGUAY (J.-P.), «Un aspect de la sociabilité urbaine : cadeaux et banquets dans les réceptions municipales de la Bretagne ducale», in *Charpiana*.

MARTIN (A.), «La communauté des boulangers du Mans», in *Revue historique et archéologique du Maine*, tome XXVIII, 1890/2 (pp. 39-40 : fouace, échaudée de Vendée).

PASTISSIER (François) (le), in *Le cuisinier françois*, textes présentés par Jean-Louis Flandrin, Philip et Mary Hyman, Montaba, Paris, 1983 (1ʳᵉ édition 1653) (p. 382-14 : tarte aux pruneaux d'île d'Yeu).

PRUNIER (Mme), «Les échaudés ou échaudis», *Le Subiet*, mai-juin 1973 (pp. 211-212).

STANY-GAUTHIER (J.), *Le Folklore du Pays nantais et des régions voisines*, 5e partie : «Mœurs épulaires» (p. 251 : brioche, gâche, fouace).

RAVELEAU (Jacques), «Les Mauges : Haut Bocage Vendéen», in *Folklore de France*, bulletin n° 93, mai-juin 1967 (pp. 5-6 : foutimasson).

VERROUST (Marie-Laure et Jacques), *Friandises d'hier et d'aujourd'hui*, Paris, 1979 (pp. 84-85 : berlingot).

VIELFAURE (Nicole) et BEAUVILIA (A.C.), *Fête, coutumes et gâteaux*, C. Bonneton, Le Puy, s.d. (1980?) (pp. 66-67 : brioche de Vendée).

CHARCUTERIE

FRESSURE

GOGUE

GRILLON VENDÉEN

JAMBON DE VENDÉE

LARD NANTAIS

PÂTÉ DE «CASSE»

RILLAUD D'ANJOU

RILLETTE

SAUCISSE AU MUSCADET

La région est le lieu de multiples activités agricoles induisant des revenus hétérogènes entre les zones à vignoble et celles bocagères. La présence de nombreuses petites laiteries, beurreries, sources du petit lait (lactosérum) ; les nombreuses cultures de céréales et de pommes de terre ; les apports de l'activité portuaire nantaise (manioc, sucre, mélasse...), ont concouru à la présence quasi permanente du cochon dans les fermes. Longtemps seule source régulière de viande et de graisse, le cochon a connu une valorisation aussi différenciée qu'il existe de « pays ». Les morceaux nobles seront conservés dans le sel fournit par les marais de la côte Atlantique. Parmi eux, le jambon de Vendée, morceau roi de la carcasse, qui sera accommodé de haricots blancs, les mogettes, les jours de fête. A l'autre extrémité de la région, en Sarthe, la viande sera conservée confite dans la graisse. Cette pratique, qui protège de l'altération, permet aussi la valorisation des restes de viande, et donnera deux types de produits proches, les rillettes sarthoises et du Mans, les rillons, rillauds et grillons. Ces derniers, faits de poitrine, voire d'épaule, sont présents en Anjou, en Vendée et dans la Sarthe.

La nécessaire fabrication de produits économiques, recherchés par les paysans pauvres et les petites gens des villes, conduira à la création de charcuteries originales, basées sur la valorisation des bas morceaux. Il en sera ainsi de la fressure, sorte de ragoût vendéen, faite de couenne, d'abats, de la tête et de pain rassis, le tout cuit très longuement et finalement lié au sang. On retrouvera cette liaison au sang dans la gogue de la Loire-Atlantique. Sorte de boudin de légumes, c'est le sang qui apporte cohésion et... protéines. Dans la région nantaise, les abats et couennes serviront à l'élaboration du plat appelé lard nantais, dit lard du dimanche. Ici la marque festive sera donnée par l'ajout de côtes dans l'échine, côtes disposées en surface, bien visibles et dissimulant la couche d'abats disposés sur un lit de couenne.

Enfin, puisqu'il ne peut y avoir cochon sans saucisse, nous rencontrons la saucisse au vin, devenue saucisse au muscadet (celui-ci devant être employé sans coupage). Les charcuteries régionales font l'objet de l'attention des confréries et associations spécialisées qui, organisant manifestations et fêtes, permettent la redécouverte de cet héritage.

FRESSURE

Production
Produit vendéen,
débordant un peu
sur les Charentes et
la Loire-Atlantique,
fabriqué toute
l'année, mais
surtout d'octobre à
Pâques. La
production est
estimée à 80, 90
tonnes par an pour
cent vingt
charcutiers, en
Vendée.

PARTICULARITÉ : plat de gens pauvres qui utilisent les bas morceaux et les abats pour faire cette préparation, de texture liquide épaisse (comme les tripes).

Description

État solide à froid et de la forme rectangulaire de la terrine. Poids 2,5 kilogrammes environ. De consistance épaisse à chaud, la couleur est brun foncé due au sang et à la longue cuisson. On y aperçoit des morceaux de viande. La fressure est constituée de viande de porc (75 %, deux tiers de maigre et un tiers de gras), de couenne (celle de la tête), d'oignons (10 %) de sang (10 %), de pain rassis (5 %), d'épices et de sel.

Historique

Dès le XIXᵉ siècle, la fressure ou fraissure est considérée comme un mets caractéristique du Bocage vendéen et des Mauges. La fressure utilise les « restes » laissés lorsque l'on tue le cochon, notamment les couennes et les abats, comme tête et poumon. Les abats devaient en constituer à l'origine l'élément principal car, déjà au XIVᵉ siècle, l'auteur du *Menagier de Paris* écrit que, dans le porc, la fressure désigne « le foye, le mol et le cuer ». C'est probablement dans ce sens que Rabelais utilise le terme dans son *Quart Livre*, lorsqu'il le cite parmi les mets que les « Gastrolâtres » offrent à leur dieu Manduce.

L'autre ingrédient qui caractérise la fressure de Vendée, c'est le sang du porc, que l'on ajoute au dernier moment, après la cuisson des couennes et des abats. La préparation de la fressure clôt ainsi la « tuerie » du cochon et véhicule toute une sociabilité que décrivent les auteurs du XIXᵉ siècle. La nécessité de remuer sans cesse le mélange pour qu'il n'attache pas a donné nais-

sance à un chant, le chant du « baratoué », et, traditionnellement, les amis et les voisins vont venir chacun à leur tour brasser la fressure.

Très exigeante en temps (plus de 20 heures selon certains auteurs), cette préparation n'est plus guère
aujourd'hui assurée que par des charcutiers, surtout en
Vendée, quoique, il y a cinquante ans, elle se faisait
aussi à Nantes, à Fontenay-le-Comte et aux Herbiers.

Usages

Sorte de « soupe » épaisse qui se consomme chaude,
avec du pain grillé ou des mogettes.

Savoir-faire

Dans une marmite, mettre une demi-tête de porc avec
couenne, les morceaux d'abats et recouvrir le tout d'un
bouillon fait d'eau, d'oignons, carottes, poireaux, thym,
laurier, girofle. Laisser mijoter en marmite quelque
16 heures. Sortir les morceaux à la louche, désosser
la tête et déliter la viande (éventuellement, passer au
broyeur). Filtrer le jus de cuisson et ne garder que les
oignons. Verser les morceaux de viande dans le bouillon filtré et ajouter assez de pain rassis (plusieurs pains)
de huit à quinze jours, ce qui donne de l'épaisseur.
Porter à ébullition 2 heures en brassant très souvent.
Ajouter le sang et recuire encore une heure, doucement. Sortir ce « pâté » à la louche, saler et épicer, et
le mettre en terrine rectangulaire. Laisser refroidir. La
fressure se vend froide, comme les tripes, en tranche,
au poids.

GOGUE

BOUDIN DE LÉGUMES
ET SANG DE PORC

Production
Fabriquée
traditionnellement
dans le triangle
Ancenis, Varades,
Ségré, à la limite
des départements
de la Loire-
Atlantique et de
Maine-et-Loire, la
gogue est fabriquée
toute l'année avec
une consommation
stable qui double
en période
hivernale. Elle fait
l'objet d'un
concours annuel
depuis de
nombreuses années
à Varades.
Estimation des
producteurs :
60 environ.

AUTRE APPELLATION : cogne.

PARTICULARITÉ : produit embossé dans une vessie de porc ou une baudruche de bœuf.

Description

Forme allongée et circulaire d'un diamètre de 7 à 10 centimètres, de couleur noire (sang cuit). La gogue est composée dans des proportions variables d'un fabricant à l'autre. Elle contient sang, viande, bettes, épinards et persil dans des proportions majoritaires et assaisonnement. La liaison de tous les ingrédients, notamment les légumes et les herbes, est assurée par le sang, qui dans ce boudin est minoritaire. L'enveloppe est une vessie de porc ou une baudruche de bœuf.

Historique

La gogue est une spécialité de l'ouest de l'Anjou, Segréen et région d'Ancenis. Quoique comprenant du sang, il ne s'agit pas d'un simple boudin, car le sang n'en constitue pas l'élément essentiel, loin de là : il sert simplement à lier les légumes verts qui en forment le composant principal. Du moins aujourd'hui, car la gogue ne se définissait pas toujours ainsi.
Le terme de gogue est attesté dès 1606. A cette date, Nicot, dans son *Trésor de la langue françoise*, donne la définition suivante : « Es une sorte de farce composée de diverse bonnes herbes potagères, lard haché, œufs, fromage, & espices, le tout incorporé & broye avec le sang d'un mouton fraichement esgorgé, & mis dans la pance dudit animal, puis bouilli avec autre viandes. Laquelle aucuns [certains] ont en delices ».
Un siècle plus tard, certains grands chefs préparent toujours la gogue, mais sa composition a quelque peu

changé. Dans son *Nouveau cuisinier royal et bourgeois* publié au XVIIIe siècle, Massialot donne une *gogue au sang*. Elle est composée de foie de veau (!), de lard, d'oignons, de fines herbes, le tout « détrempé » avec « sang de veau ou de porc », « lié » avec des jaunes d'œufs et du pain, et aromatisé avec de la coriandre en poudre. Le mélange est ensuite enveloppé d'une barde de lard et cuit au four !

Ni Nicot ni Massialot ne semblent considérer leur gogue comme une spécialité régionale, ce qui laisse suggérer que la gogue actuelle n'est qu'une variante locale d'une spécialité française autrefois beaucoup plus répandue et qui faisait partie de la grande cuisine.

Usages

Dans les fermes, la gogue est issue de l'utilisation familiale des produits disponibles (légumes, triperie et sang de porc). Elle se consomme au repas en tranche grillée.

Savoir-faire

Les légumes cités et la viande maigre sont précuits et hachés. Épicé et salé à convenance, ce mélange haché est ajouté au sang. L'embossage est fait en baudruche (gros intestin de bœuf) ou plus fréquemment en vessie de porc (laquelle est préparée à l'abattage, tendue et séchée), ramollie à l'eau salée au moment de l'usage. Fermée à la ficelle, la vessie pleine est cuite durant plusieurs heures, avec surveillance de l'eau afin qu'elle ne boue pas. Après refroidissement, la gogue est vendue coupée en tranche de 2 centimètres d'épaisseur.

JAMBON DE VENDÉE

SALAISON

Production
Uniquement
fabriqué en Vendée,
en toute saison, il
est produit par
quelques
charcutiers, mais le
tonnage est dominé
par les
salaisonniers.
Environ 500 000
pièces par an.

AUTRE APPELLATION : jambon cru de Vendée au sel marin.

PARTICULARITÉ : jambon cru, désossé, peu séché et consommé cuit.

Description

Jambon de porc désossé, aplati, de 5 à 6 kilogrammes, de couleur brun-rouge, comprenant, en sus de la viande, sel marin, eau-de-vie de poire ou de prune, aromates (laurier, poivre, romarin, sauge, thym, serpolet, vinaigre et sel nitrité (parfois).

Historique

Souvent appelé *bacon* au Moyen Age, le jambon était un produit traditionnel de l'abattage domestique du porc. Il entrait alors aussi bien dans l'alimentation des humbles que dans celle des puissants, qui l'exigaient souvent des premiers en redevance. C'était évidemment un produit salé. Or la Vendée disposait dès cette époque, en abondance, de sel que lui procuraient ses marais salants. Toutefois, si les Vendéens en faisaient une spécialité, ils ne le diffusaient guère en dehors de la région, et sa réputation comme jambon de qualité est toute récente.

Même au siècle dernier, les rares références au *jambon de l'Ouest* sont plutôt méprisantes. Dronne, par exemple, dans son *Traité de charcuterie*, publié en 1869, parle du « jambon de l'ouest ou de Fougères » en ces termes : « Ce jambon ressemble au jambon de Bayonne et en a la façon, mais il est loin d'en posséder les qualités. Il est vendu ordinairement, à Paris, aux épiciers, qui le détaillent par tranches. Cette sorte de jambon ne diffère guère des jambons ordinaires ;

son principal mérite est d'avoir trouvé, sur le marché de Paris, un marchand qui voulut bien le faire connaître et un débouché pour les classes ouvrières. » Aujourd'hui, le jambon de Vendée se classe parmi les meilleurs jambons « au sel sec », c'est-à-dire salé à sec, et certains soutiennent que l'utilisation du sel de Noirmoutier lui confère un goût tout à fait hors du commun. Une demande de label régional pour ce jambon « au sel de Noirmoutier » est actuellement en cours.

Usages

Le jambon est consommé grillé sur le feu, dans la cheminée. Jadis, il était le plat principal des soirées vendéennes, accompagné des mogettes cuites dans un chaudron. On accompagne agréablement ce plat au vin rouge de Mareuil ou au pissote rosé.

Savoir-faire

Désosser le jambon, enlever pied et jambonneau, parer et dégraisser légèrement. Piquer le jambon sur toutes ses faces et le laisser une nuit au froid. A la sortie, mélanger le vinaigre (2,5 décilitres) et l'eau-de-vie (7,5 décilitres), poivrer le jambon et le frotter avec ce mélange liquide. Le mettre en bac, le couvrir de sel, laisser reposer quatre jours. Le retourner et attendre encore quatre jours. Le sortir et le frotter à nouveau avec le jus vinaigre-alcool. Le replacer au sel encore trois semaines. Retirer alors le jambon, le rincer pour enlever le sel, moudre les épices et aromates. Frotter la pièce avec cette moûture et le reste de liquide. Reposer au froid deux jours. Égoutter et mettre à sécher trois semaines environ. Pour bien le réessuyer, avant de le finir, il est possible de le presser entre des planches, pour l'égoutter parfaitement. Un étuvage final à 30 degrés est admis pour bien amorcer la maturation.

LARD NANTAIS

PÂTÉ DE CÔTES
ET DE COUENNE
DE PORC

Production
Produit toute
l'année par certains
charcutiers de la
région nantaise, le
tonnage n'est pas
estimé.

AUTRE APPELLATION : lard du dimanche.

PARTICULARITÉ : côtes de porc grillées sur fond de couenne, en terrine ou plat.

Description

Selon la taille du plat, plusieurs côtes sont visibles sur le dessus. Légèrement recouvert de gelée, la couleur est brun clair. La composition est de couennes de porc, cœur, poumon et foie de porc, côtes dans l'échine, sauce de cuisson, sel marin, poivre, eau-de-vie.

Historique

Datation vers 1850.
Les charcutiers vendent encore aujourd'hui, sous le nom de côte nantaise, un plat préparé constitué de côtes de porc cuites au four avec des couennes, du cœur, du foie et des poumons. C'est cet accompagnement que l'on appelle plus spécifiquement le lard nantais.
Cette préparation semble attestée au moins depuis le XIXe siècle, et plusieurs charcutiers locaux, actuellement à la retraite, affirment qu'elle se commercialise depuis plus de cent ans. En 1908, Paul Eudel s'en souvient en ces termes : « Je vois encore chez Cassegrain, près du Change, des terrines en grossière faïence dans lesquelles nageait le lard du dimanche. Il mettait, dans de grands plateaux carrés et vernissés, aux bords relevés, des boulettes et de la frissure (*sic*), mets que le populaire appréciait. » Or, la frissure, ou fressure, est précisément composée non seulement de sang, mais d'abats comme la tête et le poumon, et de couennes grasses. On peut penser que la combinaison entre le lard du dimanche et la fressure, plat rustique venu de

Vendée, a donné naissance au lard nantais, qui per-
mettait aux ouvriers de plus en plus nombreux des
industries nantaises de disposer d'un mets roboratif et
peu coûteux.

En 1931 la *Guide Una* cite le lard nantais parmi les
spécialités régionales rencontrées en Pays de la Loire
et situe sa consommation non seulement à Nantes,
mais aussi et plus particulièrement à Nozay, au Pallet
et à Pontchâteau.

Usages

En milieu modeste, plat du dimanche chez les ouvriers ;
aujourd'hui, plat cuisiné devenu une spécialité de charcutier. Se consomme chaud ou froid.

Savoir-faire

Les couennes sont cuites dans un bouillon léger
contenant un peu de bouillon d'os de porc. La cuisson ne sera pas complète, les couennes restent fermes.
Précuire les abats de la même façon. Coucher les
couennes dans un grand plat à rôtir et les couvrir d'une
couche d'abats mélangés en tranches, couvrir le tout
des côtes dans l'échine. Saler, poivrer, ajouter l'eau-
de-vie et mettre au four. Cuisson moyenne 1 heure et
demie environ. Laisser refroidir, et réchauffer avant
consommation.

PÂTÉ DE «CASSE»

PÂTÉ DE CAMPAGNE

Production Traditionnel en Loire-Atlantique et en Maine-et-Loire, ce pâté fait l'objet d'une relance en région nantaise, sous l'impulsion de la Chambre des charcutiers-traiteurs. Le respect de la tradition veut qu'il soit fabriqué en automne et en hiver. Production non estimée.

PARTICULARITÉ : pâté traditionnel fabriqué au moment de l'abattage du porc dans les fermes. Devenu produit marchand.

Description

Forme de la terrine, la casse en terre cuite. Aspect du dessus grillé, crépine de recouvrement visible et quelques lardons. Le pâté est composé de gorge, de foie de porc, de gras de porc, d'échalotes, d'ail et persil, de sel et poivre.

Historique

Le terme de pâté désignait au Moyen Age toute préparation cuite dans une pâte, qu'elle fût de viande ou de poisson, et dès le XVe siècle d'autre pâtés sans croûte, dits pâtés en pot trouvent mention dans les livres de cuisine. Pour Nicot, en 1606, ce dernier type de préparation ne méritait pas l'appellation de pâté : « ... on appelle assez improprement pasté en pot cette chair menu hachée qu'on fait cuire dans un pot, vue qu'il n'y a point de pâte ».

Notre pâté de casse est apparenté, comme le sont toutes les terrines actuelles, à ce second type de préparation. Le fait que ce pâté soit cuit dans une « casse », mot qui désignait autrefois une poêle en terre, est particulièrement intéressant. Traditionnellement, ce genre de récipient était réservé à une cuisson dans les braises, mais rien n'empêche qu'il soit employé comme « plat » que l'on passe au four.

Notre pâté de casse ressemble-t-il aux terrines de Nantes citées par les auteur du *Cours gastronomique* en 1809 ? Nous ne saurions le dire, mais, grâce à l'initiative d'une association d'artisans charcutiers de la Loire-Atlantique, il bénéficie d'une renommée internatio-

nale : un pâté de «casse» de leur fabrication figure
depuis peu dans le *Guinness Book of Records* comme
le « plus gros pâté de campagne du monde »!

Usages

Se consomme froid lors du casse-croûte ou au repas,
en tranche, accompagné ou non de cornichons.

Savoir-faire

Trier un tiers de gras et un tiers de gorge. Hacher le
tout, ajouter un tiers de foie frais de porc, lui aussi
haché. Mélanger. Hacher échalotes, ail et persil et verser dans la viande, assaisonner et ajouter 2 œufs par
terrine. Prendre une casse en terre cuite, la remplir de
ce haché et disposer dessus quelques lardons, couvrir
d'une crépine. Mettre à cuire au four chaud, à bois si
possible, 2 à 3 heures selon la taille.

HISTORIQUE DES GRILLON VENDÉEN ET RILLAUD D'ANJOU

Les termes *rillauds* et *rillons*, tout comme *rillettes* (Voir Rillettes), dérivent de l'ancien français *rille* ou *rillé*, qui désignait dès le XVIᵉ siècle un morceau de porc de forme allongée, probablement cuit dans sa graisse. Les rillons sont attestés pour la première fois par le lexicographe anglais Cotgrave, en 1611, pour qui le *rillon de porc* est la même chose qu'un *graton de porc*, qu'il définit comme suit : « *Of the fat that houlds th'entrals, being melted, there remaines a fleshie part, which cut in peeces, is thus tearmed (at Paris)* » (« De la graisse qui retient les entrailles il reste, une fois fondue, une partie de chair qui, coupée en morceaux, est ainsi appelée (à Paris) »).

Rillettes et rillons semblent bien liés à l'origine, comme le montre Balzac qui, dans *Le Lys dans la vallée* paru en 1836, se souvient des « rillettes et rillons de Tours [qui] formaient l'élément principal du repas [pris] au milieu de la journée ». En 1869 encore, un traité de charcuterie déclare que les rillons (en l'occurrence de Tours) « se font cuire dans les rillettes, où ils roussissent également... Les rillons diffèrent des rillettes en ce sens qu'ils se servent à sec, tandis que les rillettes se trouvent mêlées avec leur graisse ». Là où se pratiquaient les rillettes, c'est-à-dire dans une grande partie de la région, on devait donc aussi fabriquer des rillons, qui en étaient comme le sous-produit.

Les rillons ne sont plus aujourd'hui de simples résidus cuits dans les rillettes, mais des cubes de poitrine ou d'épaule confits dans le saindoux. La réglementation actuelle en distingue les rillauds d'Anjou, plus gros et colorés au caramel. Mais il s'agit d'une simple graphie régionale — on trouve, outre des rillauds, des *rilleaux* à Segré ou à Ayon — et, à l'origine, les rillauds d'Anjou n'étaient vraisemblablement guère différents des rillons de la Sarthe ou de Touraine.

En est-il de même des *grillons vendéens* ? Pour Littré, oui, car « Grillons » n'est autre pour lui que « Synonyme de rillons » et, pour son étymologie, il envoie le lecteur à « griller ». En effet, la seule différence avec les rillons et rillauds est que les cubes de viande sont dégraissés après cuisson puis légèrement écrasés. Par là, ils s'apparentent aux grillons de Charentes-Poitou, et constituent une forme intermédiaire vers les grattons du Sud-Ouest et d'Auvergne. La dérivation à partir de *rillons* est probable, d'autant que ceux-ci pouvaient parfois se consommer grillés.

GRILLON VENDÉEN

VIANDE DE PORC
CONFITE

Production
Produits dans toute la Vendée par cent vingt charcutiers, ils sont faits toute l'année à raison de 120 tonnes environ par an.

AUTRES APPELLATIONS : rillon, rillaud.

PARTICULARITÉ : morceaux de poitrine de porc, confits dans le saindoux et égouttés.

Description

Sorte de petit cube de 5 sur 3 centimètres et pesant environ 100 grammes. De couleur brune, la texture ressemble à celle d'un confit, la chair étant liée avec la graisse et se délitant facilement. Les grillons sont faits de viande contenant une part de 25 % environ de graisse.

Usages

Se consomme aussi bien froid, avec de la moutarde, comme entrée, ou chaud, comme viande, avec des légumes.

Savoir-faire

Débiter la poitrine en bandes de section carrée. Les plonger dans un jus en ébullition, fait de graisse fondue et contenant du « jus » de viande des cuissons précédentes. En effet, la viande rend de « l'eau » lors de la cuisson, qui s'ajoute à la graisse. Ce jus de cuisson peut servir plusieurs fois, la haute température lui garantissant une qualité hygiénique, et il apporte une saveur supplémentaire. Pour cette raison, il ne faut pas saler la graisse, le sel se concentrerait. Une méthode consiste à récupérer la graisse après cuisson, en filtrant à chaud, ce qui élimine le jus de viande. Enfin, il est possible de refaire une graisse fraîche à chaque cuisson, dans ce cas, certains charcutiers colorent cette graisse afin que les grillons restent bruns à la sortie.

Les grillons restent 1 heure à cuire, à petit feu, ils sont ensuite égouttés, puis disposés sur un plateau pour le salage et le saupoudrage de cannelle (chez le charcutier enquêté). Les grillons sont vendus au poids.

RILLAUD D'ANJOU

VIANDE DE PORC CONFITE

Production
Non estimée. Réalisée chez tous les charcutiers de la région angevine et chez quelques salaisonniers.

AUTRES APPELLATIONS : rillault, rilleau, rillou, grillon vendéen, rillon sarthois.

PARTICULARITÉ : cube de poitrine de porc cuit dans la graisse.

Description

Morceaux de poitrine, en petits cubes de quelques centimètres de côté, couleur caramel, contenant, outre la poitrine (75 % de maigre), de l'épaule, du sel et du saindoux (graisse de cuisson).

Usages

Les rillauds sont consommés froids, le plus souvent au repas du soir, accompagnés de salade, de cornichons et de moutarde. Dans certains endroits de l'Anjou, on les consomme chauds, en casse-croûte.

Savoir-faire

Parer la poitrine ou l'épaule. Couper en quelques gros morceaux, puis faire des bandes qui sont ensuite découpées en dés de quelques centimètres. Jadis la couenne était laissée et servait de test de cuisson ; de nos jours, elle est fréquemment retirée. Une technique de salage fait que la veille on présale la viande et on l'épice avec poivre et laurier, certains préférant saler après cuisson. Faire bouillir la graisse (faite sur place avec la panne et le gras ferme récupéré sur les morceaux de viande, lors de la découpe de la carcasse) en marmite et jeter les cubes de viande. Laisser saisir quelques minutes, puis laisser cuire lentement. Vérifier la cuisson en piquant la viande qui ne doit plus laisser couler d'eau. En fin de cuisson, pour colorer la viande, on ajoute dans la graisse, parfois, du caramel fait sur place. Sortir les rillauds et les égoutter, saler, si cela n'a pas été fait la veille, avec du sel fin.

Rillette

VIANDE CUITE DANS LA GRAISSE

Production
Fabriquées toute l'année dans la Sarthe et les départements limitrophes. Seules les rillettes faites dans la Sarthe peuvent porter le nom de rillettes sarthoises. La production est assurée par vingt-deux usines, près du Mans et de Connéré, dont une représente 65 % du tonnage départemental. A ces ateliers, il faut ajouter tous les charcutiers, voire les bouchers, qui

AUTRES APPELLATIONS : rillette du Mans, rillette de la Sarthe.

PARTICULARITÉ : viande exclusivement de porc, cuite dans la graisse.

Description

En pot ou terrine de différents formats, les rillettes sont de couleur brun rose clair, le dessus est couvert d'une faible épaisseur de graisse peu colorée. La texture est fine, les fins morceaux de chair étant dispersés dans le gras sans que celui-ci soit visible. La teneur en maigre est de 75 % minimum. La viande de porc, un adulte de 80 à 90 kilogrammes), qui la compose doit être de l'épaule, de la poitrine et de la palette. La rillette est dite « nature » car elle n'est pas aromatisée, le seul ajout étant le sel.

proposent leurs rillettes à la clientèle. Ce grand nombre de producteurs s'explique : en effet, les Sarthois consomment 12,5 kilogrammes de rillettes par an et par personne, soit 25 fois plus que la moyenne.

Historique

Le terme de rillette, tout comme le produit, est incontestablement de l'Ouest. Il dérive de *rille*, forme dialectale de l'ancien français *reille*, qui désignait une latte, une planche ou un barreau, ou encore un rang. On le trouve dès 1480 dans une lettre de rémission, qui parle de « rilles et oreilles de porceaux ». Il s'applique donc bien à un morceau de porc, peut-être de forme plate et allongée. Le Tourangeau Rabelais, dans son *Tiers Livre*, et le Poitevin Guillaume Bouchet, dans les *Serées*, l'emploient pour désigner des morceaux de porc que l'on fait notamment porter aux voisins comme une friandise en quelque sorte.

Les rillés ou rillettes sont longtemps restés des préparations domestiques, réalisés au moment de l'abattage du cochon. Ils ont donné naissance aux recettes très variées et locales qui se pratiquent dans presque toute la région, de la Sarthe à Fontenay-le-Comte en passant par Saumur et Ancenis. Dès 1836, Balzac exalte cependant les « célèbres rillettes [...] de Tours ». Il est vrai qu'il est lui-même tourangeau ! Si la renommée des rillettes du Mans semble avoir été plus tardive, elles sont déjà signalées dans un traité de charcuterie de 1869 qui écrit qu'elles jouissent « depuis longtemps [...] d'une certaine réputation ». Leur succès ne semble donc pas né, comme on l'a dit parfois, avec le chemin de fer.

Usages

Consommées en toute occasion, comme casse-croûte ou au repas, elles seront préférées fraîchement faites, sur une tranche de pain de campagne.

Savoir-faire

Après avoir sélectionné les morceaux de viande, découenner et apprêter. Ensuite, couper en morceaux grossiers cette viande, qui peut être mise à revenir dans la graisse. Mais on peut aussi mettre progressivement les morceaux dans la fonte lente de la graisse (panne et gras ferme). Laisser monter à ébullition, puis réduire le feu au frémissement, ajouter quelques os et l'assaisonnement, laisser cuire 10 à 12 heures (généralement la nuit) en marmite non couverte afin d'évaporer l'eau de la viande. Après cuisson, retirer les os puis la graisse. Réincorporer celle-ci lentement dans la viande en brassant afin de la déliter. La qualité finale des rillettes est liée à cette action, ainsi qu'au remplissage qui suit. Les pots doivent contenir une matière homogène. Couvrir le dessus d'une pellicule de graisse et laisser refroidir. Les rillettes sont vendues à la part en grosse terrine, mais le pot de grès traditionnel est recherché par les amateurs et gens de passage. La taille du pot (grès ou carton) est variable : 125, 250 et 500 grammes.

Saucisse au muscadet

SAUCISSE AU VIN

Production Traditionnelle du Pays nantais, cette saucisse fait l'objet de promotion par la Confrérie de la saucisse au muscadet créée en 1990. Production non estimée.

PARTICULARITÉ : saucisse maigre de porc contenant du muscadet et grillée de préférence sur sarments.

Description

Forme allongée du menu de porc, pesant 100 à 120 grammes. Elle est de couleur brun clair à brun noir quand elle est fumée à la cheminée. Sa composition comprend 70 % de maigre de porc et 30 % de gras ferme, assaisonnée de poivre au moulin, de sel marin et de vin muscadet.

Historique

Au XIXe siècle, Nantes était renommée pour ses charcutiers, dont certains fabriquaient la saucisse dite de

Vertou. Selon Paul Eudel, le ministre de l'Intérieur Billaut, par ailleurs député de Loire-Inférieure, l'aurait introduite à la table de Napoléon III. On ne sait si cette spécialité ressemblait à la saucisse au muscadet, variante de la saucisse au vin blanc connue dans l'ouest de la France, et notamment dans les Charentes. En tout cas, depuis quelque temps, les charcutiers de la Loire-Atlantique la classent parmi leurs spécialités, et en 1990 une confrérie fut créée pour « défendre et glorifier » la saucisse au muscadet.

Usages

Traditionnellement faite et consommée à la ferme, chez les vignerons, grillée sur sarments et accompagnée de vins du pays.

Savoir-faire

Les menus de porc sont préparés, lavés et mis de côté. La viande est choisie et hachée gros, de même pour le gras ferme. L'ensemble est mélangé en présence de muscadet, le mélange ne doit pas être liquide. Saler au sel marin (2 % environ) et poivrer au moulin. Embosser les menus et cuire sur feu de sarments. Parfois cette saucisse est fumée dans la cheminée, ce qui lui donne un goût plus marqué.

BIBLIOGRAPHIE

Code de la charcuterie, 3ᵉ édit., 1986 (IV.23 : saucisse au muscadet ; IV.43 : rillettes ; IV.44 : rillauds, rillons et grillons ; IV.78 : fressure et gogue ; IV.78 : gogue.

Cours gastronomique ou les doners de Manant-Ville par M. C., 1809 (p. 303).

«La fricture», in *Le Subiet*, Société d'études folkloriques du Centre-Ouest, tome VI, mars-avril 1973 (p. 135 : fressure).

«Pour faire des boudins», in *Le Subiet*, Société d'études folkloriques du Centre-Ouest, tome VI, mars-avril 1973 (p. 117 : gogue).

«Préparation d'un jambon», in Le Subiet, Société d'études folkloriques du Centre-Ouest, tome VI, mars-avril 1973 (pp. 133-134).

Buren (Raymond), *Le Jambon*, Grenoble, 1990 (p. 82).

Cotgrave (Randle), *A Dictionarie of the French and English Tongues*, U. of S. Carolina Press, Columbia, 1968 (réédition de l'édition de Londres, 1611).

Dronne (L.-F.), *Traité de charcuterie ancienne et moderne*, réimpression, Erti, 1987, 1ʳᵉ éd. 1869 (p. 146 : jambon de Vendée ; pp. 177-178 : rillettes, rillauds, rillons et grillons).

Massiallot, *Le Nouveau Cuisinier royal et bourgeois*, Amsterdam, 1734. 3 vol. en 2 (article gogue in tome 2).

Nicot (Jean), *Thresor de la langue françoise*, Le Temps, Paris, 1979 (fac-similé de l'édition de 1606) (gogue).

Stany-Gauthier (J.), *Le Folklore du Pays nantais et des régions voisines*, 5ᵉ partie : «Mœurs épulaires» (p. 245 : rillauds, rillons et grillons ; p. 249 : côte nantaise et fressure).

Vence (Céline) et Frentz (Jean-Claude), *Tout est bon dans le cochon*, Paris, 1988 (p. 112 : jambon de Vendée ; pp. 199-200 : rillettes ; pp. 201-202 : rillauds, rillons et grillons).

FARINES
ET
SEMOULES

———

Millet

Perles Japon

Sarrasin

Tapioca

La région des Pays de la Loire est la première région inventoriée à posséder quatre types de produits appartenant aux farines et semoules (amylacées), les premières issues de céréales en voie de régression sur l'ensemble du territoire — millet et sarrasin —, les secondes issues de tubercules, dont l'un est endogène, la pomme de terre, l'autre exotique, le manioc.

A la présence de ces produits en Loire-Atlantique et en Vendée plusieurs raisons. Pour le manioc, l'influence portuaire nantaise est évidente, due à la fois au débarquement proche de la matière première et à l'installation de la plus importante unité de production de produits amylacés d'Europe. C'est une tradition nantaise depuis un siècle environ. En ce qui concerne la fécule de pomme de terre, dite perles Japon, c'est la présence du savoir-faire industriel et les possibilités d'approvisionnement sur place qui ont permis le développement de cette production, connue à Nantes depuis la fin du XIXᵉ siècle. Plus que l'exotisme qu'inspire le nom de perles Japon, s'approchant ainsi du manioc, ce qui réunit ces deux produits, c'est la technologie maîtrisée par la Société Tipiak.

Aux limites du pays breton, dans le périmètre de Redon, quelques hectares de sarrasin sont encore cultivés. Là est perpétuée une pratique ancienne qui, à partir du blé noir, produit et moud sur place, alors que les quantités utilisées en France sont désormais importées. Là sont fabriqués des produits traditionnels, bien sûr la galette, mais aussi des produits plus récents, pains et pâtisseries.

Quant au millet, qui fait l'objet d'un programme de développement en Vendée, dans la région d'Aizenay, il est toujours présent. Sous la forme de semoule, avec laquelle on fabrique un entremet au lait, il induit des formes festives de consommation — c'est le *meuille* des rassemblements campagnards. Peut-être, comme nous dit C. Hongrois, doit-on trouver là l'explication de la pérennité de cet aliment en Vendée.

FARINE DE SARRASIN

FARINE

Production
Le sarrasin n'est produit que sur quelques parcelles au nord du département de Loire-Atlantique. Le producteur interrogé le cultive sur 3 hectares dans la zone de Fégréac, à 8 kilomètres de Redon. Les tonnages actuels moyens sont de 12 à 13 quintaux à l'hectare. La production de graines et de farine est en forte régression, la majeure partie des besoins étant couverte par l'importation.

AUTRES APPELLATIONS : pour la farine, farine de blé noir ; pour la plante : blé noir (à cause de la couleur du grain), sarrasin commun, bucail, carabin.

PARTICULARITÉ : plante herbacée de la famille des polygonacées. Elle est peu exigeante, aime les climats humides et tempérés, est sensible aux variations de température. Sa graine est un akène.

Description

Composée de farine pure tamisée de blé noir, elle est de couleur blanche. En farine complète, avec le son, elle est grisâtre. Après cuisson, la couleur devient gris clair à anthracite.

Historique

Le blé noir ou sarrasin est cité pour la première fois en Europe occidentale au XVe siècle. Il s'implante alors très vite autour de la Manche, en Normandie, en Angleterre et aussi en Bretagne. En 1600, Olivier de Serres note que « son principal service est d'estre meslé avec l'autre blé [blé de froment] pour le pain du commun ». Au cours des siècles à venir, son emploi en tant qu'aliment se concentre plutôt dans l'ouest de la France : en 1764, les auteurs du *Dictionnaire domestique portatif* soulignent que « ce bled noir nourrit pendant presque toute l'année, le paysan de la Bretagne & de la basse Normandie ».
A la fin de l'Ancien Régime, le sarrasin déborde largement sur l'Anjou (segréen et craonnais), le Bocage vendéen et surtout le Maine. Dans la région d'Evron, aujourd'hui en Mayenne, « le pauvre peuple s'en nourrit ordinairement trois mois l'année », d'après Frébet ; à Sainte-Suzanne, le sarrasin l'emporte sur les autres

céréales, et dans le pays de Jublains et d'Ernée, aux marches de la Bretagne, on ne trouve quasiment plus que lui, ajoute le même médecin.

Dans les régions où il ne joue qu'un rôle mineur, comme en Vendée, on ajoute un peu de farine de blé noir dans le pain des pauvres, qui est fait de seigle, nous dit Cavoleau. Le « pain de carabin ou bled-noir » était également connu à Laval à la fin du XVIIe siècle. Mais le pays de la Mée, autour de Châteaubriant, utilisait le sarrasin sous toutes ses formes : lorsqu'ils revenaient des champs, les paysans trouvaient dans leur assiette, par exemple, « une bouillie faite de farine de sarrasin et de laitage », explique Huet en 1804. Pour leur part, Peuchet et Chanlaire affirment que le sarrasin consti- tue en Loire-Atlantique au début du XIXe siècle la prin- cipale culture secondaire sur la rive droite de la Loire, et les habitants des arrondissements de Savenay et de Châteaubriant, les moins fertiles du département, en ont même fait leur nourriture de base.

Cette dépendance par rapport au sarrasin disparaîtra avec les progrès de l'agriculture dans la seconde moitié du XIXe siècle. Dans l'ouest de la Mayenne, « ce pays grani- tique, où le sol donnait à grand' peine du seigle et du blé noir, le chaulage a produit des résultats extraordinaires », écrivant Ardouin et Dumazet en 1894 ; « ces terres, ajou- tent-ils, se sont soudain couvertes de moissons et de prairies artificielles ». C'est ainsi qu'une culture autrefois de pre- mière nécessité est devenue, peu à peu, une culture « anec- dotique » et que le sarrasin ne se consomme plus aujour- d'hui que pour le plaisir, sous forme de galettes faites à la maison où dans une des nombreuses crêperies de la région.

Usages

Traditionnellement servant à faire des bouillies et galet- tes (crêpes bretonnes) consommées lors des repas, la farine de sarrasin est aussi employée par ce produc- teur pour la fabrication de gâteaux aux pommes, de « pain noir», de blinis et de pâtes alimentaires.

Savoir-faire

Cultivé à la même place, chaque année, le sarrasin est semé la seconde quinzaine de mai, avec des graines de la récolte précédente, sur une terre fraîchement labourée. Les soins sont quasiment nuls, la plante couvrant très vite le sol. La récolte a lieu à la mi-septembre à l'aide d'une moissonneuse. Les graines sont épurées et ventillées au tarare traditionnel, puis stockées sur un parquet. Elles sont régulièrement remuées afin d'éliminer le maximum d'eau des graines, pour garantir une meilleure conservation. Dès le mois suivant, elles sont travaillées, selon les besoins, en farines à une ou deux moutures avec ou sans son (farine grise complète et farine blanche). Les farines sont soit transformées sur place en produits finis, soit commercialisées sous le nom de Farine de sarrasin, principalement à Paris, peu sur place, sauf l'été en Brière. Le conditionnement se fait en sacs de tissu de 500 grammes de couleur différente selon le type de farine (complète fine à deux moutures, complète à une mouture, fine tamisée pure).

SEMOULE DE MILLET

LAITAGE OU BOUILLIE
DE CÉRÉALE
(ENTREMET)

Production
La société Trimil traite et conditionne actuellement environ 40 tonnes de semoule et grains de millet pour une commercialisation très locale (Vendée bocagère et

AUTRES APPELLATIONS : meuille (l'est de la Vendée), pilaïe (l'ouest de la Vendée).

PARTICULARITÉ : elle tient principalement à sa consommation typiquement bocagère qui en faisait le laitage par excellence des rassemblements villageois lors des travaux agricoles. De nos jours, la consommation est plus régulière dans l'année et symbolise une culture, un territoire et une identité vendéens bien explicités par l'adage : « Si t'aimes pas l'meuille, manges donc d'la merde. »

départements limitrophes des Deux-Sèvres, Loire-Atlantique et Maine-et-Loire). Il est vendu en boîtes de 440 grammes de millet contenant quatre sachets de 110 grammes de semoule, correspondant à la dose nécessaire pour réaliser 1 litre de laitage.

Description

Le millet en semoule est de grain plus ou moins fin suivant le procédé de concassage de la céréale. Sa couleur est blanc cassé. La société Trimil utilise des procédés modernes (machine à air comprimé...) pour une meilleure qualité diététique du produit.

Historique

Dans son *Histoire de la vie privée* publiée en 1782, Le Grand d'Aussy écrit : « Du temps de Strabon, le mil ou millet étoit en usage ches les Gaulois Aquitains. On lit dans le *Praedium rusticum* de Charles-Estienne, dans Champier, dans Liébaut, qu'au seizième siècle, la Sologne, la Gascogne, et la Champagne en mangeoient beaucoup, et sur-tout en bouillies. Champier [en 1560] ajoute qu'il eut un jour la curiosité d'en goûter, et qu'il trouva que c'était un ragoût détestable. Liébaut en parle de même. »

Si les agronomes du XVIe siècle ne citent pas la Vendée parmi les provinces qui « mangeoient beaucoup » de millet, les médecins de la fin du XVIIIe siècle comme les statisticiens du début du XIXe siècle attestent la grande extension du millet dans cette province. Peuchet et Chanlaire écrivent que sur la rive gauche de la Loire il constitue alors une des principales cultures secondaires du département de Loire-Inférieure. Mais c'est en Vendée qu'il est le plus implanté : Cavoleau écrit en 1804 qu'il fournit au pauvre « un aliment sain et dont il a contracté l'habitude ». Mélangé au pain de seigle, il donne à celui-ci une saveur agréable, ou bien mondé de son écorce, comme le riz, il est mangé en bouillie, « souvent la seule friandise du pauvre journalier ». On retrouve là le meuille, encore consommé dans les campagnes vendéennes. Le plus souvent, il s'agit d'une bouillie faite en versant en pluie le millet dans du lait bouillant. Servi chaud ou froid ce dessert était consommé jusqu'à quatre fois par semaine dans certains villages. Devenu compact après refroidissement, le meuille pouvait être découpé en morceaux, et, écrit Cavoleau en 1818, « frit au beurre roux, ou simplement rissolé sur le gril ».

Dans l'intéressante étude qu'il a consacrée à ce produit, Christian Hongrois note l'étonnante persistance du millet en Vendée durant le XXe siècle et l'attribue en grande partie à l'usage du meuille qui, traditionnellement, accompagnait toutes les grandes fêtes marquant la sociabilité paysanne.

En 1934, la Vendée assurait à elle seule près de la moitié de la production nationale de millet. C'est après la Seconde Guerre mondiale que le déclin de cette céréale va s'accélérer, pour aboutir à sa disparition durant les années soixante. La culture a repris récemment à une petite échelle.

Usages

Se consomme chaud ou bien encore froid, découpé en tranches et frit dans du beurre ou de la graisse, et saupoudré de sucre : c'est le gâteau de mil.

Savoir-faire

Traditionnellement, la semoule est grossière, puisque obtenue au mortier et au pilon de bois, puis, tardivement au moulin à café (vers 1950-1960). Elle est débarrassée de sa coque après concassage, par ventilation et criblage. Le mode de concassage du grain était autrefois affaire de femme, la cuisson tout autant, et l'art consiste à ne pas faire « rimer » (accrocher au fond du récipient) le laitage.

Pour 1 litre de lait, jeter 110 grammes de semoule dans le lait bouillant. Brasser une dizaine de minutes et, lorsque le laitage commence à crépiter, le retirer du feu. Ajouter neuf morceaux de sucre, de la vanille ou un autre parfum.

HISTORIQUES DU TAPIOCA
ET DES PERLES JAPON

« Fécule de racine de manioc, bien lavée et bien séchée, dite aussi sagou blanc. Un tapioca, un potage au tapioca. Tapioca-bouillon. Sorte de conserve qui fait un excellent bouillon. Quelques auteurs écrivent tapiaca. » Voici comment le dictionnaire de Littré parle du tapioca à la fin du XIXᵉ siècle. Cette définition suscite deux remarques. D'une part, le tapioca est un produit « exotique » car le manioc ne se rencontre que dans les pays tropicaux. Aussi, sa consommation, du moins en France, se cantonne-t-elle aux potages ou « bouillons », à tel point qu'« un tapioca » est synonyme de « potage au tapioca ».

Sous forme de tapioca, il entre dans l'alimentation des Français au XIXᵉ siècle. D'après Seigneurie, dans son *Dictionnaire encyclopédique de l'épicerie*, le Brésil fut le premier pays à transformer la fécule de manioc en tapioca, qui se présentait sous forme de « beaux grumeaux blancs-opaques, irréguliers de forme et de grosseur ». Comme cette forme convenait mal aux Français, il a fallu la transformer encore en vue de l'obtention soit de boules parfaitement sphériques (dites perles du Japon) soit d'une semoule fine (notre tapioca). La seconde était, de loin, la forme le plus populaire, car la semoule, toujours selon Seigneurie, « s'hydratant plus facilement dans du bouillon ou du lait, permet d'obtenir une cuisson parfaite en quelques minutes ». Toutefois, les perles avaient aussi leurs amateurs. En 1904, une nouvelle édition de l'ouvrage de Seigneurie parle de « tapiocas perlés, qui produisent des potages riches ». Vers 1907, laissant entendre que ce produit pouvait se fabriquer à partir d'autre chose que de la fécule de manioc, Colombié le décrit dans sa *Nouvelle encyclopédie culinaire* : « Les perles du Japon ou du Nizam, ou du Nippon, sont des boules de tapioca d'un blanc terne... elles sont faites ou doivent être faites avec de la fécule de racine de manioc et un peu de gomme ». Et de fait, Seigneurie parlait déjà en 1898 d'un « tapioca indigène » fait à partir de fécule de pomme de terre. « Sa qualité, remarque cet auteur, est inférieure à celle des tapiocas de fécule de manioc, mais son prix relativement bon marché, peut le rendre utile à la consommation. » Aujourd'hui, dans la seule usine en Europe qui fabrique ces denrées (Tipiak à Nantes), le tapioca est toujours obtenu à partir de la fécule de manioc ; en revanche, seule la fécule de pommes de terre est employée pour les perles Japon. Avec ses deux filiales implantées au Togo depuis 1840 et à Madagascar depuis 1879, Tipiak commercialise ces deux produits, qui, à l'origine, conféraient une petite touche « exotique » aux potages.

PERLE JAPON

FÉCULE

Production
Production stable, saisonnière, comme la consommation (hiver, à Pâques). Fabrication à Nantes.

PARTICULARITÉ : produit élaboré à partir d'amidon de pomme de terre. A ne pas confondre avec le tapioca, qui n'a ni la même origine, ni la même forme, ni la même technologie.
Tipiak Nantes est la seule usine en Europe fabricant ce produit.

Description

Petites billes rondes de couleur blanc nacré de quelques millimètres de diamètre. Le produit sec doit être réhydraté et cuit. La perle Japon est constituée exclusivement d'amidon de pomme de terre, d'eau et de cendres en très faible quantité.

Usages

Potages, pâtisseries, entremets. Repas festifs dans l'Est et la façade Atlantique ouest de la France. Consommation traditionnelle en Bretagne.

Savoir-faire

Pour la préparation, hydratation de la fécule en pétrin et émiettage. Fabrication : boulettage dans un tonneau rotatif en bois en continu (tonneau incliné avec racleur). A noter, l'importance du niveau de réhydratation, de la configuration et de la vitesse du tonneau pour le calibrage des boulettes de fécule (ce tonneau très ancien est à l'origine de la première chaîne de fabrication). Tamisage des perles humides sur un crible vibrant, les fines et les refus sont recyclés tandis que les petites billes de taille correcte sont dirigées vers la cuisson (gélatinisation partielle de l'amidon) dans un four tunnel rotatif à double enveloppe chauffante. Finition : refroidissement et tamisage. Conditionnement classique en boîtes de carton.

TAPIOCA

SEMOULE

Production
Production saisonnière de l'hiver à Pâques dans l'usine de Nantes. La production comme la consommation baissent de 5 à 6 % par an. Tonnage non communiqué. Marque déposée : Véritable Petit Navire.

PARTICULARITÉ : produit à base d'amidon de manioc ayant subi une précuisson et un séchage avant broyage et blutage. Se présente sous forme de granulés de différents diamètres. Adaptation d'anciennes recettes locales africaines.

Description

Le tapioca en semoule et granulés est un produit sec devant être réhydraté et cuit. Cette semoule, de couleur blanc nacré, contient exclusivement de l'amidon et de l'eau (14 % de son poids sec) et des cendres, pour 0,2 %.

Usages

Usages très divers en cuisine, tels que desserts, potages, plats, entremets ; épaississant et gélifiant pour les confitures ; absorbeur d'eau en charcuterie, pâtisserie, etc.

Savoir-faire

Pour la préparation, mise en suspension de la fécule d'amidon de manioc dans de l'eau froide et filtration sur un filtre à tambour sous dépression. Récupération du gâteau de filtration. Fabrication : dilacération du gâteau et coagulation (gélatinisation partielle de l'amidon) sur des cuves à double fond chauffées par bain d'huile. Brassage du mélange qui progresse vers l'extrémité de la cuve. Séchage dans un tunnel rotatif à contre-courant d'air chaud. Finition : broyage sur des cylindres type meunerie. Blutage et turboséparation donnent de la semoule (tapioca) et des fines (tapiocaline). Conditionnement en boîtes de carton de capacités diverses.

BIBLIOGRAPHIE

Dictionnaire domestique portatif, par une société de gens de lettres, Paris, Vincent, 3 vol., 1762-1764 (tome 3, article sarrasin).

BAUDRY, *Topographie médicale de Vieillevigne,* 1787 (Académie de médecine, Archives de la société royale de médecine 179/2 : millet et farine de sarrasin).

BUC'HOZ, *Manuel alimentaire des plantes,* Paris, Costaud, 1771 (article sarrasin).

FREBET, *Topographie médicale d'Evron,* 1779 (Académie de médecine, Archives de la société royale de médecine 157/7/1 : farine de sarrasin).

FREBET, *Topographie médicale du Haut-Maine,* 1788 (Académie de médecine, Archives de la société royale de médecine 175/1/3 : farine de sarrasin).

COLOMBIE (A.), *Nouvelle Encyclopédie culinaire,* Réty, Melun, 3 vol., s.d. 3 volumes, (1906-1907) (tome 3, p. 230 : Perles Japon).

GALLOT, *Topographie médicale du Bas-Poitou,* 1788 (Académie de médecine, Archives de la Société royale de médecine 189/5/154 : millet et farine de sarrasin).

HONGROIS (Christian), *Si t'aimes pas l'meuille... Culture et consommation du millet en Vendée,* Aizenay, 1991.

MONTAGNÉ (Prosper) et GOTTSCHALK (A.) *Larousse gastronomique,* Larousse, Paris, 1938 (perles Japon : p. 805 article perles).

RENOU, *Topographie médicale de La Pommeraye-en-Anjou,* 1774 (Académie de médecine, *Archives de la société royale de médecine* 189/10/1 : millet et farine de sarrasin).

RICHER (Éd.), *Voyage à la forêt du Gâvre, par les communes d'Orvault, Vigneux et Blain,* Nantes, 1821 (pp. 12 et 32 : farine de sarrasin).

SEIGNEURIE (Albert), *Dictionnaire encyclopédique de l'épicerie,* Ad. du Journal *L'Épicier,* Paris, 1898 (p. 500 : tapioca).

STANY-GAUTHIER (J.), *Le Folklore du Pays nantais et des régions voisines,* 5e partie : « Mœurs épulaires » (pp. 245-247 : farine de sarrasin).

FRUITS ET LÉGUMES

ASPERGE

CAROTTE NANTAISE

CHAMPIGNON DE COUCHE

CORNETTE D'ANJOU

MÂCHE NANTAISE

MOGETTE DE VENDÉE

OIGNON DE MAZÉ

POIREAU PRIMEUR

POMME DE TERRE DE NOIRMOUTIER

MELON

POIRE DOYENNÉ DU COMICE

POMME TAPÉE

REINETTE DU MANS

Anjou et pays nantais sont deux bassins « historiques » de productions légumière et fruitière des Pays de la Loire. Les longs séjours en villégiature des souverains ne furent sans doute pas étrangers au développement de ces cultures. Plus tard, les expéditions vers les Antilles, la Guyane ou l'Angleterre et l'approvisionnement des navires constituèrent d'importants débouchés commerciaux, sans oublier le marché parisien.

Le compte rendu du Premier Congrès de culture maraîchère commerciale de 1926 nous donne une idée de l'importance des productions de la vallée de la Loire en ce début de siècle. Vers 1850, on cultivait en Maine-et-Loire une centaine d'espèces de légumes. Les environs d'Angers, de Saumur et de Montreuil-Bellay furent vite renommés. La culture de pleine terre y dominait, ainsi que dans la Vendée proche. La diversité et la qualité des produits angevins étaient alors étonnantes. Artichauts Gros Camus de Bretagne, choux pancaliers (Milan), navets, melons, carottes, oignons, salsifis firent la réputation de la commune de Mazé, près d'Angers. Le fameux Brocoli d'Angers, qui fut une importante production locale, était en réalité un chou-fleur d'hiver, tout comme les bien connus blancs extra-hâtifs d'Angers ou hâtifs de Saint-Laud. Une variété locale de melon eut aussi son heure de gloire : l'orangine, hybride du cantaloup de Bellegarde et du cantaloup prescot fond blanc, atteignant 2,5 kilogrammes. L'oignon, enfin, avait ses lettres de noblesse, notamment celui de Mazé. Avec ces « leaders », le haricot vert et la fraise formeront, au début du siècle, l'essentiel de la production de Maine-et-Loire.

Les cultures maraîchères se développent dès le début du XIXe siècle en pays nantais. En effet, le cours généreux de la Loire aux sols alluvionnaires profonds et riches, légers et sablonneux, un climat tempéré qui descend rarement au-dessous de 0 degré en hiver leur conviennent parfaitement. A cela s'ajoutent d'autres atouts : facilité des communications, présence de stations balnéaires proches, relations directes avec l'Angleterre. Enfin, l'extension prise par l'industrie nouvelle de la conserve absorbe opportunément les excédents de production... C'est à partir des années 1870 que les cultures forcées, c'est-à-dire sous châssis pour la production de légumes précoces, se répandirent vraiment, faisant des primeurs une spécialité de la région.

Au tout début du siècle, Nantes possédait une « culture vitrée » qui dépassait 150 000 châssis répartis entre trois cents maraîchers ! Les trois quarts de ces châssis étaient occupés par la culture de la carotte semée à l'automne. Les autres cultures dominantes étaient les pois, haricots verts, tomates.

Aujourd'hui, les bassins producteurs de la vallée de la Loire demeurent stratégiques. La mâche est produite à 80-90% en région nantaise. Les autres légumes dominants du bassin maraîcher nantais sont le radis, le navet et le poireau de primeur. Le champignon de couche, originaire de Paris, a trouvé un relais dans les falaises de tuffeau des bords de la Loire, où il fut introduit à la fin du siècle dernier. Il représente aujourd'hui 70 % de la production française. L'asperge, la fraise, le radis et l'échalote ne sont pas de reste dans le Saumurois.

Dans le bassin de Vendée, la pomme de terre fait la gloire de Noir-moutier. Cette « culture en mer » procède de l'enrichissement de la terre par une fumure à base de goémon. Les bonnotes de Noirmoutier ou les jumelines, variétés très locales renommées ont été remplacées aujourd'hui par quatre variétés dominantes : sirtemas et amincas en primeurs, charlot-tes et rosevals. La spécificité est ici la précocité, liée au climat, mais facili-tée par des pratiques techniques adaptées.

La Vendée continue de consommer traditionnellement le chou et sur-tout la mogette, terme qui désigne le haricot-grain, de type lingot ou coco paimpolais, à la peau très fine, reflétant une tradition culinaire forte.

La région entretient encore aujourd'hui une forte tradition de cultures légumière et fruitière. Le crosne du Japon et le cerfeuil tubéreux étaient déjà commercialisés et recherchés dans les années vingt ; Ils ont, avec plu-sieurs autres légumes « curieux, rares ou oubliés », retrouvé une seconde jeunesse. Ainsi, la chaire de productions légumières et grainières de l'École nationale d'ingénieurs des travaux de l'horticulture et du paysage d'Angers s'est spécialisée, entre autres, dans l'amélioration du crosne, du cerfeuil tubéreux, du chou crambé maritime, en vue d'un développement éco-nomique.

Les vergers de Maine-et-Loire et de la Sarthe comptent parmi les plus importants de France, y compris les petits fruits, puisque l'Anjou est aujourd'hui le premier département producteur de cassis. La Reinette du Mans, appelée également «pomme de jaune», est originaire de la Sarthe où elle reste très cultivée. Considérée comme la meilleure des poires, la doyenné du comice fut obtenue en 1849 dans le jardin fruitier du comice horticole d'Angers.

La pomme tapée est une préparation traditionnelle partagée avec la pro-che Touraine. Epluchés, séchés dans de grands fours installés dans les anciennes carrières de tuffeau, les fruits sont aplatis à l'aide d'un maillet, d'où le nom. Ils se consomment ensuite secs ou en dessert, trempés et cuits dans du vin rouge avec un bâton de cannelle. Cette production a donné lieu, à la fin du siècle dernier, à une véritable industrie. La pomme tapée est relancée à Turquant.

La création variétale de bons fruits doit beaucoup au Val de Loire, et en particulier à l'Anjou. L'un des plus anciens, la poire jargonnelle, est attesté dès 1490. André Leroy, l'un des plus grands pomologues français, auteur du *Dictionnaire de pomologie*, référence internationale en la matière, était pépiniériste à Angers. Cette tradition régionale de recherche et d'amélioration en arboriculture fruitière se maintient, notamment par la présence de la Station de recherches d'arboriculture fruitière de l'Institut national de la recherche agronomique (INRA) à Beaucouzé, près d'Angers. Ce grand centre est spécialisé dans la recherche et l'amélioration des pommes, poires et petits fruits. La pomme chantecler, hybride de golden et de reinette clochard — vieille variété locale — y est née.

ASPERGE

LÉGUME-TIGE

Production
La production de Maine-et-Loire, au cinquième rang national, est estimée à 2 500 tonnes réparties sur 1 000 hectares pour un millier de producteurs environ. La production d'asperges en Pays de Loire est stable depuis de nombreuses années. Légume très saisonnier, l'asperge apparaît sur les marchés dès la mi-avril et jusqu'à la

PARTICULARITÉ : Asperge des terres sableuses du nord de la Loire (vallée du Baugeois). Les turions blancs sont obtenus par la technique de buttage propre à la culture des asperges.

Description

Turion de taille moyenne, de couleur blanche, et de 22 à 25 centimètres de longueur.

Historique

L'asperge verte règne dans les jardins de France jusqu'à la fin du XVIIIe siècle quand elle commence à céder la place à la grosse asperge blanche de Hollande, introduite au début du siècle. Cette dernière doit son remarquable essor au XIXe siècle en grande partie à un certain M. Lhérault-Salbœuf d'Argenteuil, qui, nous dit Gibault, « commença la culture de l'asperge dans cette localité vers 1830 et y apporta beaucoup de perfectionnements. Il est en outre l'obtenteur d'une race sélectionnée, l'asperge améliorée tardive d'Argenteuil, remarquable par ses énormes turions et sa productivité ».

Aujourd'hui, alors que la culture des asperges a totalement disparu d'Argenteuil, la grosse asperge blanche est cultivée dans la vallée de la Loire, entre autres en Maine-et-Loire au sud de Baugé. Bien que ce département se situe actuellement au cinquième rang national avec une production annuelle estimée à 2 500 tonnes, il n'est pas parmi les plus anciens à cultiver ce légume de part et d'autre de la Loire. D'après une légende, c'est un ancien gendarme qui, ayant pris quelques greffons près d'Argenteuil lors du Siège de Paris, se retira en 1877 près de Vineuil (Loir-et-Cher) pour les cultiver. Toujours est-il que Gibault, en 1912, mentionne le Loir-et-Cher parmi les principaux départements producteurs d'asperges, le Maine-et-Loire n'étant cité qu'en 1926 quand Moreau l'inclut dans ceux qui commence à livrer leurs asperges à Paris au mois d'avril. Il qualifie cet arrivage de « tardif » car, à cette époque, les « forceurs » de la région parisienne pouvaient en apporter aux marchés de la capitale dès fin novembre ! Depuis quelques années, l'asperge verte retrouve faveur et revient en Maine-et-Loire comme ailleurs. A leur insu, sans doute, les producteurs qui les commercialisent renouent avec une tradition très ancienne puisque cette « nouveauté » n'est autre que l'asperge « primitive » qui pendant des siècles était la seule asperge consommée en France.

Usages

L'asperge est traditionnellement associée aux repas de fête. Sa consommation en frais, en légère augmentation, est en France d'environ 700 grammes par personne et par an.

Savoir-faire

La culture de l'asperge est une culture pérenne ; la première récolte s'effectue trois années après la plantation. L'aspergeraie, traditionnellement conçue comme culture d'appoint dans la région, mobilise une parcelle pendant dix ans et exige un délai de quinze à vingt ans avant une nouvelle implantation. La première année, des tranchées sont ouvertes à l'aide d'un buttoir, en février-mars. Les raies de plantation sont orientées dans le sens des vents dominants, soit est-ouest, une bonne aération des plants empêchant le développement des maladies. Les racines du plant, ou griffes, sont étalées dans le fond de la tranchée dans le sens du rang, puis sont recouvertes de 5 à 6 centimètres de terre. Les raies ne seront complètement comblées qu'à la fin de la deuxième pousse. On procède alors au buttage pour protéger l'asperge de la lumière, empêcher la photosynthèse et donc lui préserver sa couleur blanche. Puis un paillage plastique est pratiqué sur la butte, permettant d'améliorer le rendement et la précocité de la récolte. Des bourgeons donnent naissance à des tiges qui, encore sous terre, restent non ramifiées. C'est ce qui constitue la partie comestible que l'on appelle les turions. La cueillette, qui se fait tous les matins dès que les pousses atteignent 25 à 30 centimètres, est une opération délicate exigeant une main-d'œuvre importante. En glissant une gouge le long de l'asperge, le producteur la sectionne au niveau du talon sans blesser ni les turions ni la griffe, qui doit rester intacte pour un bon développement ultérieur de la plante. Aussitôt cueillie, l'asperge est mise au frais et à l'ombre. C'est le producteur qui assure le lavage, le talonnage, la coupe à 22 centimètres des turions et leur calibrage avant livraison.

Le marché de l'asperge est peu structuré, la vente directe représente plus de 50 % de la production. Actuellement, certains maraîchers s'orientent vers la culture de l'asperge verte, déjà cultivée dans le Languedoc-Roussillon. Réalisée sans buttage, elle permet un ramassage plus facile et plus rapide, et une mécanisation plus importante de la culture.

CAROTTE NANTAISE

LÉGUME-RACINE

Production
En 1986, la production était de 30 000 tonnes, en 1991 de 27 000 tonnes et en 1992 de 25 000 tonnes pour 720 hectares. On observe une

PARTICULARITÉ : carotte récoltée immature, c'est-à-dire début mai jusqu'à juillet — ce qui lui confère l'appellation de carotte primeur. L'épandage de sable de Loire sur le sol après semis limite le collet vert.

Description

Calibre recherché de 25 à 35 millimètres. Carotte sans cœur, de forme conique et de couleur rouge orangé.

chute importante de la production due à la concurrence de la carotte landaise. Récoltée de mai à juillet, elle est produite en Loire-Atlantique, Vendée et Maine-et-Loire par deux cent cinquante producteurs.

La traditionnelle carotte rouge demi-longue nantaise est une variété ancienne jugée comme une des meilleures. Les variétés aujourd'hui mises en œuvre sont des hybrides.

Historique

Si la carotte sauvage est connue dans l'Antiquité, ce n'est que tardivement que ce légume sera vraiment apprécié des gastronomes. Cela dit, on trouve des recettes de carottes dans les ouvrages culinaires à partir du XIVe siècle, à un moment où les amateurs avaient le choix entre les carottes rouges, jaunes et blanches. Un goût pour la carotte dite rouge — en réalité, de couleur orangée — se développe à la fin du XVIIIe siècle. D'après l'auteur d'un *Traité des jardins* de 1789 cité par Gibault, « la carotte jaune longue est la plus commune dans les jardins ; la rouge devient à la mode, elle est fort bonne, mais son goût fort ne plaît pas à tout le monde ».

A partir de 1800, la carotte courte dite de Hollande commence à se répandre en France. Elle s'avère plus adaptée au forçage que les carottes longues et permet le développement de la culture en primeur. D'abord cultivée autour de Paris, la carotte courte gagne progressivement la vallée de la Loire où la demi-longue nantaise est obtenue en 1864, suivie en 1884 par la demi-courte de Guérande. Le marché de primeurs devient très profitable à la fin du XIXe siècle quand la production nantaise part non seulement à Paris mais aussi à l'étranger. Selon Vinet, au début de ce siècle les maraîchers nantais en envoyaient environ 3 millions de bottes de 1 kilo en Angleterre. Cependant, après la Première Guerre mondiale, les exportations vers l'étranger diminuent et 40 % de la récolte prend la route du marché parisien (le reste, toujours d'après Vinet sera vendu « sur les marchés de province, sur le littoral balnéaire et sur le marché local »).

La spécialisation dans la culture de carottes primeurs

se justifiait pleinement encore en 1924, époque où les carottes de la région parisienne se vendaient à 30 centimes le kilo au mois de décembre alors que la primeur nantaise se commercialisait à sept fois ce prix, soit 2,25 francs, à son arrivée sur les Halles de Paris au mois de mars. Aujourd'hui, cette culture se révèle nettement moins rentable et les carottes nantaises font leur apparition bien plus tard, au mois de mai. Malgré les initiatives locales, telle la création d'un Groupement des producteurs en 1968, depuis les années 80 la carotte nantaise est fortement concurrencée par la carotte landaise, très ressemblante mais vendue beaucoup moins chère... à tel point que certains prétendent que les jours de la carotte nantaise sont comptés.

Usages

Souvent consommée crue, mais aussi cuite en « jardinière » ou sautée.

Savoir-faire

La carotte nantaise est de nos jours produite à partir de variétés hybrides dont l'assortiment est modifié tous les deux ou trois ans. Elle est semée entre les mois d'octobre et février avec un semis important en novembre. Le semis s'opère sous petit tunnel, ce qui permet de maintenir une température douce et d'effectuer la récolte plus tôt. Le sol sableux, du fait de la proximité de la Loire, constitue un atout important puisqu'il ne durcit pas après les arrosages ; par ailleurs, il favorise à la fois le drainage, l'oxygénation des semences et le réchauffement de la terre. Le semis est effectué en planches. L'arrachage est une opération délicate la température du sol doit pour cela être prise en compte. Enfin, le conditionnement est immédiat.

CHAMPIGNON DE COUCHE

CHAMPIGNON
DE COUCHE

Production
La production
annuelle, régulière
toute l'année, des
Pays de Loire est de
107 000 tonnes. Le
Maine-et-Loire est le
premier
département
français avec 40 %
de la production
nationale. On
observe une forte
concentration de la
culture du
champignon dans
un espace limité
géographiquement à
l'ouest par le
Saumurois, au nord
par le Perche, à
l'est par la
Touraine, le
Vendômois et le
Nord-Berry, au sud
par le Chatellaurais.
La production subit
depuis une dizaine
d'années les
répercussions d'une
forte concurrence
étrangère. La
consommation
française est
évaluée à
1 kilogramme par
habitant et par an.
234 producteurs
sont recensés,
parmi lesquels le
groupe coopératif

AUTRES APPELLATIONS : champignon de Paris.

PARTICULARITÉ : culture pratiquée dans les anciennes carrières de tuffeau du Saumurois. Les 1 000 kilomètres de galeries souterraines ainsi créées offrent un site idéal.

Description

Couleur blanc à crème, chair ferme, chapeau peu ou pas ouvert.

Historique

Encore expérimentale vers 1600, la culture en plein air du champignon se développe en France au cours du XVIIe siècle. C'est à Paris au début du XIXe siècle que l'on commence à utiliser des carrières souterraines pour la culture des champignons de couche. La consommation se développant rapidement à la fin du siècle, les champignonnières parisiennes ne suffisent plus.

Vers 1890, les premières carrières sont aménagées dans la vallée de la Loire. La culture des champignons de couche rencontre, dans les anciennes carrières de tuffeau du Saumurois, les conditions optimales d'hygrométrie, de température et d'obscurité. Le succès est immédiat : dès 1903, les quinze champignonnistes du Val de Loire produisent 1,5 tonne par jour, soit la moitié de la production parisienne. Dès lors, la croissance remarquable de la consommation de champignons de couche va leur permettre de constamment renforcer leurs positions. De 4 000 tonnes en 1896, la production française est ainsi passée à 10 000 en 1920, 20 000 en 1940 et, après un bond dans les années 70, 240 000 tonnes aujourd'hui, soit le deuxième rang mondial. Les Pays de la Loire représentent à eux seuls près de la

Champi-Jandou, fusion en 1988 de trois coopératives agricoles, et le groupe Royal Champignon, détiennent 80 % de la production nationale.

moitié de la production nationale ; le Maine-et-Loire, avec les champignonnières du Saumurois et du Baugeois, étant le premier département producteur. La Sarthe occupe le septième rang national. Outre le traditionnel champignon de Paris, les producteurs des Pays de Loire expérimentent, depuis quelques années, la culture des pleurotes et des shii-take, champignons originaires du Japon.

Usages

Produit de consommation courante, le champignon de couche est commercialisé sous plusieurs formes : frais, en conserve ou surgelé.

Savoir-faire

Le champignon a besoin d'une température constante de 12 à 16 degrés C et d'une hygrométrie de 85 à 95 %. La production s'effectue dans deux lieux distincts : la centrale de compostage où sera préparé le fumier de cheval qui constitue la matière végétale dont le mycélium va se nourrir, et la cave de production où il va se développer. La préparation du substrat, ou compostage (cycle de deux semaines), est obtenue en décomposant les matières végétales (fumier, paille) par fermentations successives. Le compost préparé est ensuite chargé dans des caisses en bois, appelées aussi containers, avant d'être pasteurisé (une semaine). La pasteurisation favorise le développement des bactéries et moisissures thermophiles qui transforment l'ammoniaque en azote organique directement assimilable par le champignon. Ensuite le blanc de champignon, qui se présente sous forme de filaments de mycélium fixés sur des grains de céréales, est ensemencé. Cette phase, appelée lardage, est suivie d'une phase d'incubation destinée à favoriser le développement du mycélium (deux semaines). Les caisses sont ensuite envoyées en cave après avoir été recouvertes d'une mince couche

(2 à 3 centimètres) de tuffeau broyé et de tourbe mélangés et désinfectés. Cette opération, le gobetage, qui permet de maintenir l'humidité, est nécessaire à la fructification du champignon.

Trois semaines après la mise en place des caisses, la production commence. Chaque container (surface de 3 mètres carrés) produira environ 100 kilogrammes de champignons avec de fortes poussées, espacées de sept à dix jours : les volées. L'essentiel de la récolte, qui s'effectue à la main, est fourni lors des première (45 kilogrammes) et deuxième (20 à 25 kilogrammes) volées. Le critère de maturité du champignon, hormis sa taille, est la forme légèrement aplatie du chapeau. Cependant, les normes de commercialisation exigent que ce dernier ne soit pas ouvert. La production étant continue, il y a lieu de cueillir tous les jours. La dernière volée ramassée, on sortira le compost, appelé encore «corps de meule», et l'emplacement sera nettoyé et désinfecté afin de ne pas contaminer les futurs composts.

La technique de culture a évolué au cours des ans : ainsi, les containers ou caisses, qui ont permis un gain de place par superposition, ont remplacé les meules, bandes de terre au niveau du sol, et ont été supplantés dans d'autres régions par des sacs directement éliminés en fin de récolte. Les recherches de productivité s'orientent maintenant vers la mécanisation de la récolte. La production des caves de la région, destinée en grande partie au marché de la conserve et du surgelé, est dirigée ensuite vers les unités de transformation implantées à proximité.

CORNETTE D'ANJOU

Production
Difficile à estimer, entre 50 et 100 maraîchers la cultivent encore dans la zone nord du Saumurois : Saint-Martin-de-la-Place, Saint-Lambert-des-Levées, Varenne-sur-Loire, Vivy, Longué-Jumelles. La production de cette salade très réputée est en nette régression car elle se vend au poids, pratique très pénalisante dans les circuits de vente de la grande distribution.

AUTRES APPELLATIONS : cornet d'Anjou, scarole en cornet angevine.

PARTICULARITÉ : salade d'hiver craquante, très goûteuse, commercialisée à partir de novembre après avoir été bonifiée par les premières gelées.

Description

La Cornette d'Anjou est une scarole, salade appartenant à la grande famille des chicorées. Il s'agit là d'une variété locale, plus petite que la variété Cornette de Bordeaux mais résistant mieux au froid. En forme de pain de sucre, cette salade a de larges feuilles en cornet, rassemblées en un cœur serré et blanc.

Historique

La «Scariole ou Laitue aigre ou sauvage sert plus en médecine qu'autrement, et ne se cultive au jardin parce qu'elle est toujours amère. Pourtant, étant liée et couverte dans le sablon durant l'hiver, peut devenir tendre et blanche et se garde ainsi tout l'hiver.» Cette remarque de Charles Estienne au XVIe siècle, citée par Gibault dans son *Histoire des légumes*, montre bien tout le chemin qui a été parcouru depuis. Scaroles et frisées ont fait l'objet d'une importante diversification ; certaines demandent à être liées pour être blanches alors que d'autres, telles la Cornette d'Anjou, sont délicieuses telles quelles. *Le Dictionnaire des plantes potagères*, de Vilmorin, datant de 1946, parle de la Cornette comme d'une excellente variété d'hiver, cultivée surtout en Anjou.

Usages

Ceux de la salade d'hiver.

Savoir-faire

Semée en juillet-août, cette salade peut être laissée sur place — elle est alors plus volumineuse mais plus fragile — ou repiquée. En ce cas, elle peut «aller plus loin en saison», protégée par un petit tunnel. Cette chicorée reste en terre tout l'hiver et peut être cueillie du mois de novembre jusqu'en mars-avril. Cette production est peu mécanisée. Par ailleurs, la plante nécessite un travail de nettoyage avant d'être commercialisée. En effet, elle doit être débarrassée de ses premières feuilles, généralement abîmées, pour être présentée à la vente. Compte tenu de l'évolution des marchés et de la demande, elle tend de plus en plus, depuis quelques décennies à être remplacée par la culture de pissenlit, salade qui elle aussi nécessite «beaucoup de main» et constitue une production hivernale intéressante.

MÂCHE NANTAISE

LÉGUME-FEUILLE

APPELLATIONS : boursette, doucette, pomache.

PARTICULARITÉ : L'épandage de sable de Loire sur le sol après semis provoque un allongement de l'axe hypocotyle (la tige) qui permet le passage de l'engin de coupe pour la récolte.

Production
Grosse production de novembre à mars. Culture hivernale à l'origine, la mâche nantaise se récolte de plus en plus sur l'année. Environ 10 000 tonnes par an. En progression régulière depuis 1987, la production a connu une augmentation jugée exceptionnelle en

Description

Il existe plusieurs variétés de mâche verte à petite graine dont la mâche coquille, à feuilles rondes, et la mâche verte à feuilles longues. Salade en rosette, pieds de 8 à 10 petites feuilles vertes et charnues. Culture traditionnelle dominante en Pays nantais, leader de cette production.

1992. La mâche est le premier produit maraîcher de la région nantaise. Cette position traduit les forts investissements d'une région produisant 90 % de la mâche en France. Les exportations se dirigent principalement vers l'Allemagne. La région maraîchère nantaise s'étend bien au-delà de l'agglomération, au sud vers Machecoul et en amont sur la rive droite de la Loire. Les surfaces multipliées par quatre sur les cinq dernières années dépassent les 1 500 hectares. Sur 400 maraîchers dans la région nantaise, 300 cultivent la mâche.

Historique

Sous le nom de boursette — c'est celui qu'elle portait jadis à Nantes —, de doucette ou encore de pomache, la mâche est connue, depuis longtemps en France, comme une salade sauvage. Mais elle ne semble pas avoir été cultivée en France avant 1650. Les premiers semis ont sans doute profité des améliorations que les Hollandais, grands amateurs de cette salade, y avaient apportées.

Au XVIIIe siècle, la mâche s'est imposée dans de nombreux potagers français mais sa commercialisation ne se développe pas. Même au XIXe siècle, les auteurs qui parlent de la mâche l'évoquent comme une salade « de Carême » qui avait l'avantage d'être disponible à une époque de l'année où l'on trouvait peu de salades fraîches. Cependant, on ne l'apprécie guère à en croire De La Porte qui écrit en 1872 : « C'est ordinairement en la mêlant, soit à du céleri cru, soit à la betterave cuite, qu'on sert cette salade sur la table. Par elle-même, elle n'a qu'une saveur presque nulle... »

Mais les besoins des agglomérations urbaines en salades d'hiver et de printemps poussent de nombreux producteurs à se convertir à la mâche. Dés 1924, pas moins de 8 000 tonnes de cette salade sont vendues sur les Halles de Paris et la vallée de la Loire en fournit déjà une bonne partie. Aujourd'hui, grâce à des campagnes publicitaires, les consommateurs associent la mâche au pays nantais où plus de trois cents professionnels produisent à eux seuls la quasi-totalité de la mâche vendue sur les marchés français.

Usages

La mâche se consomme communément en salade. Pour promouvoir leur produit, les maraîchers nantais ont invité récemment de grands chefs à créer des plats la mettant en valeur.

Savoir-faire

La graine est semée à intervalles régulier sur un sol désinfecté et amendé, qui est ensuite tassé, aplani et recouvert d'une couche de sable. Cinq semaines en été et trois mois en hiver sont nécessaires pour obtenir des plants encore jeunes, aux feuilles ne dépassant pas sept centimètres, que l'on récolte à la main, au couteau ou avec une pelle spéciale. Des machines à récolter sont apparues en 1993.

Cette plante potagère herbacée se cultive en plein champ. L'utilisation en culture du sable de Loire constitue un élément important du savoir-faire traditionnel, toutefois remis en cause par l'arrêt prochain de l'extraction en Loire. Sa granulométrie est en effet idéale, notamment en ce qui concerne l'aération du sol de culture. Elle facilite le drainage et préserve les terres du durcissement après arrosage. Les autres sables, de mer ou de carrière, ne conviennent pas : grain trop fin pour alléger le sol et le drainer pour le premier, grain trop abrasif qui blesse les feuilles pour le second. La mâche est traditionnellement cultivée en association avec le poireau de primeur nantais. Tous deux sont semés en même temps entre septembre et décembre. La mâche est récoltée pendant l'hiver alors que le poireau l'est à partir de mai l'année suivante.

La commercialisation classique, dite « sur plateau » et à destination des marchés, admet une mâche comptant quelques feuilles jaunes, radicelles ou cotylédons noirs retirés ensuite par l'acheteur. Ces ismperfections ne se conçoivent plus avec le conditionnement en barquette ou en prêt à consommer de 4e gamme, qui ont rénové cette culture traditionnelle en imposant de nouvelles exigences de qualité. Avant réception en atelier pour un passage sur les chaines de lavage, chaque récolte fait l'objet d'un examen sur échantillon. Le lot est accepté, commercialisé « sur plateau » ou rejeté en fonction d'un indice établi d'après les critères visuels : traces de brulûres, de jaunissement, de noircissement dues aux maladies, racines, particules externes, résidus, sable, terre, etc. Pour répondre à cette redéfinition du produit et à l'étalement de sa culture sur l'année, les semis se font aujourd'hui sous tunnel aéré, ainsi protégés du vent et de la grêle l'hiver, ombragés avec arrosages l'été.

MOGETTE DE VENDÉE

HARICOT-GRAIN

Production
De mai-juin à septembre-octobre. Les surfaces emblavées sont en régression constante depuis dix ans. La mogette souffre de son statut de culture secondaire et reste très soumise aux variations des cours. Actuellement, la profession s'organise pour défendre cette production. Les 2 000 tonnes produites sur les trois cantons, équivalent à 90 % de la production du haricot vendéen, la Vendée totalisant les deux tiers de la production nationale. Pour le haricot, la France est dépendante à 80 % de l'importation.

PARTICULARITÉ : aliment emblématique du terroir vendéen, la mogette est une culture traditionnelle du bas bocage.

Description

Variété issue du lingot dans le nord de la Vendée, du coco paimpolais dans le sud, en zone de marais. Gros grain blanc, très brillant, de forme plutôt rectangulaire. Haricot très tendre, sa peau fine et fragile a tendance à éclater à la cuisson.

Historique

La mogette, qu'apprécient tant les Vendéens, est bien différente de celle que leurs ancêtres connaissaient sous le même nom. Notre haricot, *Phaseolus* pour les botanistes, est en effet originaire d'Amérique et il ne fut pas cultivé en France avant le milieu du XVIe siècle. Appelé haricot en Île-de-France, le nouveau produit prit dans d'autres régions le nom des légumineuses que l'on y connaissait auparavant : fève là, pois ailleurs ou bien, comme en bas Poitou et dans l'Aunis, mogette ou mongette. Ce dernier terme est un diminutif de *monge*, qui désignait une religieuse. Il s'appliquait donc parfaitement à la dolique (*Vigna unguiculata*), où le grain s'orne au centre d'un œil noir dont le dessin peut

La Mogette de Vendée est une marque déposée par l'Association pour la promotion de la mogette vendéenne. Par ailleurs, l'Interprofessionnelle des légumes secs de Vendée a engagé une procédure pour l'obtention d'une AOC. Elle est cultivée dans le nord-ouest de la Vendée sur les trois principaux cantons de Poiré-sur-Vie, de Saint-Fulgent, et des Essarts, 1 000 hectares pour environ deux cents producteurs.

en effet rappeler une tête de religieuse. C'est une légumineuse très ancienne, connue en Europe au moins depuis l'Antiquité.

Le haricot d'Amérique, qui se présentait au départ en grains énormes et bariolés, ne s'imposa sans doute pas immédiatement. Dès la fin du XVIIIe siècle, les médecins signalent la culture de « pois » et de « haricots » en Vendée, notamment dans la zone des marais méridionaux ; déjà en 1804, Cavoleau décrit le haricot blanc comme « le patrimoine du pauvre métayer » dans la partie occidentale de la plaine. C'est dans cette région, le sud du département, que le haricot américain semble avoir, en effet, trouvé sa terre d'élection, en particulier dans le village des Conches.

Les exportations de haricots blancs de Vendée s'établirent, entre 1806 et 1813, à 65 tonnes par an en moyenne, avec une pointe à 145 tonnes en 1810. Au cours du siècle, la réputation des mogettes dut ensuite s'étendre à d'autres régions de Vendée puisque, en 1931, le guide UNA recommande aux gastronomes non seulement celles de Fontenay-le-Comte, Luçon et Nalliers, dans le sud du département, mais aussi celles de Pouzauges, dans le haut bocage. Aujourd'hui, c'est principalement dans le nord-ouest de la Vendée que les mogettes sont cultivées, et les producteurs, regroupés en association, poursuivent leurs efforts pour obtenir une reconnaissance officielle de la spécificité de leur produit, à travers une demande d'appellation d'origine contrôlée.

Usages

On l'aime nature avec une noix de beurre, ou bien en légume d'accompagnement, par exemple avec du jambon, du canard, ou du gigot d'agneau. La préparation à l'ancienne réclame de faire tremper la mogette la veille, pour la cuire pendant 3 longues heures dans un pot de terre au coin du feu. On laisse mijoter en rajoutant de l'eau par intermittence, de façon à ce que le contenu ne « rime » pas. Avec cette préparation, on peut se régaler de « grillées de mogette ». Il suffit d'ajouter, devant l'âtre, quelques tartines de pain, puis de les frotter avec une gousse d'ail, les beurrer et y étaler le haricot bien chaud. Depuis quelques années, plusieurs fêtes célébrant la mogette se tiennent aux Brouzils, à la Ferrière, au Poiré-sur-Vie. Les 15 et 16 août, tous les hôteliers et restaurateurs de Vendée mettent la mogette au menu.

Savoir-faire

Parfois de bon rapport, le haricot est une culture traditionnelle d'appoint, bien intégrée à l'économie productive paysanne, car peu contraignante à certains égards : elle n'épuise pas le sol, et ne l'occupe pas plus de trois mois dans l'année. Néanmoins, la mogette est d'une culture sensible. A chaque étape, on doit craindre l'excès d'humidité, mais aussi la sécheresse. Or la région de culture de la mogette, le bas bocage vendéen, est l'une des plus sèches de France, au faible indice de pluviométrie. Les terres qui conviennent le mieux sont dites douces : ce sont des terres limoneuses, riches en matières organiques, des sols profonds et peu séchants. Une terre de couleur brune est bonne parce qu'elle « emmagasine » bien l'énergie du soleil.
Après un labour de printemps, on peut amender le sol d'un fumier bien décomposé. Les semis se font vers le 20-25 mai, à plat ou en billon selon les terrains, avec une distance de 70 à 80 centimètres entre les raies et de 5 centimètres entre les graines. Il est important de semer dans une terre qui ne soit ni froide ni sèche, dans un sol à 12 degrés C au moins pour une germination rapide. La plante étant fragile à la levée, il faut également veiller à ce que le terrain ne croûte pas, et le casser à la « ratisse » si nécessaire. Le sarclage est également manuel car il n'y a pas sur le marché de désherbants chimiques adaptés. La récolte a lieu courant septembre. Elle se réalise en deux temps : l'arrachage,

suivi d'un séchage sur le terrain, et le battage. Selon la méthode traditionnelle, toujours mise en oeuvre par les petits producteurs, l'arrachage des pieds se fait à la main. Ils sont rassemblés en « bouillées » ou en « bichottes », et installés sur des tourettes ou perroquets que l'on érige pour le séchage lorsque le temps n'est pas sûr. On peut laisser les tourettes un mois durant si le temps l'exige. Puis les pieds sont mis en charettes, garées à l'abri où on les laisse « se revenir », c'est-à-dire reprendre un peu d'humidité. On obtient ainsi un séchage doux, parfaitement homogène. On écosse avec d'anciennes batteuses qui fouettent les gousses sans casser le haricot. Au besoin, on passe les pieds une seconde fois. C'est la meilleure méthode pour obtenir une mogette de qualité, qui soit travaillée en restant tendre, qui soit bien séchée sans être dure. La mécanisation, passage obligé pour maintenir les surfaces avec moins de main-d'œuvre, ne donne pas encore toute satisfaction. Après le passage de l'arracheuse à couteaux, les pieds restent quelques jours sur le terrain, disposés en andains, ce qui ne suffit pas pour un séchage par temps humide. Il est également plus difficile de battre à la machine un haricot humide. Seulement, un grain trop sec risque aussi de perdre son écorce, se casser par moitié sous l'action des battes, et ne plus retrouver la tendreté qui fait sa qualité. On éprouve actuellement un nouveau matériel ménageant le haricot, avec les batteuses axiales ou la batteuse à cacahuète à battes de caoutchouc. Le stockage est également délicat : on doit maintenir le haricot à un taux de 16 % d'humidité.

La mogette se consomme dans l'année.

OIGNON DE MAZÉ

**BULBE
CONDIMENTAIRE**

Production
3 000 tonnes, en
légère hausse,
produit par une
cinquantaine de
producteurs dans la
vallée de l'Authion,
dans un rayon
d'une vingtaine de
kilomètres autour
de Mazé (Maine-
et-Loire).

PARTICULARITÉ : cet oignon, bien «tuniqué», dont l'enveloppe est épaisse, possède une très bonne aptitude à la conservation. Récolté en septembre, il se conserve jusqu'au mois d'avril-mai, alors que les autres variétés commencent à germer au milieu de l'hiver.

Description

Oignon plat, épais, de taille moyenne, de couleur jaune parfois rosée.

Historique

Dans l'ouvrage de Vilmorin-Andrieux, *Les plantes potagères, description et culture des principaux légumes des climats tempérés*, qui date de 1925, l'oignon de Mazé apparaît sous le nom d'«Ognon rosé de bonne garde». Ses deux particularités apparaissent bien dans cette dénomination : garde et couleur. Il est en effet considéré comme ayant une faculté de conservation tout à fait remarquable, «très avantageux pour la culture maraîchère et pour la provision d'hiver dans les ménages»... Quant à la couleur, «sa teinte, tout à fait intermédiaire, saumonée, est presque aussi près du jaune que du rose»... «Il forme ainsi la transition entre les oignons jaunes et les oignons rouges», lit-on dans le même ouvrage.

De génération en génération, les producteurs ont sélectionné et se sont transmis les semences de cette variété, en atténuant aujourd'hui la teinte rosée, mais en préservant les spécificités intéressantes auxquelles ils sont attachés. L'oignon de Mazé est une bonne illustration des petites productions encore vivantes, que les producteurs ont su maintenir localement et qui, malheureusement, figurent rarement dans les livres. C'est dans cette même vallée de l'Authion que s'est développée la culture d'une autre espèce d'*Allium*, l'échalote (voir cette fiche).

Savoir-faire

L'oignon est semé au printemps et récolté la deuxième quinzaine de septembre, après avoir été arraché et mis à sécher quelques jours sur le champ. Il était traditionnellement stocké, une fois «mûri» naturellement au champ, dans des «cribs», séchoirs grillagés, utilisés par ailleurs pour le séchage du maïs. Aujourd'hui la grande majorité de la production est stockée dans des hangars ou silos ventilés. L'oignon de Mazé est nettoyé, trié, précalibré et mis en sac pour être vendu, à la demande, en sacs de 10 à 20 kilogrammes.

La variété est bien adaptée au climat de l'Anjou, et en particulier à la latitude de la zone de culture qui, avec la longueur du jour, jouent un rôle important dans le cycle végétatif de l'oignon. Les maraîchers produisent eux-mêmes leurs semences. Un certain nombre d'entre eux, appartenant à la coopérative La Pont de Céaise, assurent la reproduction des graines en commun et ont demandé l'inscription de cette variété au «Catalogue officiel des espèces et variétés cultivées en France», sous le nom de «Mazéor».

POIREAU PRIMEUR

LÉGUME-TIGE

Production
13 000 tonnes,
produites par
environ
200 producteurs sur
200 hectares, dans
la région nantaise.

PARTICULARITÉ : exclusivement produit dans la région nantaise, arrive sur le marché à une époque où l'on en manque, en mai-juin et permet aux inconditionnels du poireau d'être approvisionnés.

Description

Poireau tendre, de saveur fine, comportant moins de blanc que le poireau habituel.

Historique

Le poireau est attesté comme un des légumes de base dans l'alimentation de notre pays : c'est surtout un légume «à soupe», déjà populaire dans ce rôle au Moyen Age, cuit en compagnie d'autres «herbes à potage» tels qu'épinards, bettes ou chou.

Le poireau a fait l'objet de pratiques culturales assez diversifiées selon les régions, dans le but d'obtenir des légumes plus tôt dans l'année, augmenter la taille ou l'importance du blanc par rapport au vert. Dans la région nantaise, la production de légumes primeurs est une tradition fortement ancrée. La culture de poireau primeur par semis a succédé, il y a une trentaine d'années, à celle du poireau «baguette», produit là encore à contre-saison mais suivant d'autres techniques. En effet, ce légume semé en septembre était repiqué en février et vendu en mai. Le nom qu'il portait était dû à sa taille puisqu'il avait alors la grosseur de l'index.

Usages

Tous les usages du poireau.

Savoir-faire

La culture du poireau primeur, visant à produire ce légume à contre-saison, met en œuvre des pratiques culturales assez complexes. Le sol est préparé en planches pour permettre un ressuyage rapide. Le semis est pratiqué avec beaucoup de soins, il s'échelonne d'août à janvier. Les graines sont recouvertes d'un demi centimètre de sable de Loire. Cette technique, très spécifique à la région, renforce les conditions sanitaires du semis en gardant les semences au sec et en facilitant leur réchauffement. Les maraîchers utilisent des graines enrobées pour mieux maîtriser l'espacement du semis, car ce poireau, contrairement aux autres, n'est pas repiqué. Protégé tout l'hiver par de petits tunnels, matériel de forçage très répandu dans la région, il est découvert et légèrement butté au printemps pour obtenir le blanchiment du pied. Il est récolté à partir du mois de mai et «paré» avant d'être mis sur le marché. Ce poireau ne peut rester en terre longtemps, car il «monte» très vite à fleur et le fût devient ligneux. Le poireau primeur n'attend pas! C'est la raison pour laquelle les semis sont échelonnés à l'automne. Cette culture est souvent associée à la mâche qui se récolte plus tôt.

POMME DE TERRE DE NOIRMOUTIER

TUBERCULE DE
LA FAMILLE DES
SOLANACÉES

Production
Produites sur l'île de Noirmoutier à raison de 120 000 tonnes en 1992, dont 2 500 à 3 000 tonnes de sirtema, 4 500 à 5 000 tonnes d'aminca, 600 tonnes de roseval, et enfin 3 400 tonnes de charlotte. Elles sont récoltées du 15 avril au 25 mai pour la sirtema, du 15 mai au 25 juin pour l'aminca, du 15 juin au 15 juillet pour la roseval, du 15 juin au 31 décembre pour la charlotte. Elles

PARTICULARITÉ : deux variétés de pommes de terre de Noirmoutier, la sirtema et l'aminca, sont les premières arrivées sur le marché, ce qui leur confère le caractère de primeurs.

Description

La pomme de terre sirtema est de goût sucré, de couleur blonde à peau très fine qui peluche au contact des doigts ; la variété aminca est de couleur jaune au goût moins sucré. Roseval et charlotte, produites plus tardivement sont des variétés à chair ferme. Les calibres sont divers.

Historique

En Vendée, comme dans bien d'autres régions de France, l'introduction de la pomme de terre fut très tardive. En 1774, un article des *Affiches du Poitou* déplore l'absence de pomme de terre dans la province, et, malgré les incitations des médecins qui vantent les

sont cultivées par une centaine de producteurs sur 550 hectares.

vertus de la fécule de pomme de terre, les essais de culture en grand menés sur la côte ne sont guère suivis d'effets. Si le subdélégué de l'île de Noirmoutier a encouragé cette culture dès 1776, un rapport de 1788 constate qu'on y trouve « très peu de pommes de terre ». Si bien que Cavoleau, dans sa *Statistique de Vendée* parue en 1804, ne mentionne le tubercule que pour le bocage ; et encore « sa culture se borne-t-elle à quelques sillons dont le produit est consacré à la nourriture des cochons ». Dans la réédition parue en 1844, le tableau est tout différent : « La culture de cette plante, écrit l'auteur, a pris, dans ces dernières années, un accroissement extraordinaire dans le département », et, surtout, la pomme de terre est désormais utilisée dans l'alimentation des hommes, surtout des pauvres qui la font entrer dans leur maigre pain.

L'île de Noirmoutier participe pleinement à ce démarrage. En 1830, les Jacobsen, flamands d'origine, aménagent l'isthme de Tresson pour s'y livrer à la culture en grand du tubercule. Dès 1849 commencent les expéditions vers Nantes, Saint-Nazaire et surtout l'Angleterre, avec laquelle se maintiendra un fort courant d'exportation jusqu'en 1890. En cinq ans, de 1855 à 1860, la superficie que l'île consacre à la pomme de terre a triplé, mais ce « boom » ne concerne encore que les tubercules ordinaires.

Le tournant vers la culture des primeurs ne s'amorce vraiment qu'à la fin du siècle, avec l'acclimatation de la variété « Saint-Jean », plus précoce d'un mois que la « Reinette » jusque-là cultivée. En 1874, le navire noirmoutrin la « Messagère » déverse sur les quais du port de Nantes les quinze premières tonnes de pommes de terre primeurs. Limitées encore à un tiers des exportations en 1881 — année record avec plus de 2 500 tonnes expédiées —, elles en représenteront la totalité dès les années 1900.

Le relevé des marchandises vendues à Paris en 1924 montre que, depuis Saint-Nazaire et Nantes, les pommes de terre de Noirmoutier sont à l'époque expédiées vers la capitale de la fin avril à la fin juin. Il est vrai que la qualité s'est encore améliorée avec l'introduction, dans les années 20 et 30, d'une variété originaire de Barfleur, la bonnotte, qui allait définitivement asseoir la réputation de la pomme de terre primeur de Noirmoutier.

Usages

Les pommes de terre primeurs sont à consommer dans les trois jours.

Savoir-faire

Les pommes de terre primeurs de Noirmoutier sont plantées en février suivant la technique des billons. Le billon en forme de trapèze, permet un bon drainage de l'eau excédentaire. Les instruments agricoles destinés à la préparation du sol sont adaptés à cette technique. Deux sillons — au lieu d'un habituellement — sont créés sur le billon, dans lesquels sont plantés des tubercules de semence. Plusieurs facteurs sont à l'origine de la récolte précoce : le taux d'ensoleillement important ; la présence d'embruns, créant ainsi un microclimat qui empêche l'atteinte des gelées sur les jeunes plants sortis de terre ; les terres sablonneuses bien drainantes, qui favorisent l'aération et le réchauffement du sol. Par ailleurs, le sol est enrichi de goémon (varech). Un certain nombre de producteurs entretiennent des « fumières », à partir de goémon mélangé avec fumier de bovin et paille. Ce mélange est épandu à raison de 40 tonnes à l'hectare.

MELON

FRUIT-LÉGUME

Production
Dans la vallée de l'Authion, 4 000 tonnes de galia, commercialisé essentiellement par Fleuron d'Anjou. 10 000 tonnes de charentais dont la production est centrée sur le sud de la Vendée. La récolte a lieu de la fin juillet à la mi ou fin septembre selon les années avec des maxima entre le 10 août et le 10 septembre.

Description

Deux grands types cultivés aujourd'hui : le charentais, à chair orangée et écorce lisse ou brodée, le galia, à chair verte et écorce brodée. Forme régulière sphérique ou légèrement oblongue, poids de 0,6 à 0,8 kilogrammes.

Historique

La culture du melon dans le Val de Loire remonte au moins au XVIe siècle, époque à laquelle Ronsard vantait les « pompons tourangeaux ». Au siècle suivant, selon Gibault, on faisait venir à grands frais des melons d'Anjou et de Touraine pour la consommation des Parisiens. Sans doute les melons angevins ont-ils bénéficié de la haute estime dans laquelle on tenait alors leurs voisins de Langeais. Couverchel classe d'ailleurs, en 1839, dans une même catégorie les melons de Langeais, de Tours et d'Angers. La renommée de ces derniers est encore grande à cette époque, comme en témoigne un *Dictionnaire géographique* de 1834. L'auteur anonyme du *Gastronome français* recommande particulièrement, en 1828, les melons de Saumur. Selon lui, il s'agit de la variété dite « des carmes », qu'il décrit ainsi : « il est gros et long, originaire de Saumur, à très petites côtes ; son écorce jaunit et avertit de sa maturité, qu'il ne faut pas attendre pour le manger bon ».
Les botanistes du XIXe siècle tendent plutôt à faire du melon d'Anjou une sous-espèce du melon maraîcher, oblong, souvent sans côtes et recouvert d'une broderie grisâtre. Bois écrit que cette variété « est très cultivé[e] en Anjou, en Touraine, et dans certaines parties de la Normandie ; [elle] est très productive et d'une culture facile en pleine terre, ce qui constitue ses principaux mérites ».

Si le catalogue du pépiniériste Vilmorin signale encore, en 1925, les melons maraîchers de Saint-Laud et de Mazé près d'Angers, dès cette époque les producteurs angevins ont commencé à cultiver un hybride de Cantaloup de Bellegarde et de Cantaloup prescot fond blanc, appelé orangine. Mais cette espèce est encore peu connue et les maraîchers d'Angers et de Saumur expédient alors vers Paris des melons d'autres variétés, noire des Carmes ou caboul.

La production semble avoir nettement faibli depuis le début du siècle et le Maine-et-Loire ne fait plus partie aujourd'hui des principaux départements producteurs de melons. Cependant, en 1987, le melon galia, hybride créé en Israël en 1970, a été introduit en Anjou par la coopérative La Pont-de-Céaise. Se conservant facilement et très productive, cette nouvelle variété a connu un certain succès parmi les producteurs de la région et est devenue, par la force des choses, le nouveau melon d'Anjou, quoique très différent de celui qui fut jadis si célèbre.

Usages

Consommé frais en entrée ou au dessert, salé ou sucré, il sert aussi à la confection de confitures et de confits.

Savoir-faire

Le melon se plaît en Maine-et-Loire car la lente montée des températures est favorable aux qualités organoleptiques du fruit. La plantation s'échelonne du 10 mai à début juin, à raison de 9 000 plants par hectare, en mottes ou en godets. Le melon nécessite un sol profond argilo-calcaire. Pour que les fruits soient bien alimentés dans la phase cruciale de prématuration, la plante doit développer un système racinaire plongeant et actif. Une température suffisante, un paillage plastique associé au désherbage, sur planche légèrement bombée, et une protection par bâche perforée pour les premiers sujets plantés sont nécessaires. La pollinisation est assurée par les insectes. Une plante ne peut amener plus de trois à six fruits à maturité, ce qui nécessite une taille particulière. Il faut environ quarante jours de la fécondation à la maturation. La récolte a lieu le matin trois fois par semaine. Le tri, le calibrage (600-800 grammes) et le conditionnement s'effectuent en station. Le rendement est en moyenne de 25 tonnes à l'hectare, mais une vingtaine de tonnes au mieux sont commercialisables.

POIRE DOYENNÉ DU COMICE

POIRE DE TABLE
POIRE À COUTEAU

AUTRE APPELLATION : comice.

PARTICULARITÉ : considérée par beaucoup de consommateurs comme la meilleure des poires. Fruit à couteau de qualité, qui, pour atteindre son degré de maturité optimal, doit être cueilli assez tôt et consommé bien à point.

Production
Variété très cultivée dans la vallée de la Loire, entre Angers et Saumur, avec un prolongement en Indre-et-Loire, également en bordure du fleuve, et dans la région d'Orléans. La zone assure 17 % de la production nationale de poires. En 1992, 399 hectares sont consacrés à la doyenné du comice en Val de Loire (101 pour le seul Maine-et-Loire). On observe une stabilisation récente des surfaces en comice, qui fait

Description

Couleur : fond jaune pâle avec plage rosée à l'insolation. Quelques roussissures localisées autour de l'œil et du pédoncule. Épiderme fin et lisse. Forme : pyriforme aplati, irrégulier, asymétrique. Calibre : gros à très gros. Epiderme : lisse, fin, mi-cireux. Pédoncule court, charnu, insertion oblique. Chair : blanche, très fine, fondante, sucrée, parfumée, juteuse.

Historique

Région fruitière d'ancienne tradition, l'Anjou avait déjà donné naissance, sous l'Ancien Régime, à de nombreu-

suite à une régression régulière. En 1989, cette variété représentait 11 % des plantations de un à six ans.
Époque de cueillette : en général durant la deuxième décade de septembre, soit environ six semaines après la williams. Maturité naturelle de consommation : 15 octobre-15 novembre. Durée de conservation de quatre à cinq mois en chambre froide. Se conserve bien au fruitier si le fruit y est placé bien sec et cueilli de bonne heure.
Production de 12 500 tonnes en 1992, dont 8 500 tonnes pour les seuls groupements de producteurs. Plus de 500 producteurs (y compris la dimension « vergers familiaux ») se partagent la production de comice.

ses variétés de poires. Le *Jardinier français* cite ainsi, au milieu du XVIIe siècle, la vilaine d'Anjou, tandis que Furetière lui ajoute en 1690 le beurré rouge et la longue queue, tous deux dits également d'Anjou. Au début du XIXe siècle, les recherches des « obtenteurs » angevins s'intensifient et aboutissent à la mise au point locale de nouvelles variétés de poires : duchesse d'Angoulême en 1818, beurré Giffard en 1825, beurré superfin en 1844.

L'arbre-mère de doyenné du comice est issu de semis pratiqués dans le jardin fruitier du comice horticole de Maine-et-Loire, à Angers. C'est donc cette société qui a « gagné » cette variété, pour reprendre la terminologie propre aux sélectionneurs des anciennes générations. L'arbre fructifia en 1849 et fut alors décrit pour la première fois. Très rapidement, la variété fut mise au commerce. L'excellence de sa qualité fait qu'on retrouve la doyenné du comice multipliée dès 1852 en Amérique du Nord, puis en Grande-Bretagne et en Allemagne.

Les quantités de poires angevines livrées à la capitale sont déjà très impressionnantes durant la seconde moitié du XIXe siècle : 700 tonnes en 1867, dont 135 pour le seul mois d'octobre. Williams et doyenné du comice y tiennent une place de choix. Les meilleures, les poires de luxe, étaient « chargées en grande vitesse », le surcoût des frais d'expédition se trouvant justifié par un prix de vente plus élevé. Les autres sont « chargées en petite vitesse », ou encore en vrac, à même le wagon, sur la paille : ce sont les *poires à la pelle*, « vendues dans les rues de Paris à prix assez bas pour être accessibles à toutes les bourses », écrit le pomologue André Leroy dans son *Dictionnaire de pomologie* en 1873. Nous connaissons la suite de la longue et belle carrière de ce fruit, aujourd'hui encore dans le peloton de tête. La doyenné du comice fait toujours partie des poires proposées par le Maine-et-Loire, qui occupe aujourd'hui le neuvième rang des départements producteurs.

Il existe en France de nombreuses autres variétés comportant le terme doyenné. D'où vient donc ce vocable, attribué spécifiquement à plusieurs variétés de poires, et en particulier à celles qui produisent des fruits aux qualités gustatives supérieures ? En 1660-1670, Dom Claude Saint-Etienne cité par Leroy, dans sa *Nouvelle Instruction pour connaître les bons fruits*, fait remarquer que le nom doyenné a été donné à la poire pour en indiquer l'excellence, puisqu'on disait toujours, ajoutait-il, d'une chose de qualité supérieure : « c'est la doyenne ». Voilà une interprétation...

Usages

Fruit à couteau, consommé en général au dessert.

Savoir-faire

Les poiriers ont été traditionnellement conduits en forme de « drapeau », puis de « palmette ». Aujourd'hui, l'« axe vertical » devient majoritaire. Ces termes correspondent à des modes de formation particuliers de la charpente de l'arbre pour mieux le faire produire. En verger, l'arbre de la variété doyenné du comice n'est pas toujours facile à cultiver : il possède une bonne vigueur et sa mise à fruits est tardive. De plus, sa production est quelque peu irrégulière, ce qu'en termes de métier on appelle l'alternance, handicap commercial reconnu. Si l'on veut obtenir des résultats en production, il faut lui appliquer une taille longue et lui apporter une bonne fumure utilisable au moment de la nouaison, c'est-à-dire de la formation des fruits. La greffe se fait, comme pour les autres variétés de poiriers, sur cognassier. Bien cultivée, la doyenné du comice apporte une rentabilité à l'hectare satisfaisante, d'autant plus que la commercialisation ne pose aucun problème et que ses capacités d'adaptation sont bonnes.
Aptitude au transport : l'épiderme fragile de la comice oblige à prendre de nombreuses précautions lors des

manipulations et à apporter de grands soins pour l'emballage.

Quelques rares producteurs pratiquent encore l'ensachage, technique visant à protéger les fruits, des insectes, notamment. Chaque fruit est enfermé, vers la mi-juin, dans un sachet de papier, sur l'arbre. Cette pratique, si elle évite des traitements insecticides, est en revanche très onéreuse en main-d'œuvre. Les fruits obtenus ont une peau plus fine, claire et de couleur pastel. Fruit de luxe, la comice est alors commercialisée chez des détaillants spécialisés en région parisienne. Le pédoncule est souvent enduit de cire rouge à cacheter, dans le but d'améliorer la conservation. Cette variété est inscrite au *Catalogue officiel des espèces et variétés* depuis 1961, en classe 1, c'est-à-dire comme variété recommandée pour la production fruitière française.

POMME TAPÉE

FRUIT SÉCHÉ

Production
Actuellement, un seul producteur sur la commune de Turquant, qui produisait autrefois de septembre à décembre, et aujourd'hui de septembre à mars. La reprise de cette production est très récente. Trois à quatre tonnes de fruits frais sont traités chaque année.

PARTICULARITÉ : pommes produites dans la région, séchées dans des fours spéciaux et aplaties pour réduire leur volume.

Description

Il s'agit en général de pommes de petits calibres (65-70), qui sont pelées puis séchées. Après avoir été « tapées » (aplaties), leur épaisseur atteint environ 1,5 à 2 centimètres. La couleur est blanc jaunâtre. Le fruit sec est peu souple mais non croquant. M. Ludin n'a pas voulu révéler la ou les variétés de pommes qu'il utilise. Il semble qu'autrefois on utilisait la locard ou la rambour.

Historique

La tradition fruitière angevine a donné naissance à de nombreux sous-produits : fruits séchés, confitures et liqueurs de fruits sont mentionnés comme des spécialités de l'Anjou par les dictionnaires de commerce et de géographie du début du XIXe siècle. Parmi ceux-ci, les pommes et poires tapées occupaient alors une place très importante, sinon la première. Le voyageur Ardouin-Dumazet décrit à la fin du siècle les nombreux vergers qui couvraient le Véron, entre la Loire et la Vienne, ainsi que les régions voisines de la Touraine et de l'Anjou. C'est là que venaient s'approvisionner les nombreux fabricants de fruits tapés de Candes et de Montsoreau. Mais à l'époque d'Ardouin-Dumazet cette industrie avait déjà commencé à décliner.

L'âge d'or des pommes et poires tapées se situe en effet dans la première moitié du XIXe siècle. En 1837, Roques s'écrie : « Quelle est la jeune fille qui ne connaisse les poires tapées ? » et décrit en détail leur préparation. Mais aux environs de Saumur, la production avait déjà dépassé le niveau domestique. Pommes et poires tapées sont « principalement destinées aux restaurateurs, qui en font des compotes », écrit l'auteur d'un *Dictionnaire de commerce* en 1839 ; il précise également qu'il en existe trois catégories et que Paris absorbe la moitié d'une production qui se monte alors à 500 tonnes. L'autre moitié va à l'étranger, notamment en Angleterre, pour les besoins des navires au long cours de la marine britannique.

Si le Chinonais produit en 1878 encore 500 tonnes de fruits tapés, la chute sera brutale à la fin du XIXe siècle. La concurrence de gros producteurs de fruits séchés, comme les États-Unis, mais aussi le développement des conserves et de la réfrigération, ainsi que les progrès de la navigation à vapeur, tout cela condamne cette industrie à une disparition rapide, qui interviendra effectivement pendant la grande crise des années 30. Aujourd'hui, un seul producteur commercialise les célèbres pommes tapées. Les poires tapées,

qui, autrefois comptaient parmi les principales richesses de la région, ne se trouvent guère plus que dans
les environs de Rivarennes, dans le Chinonais.

Usages

En dessert, la pomme tapée est généralement consommée après macération dans du vin rouge.

Savoir-faire

Préparation : après récolte, les pommes étaient triées
et conservées dans un endroit frais (cave troglodyte).
Actuellement elles sont conservées en atmosphère
contrôlée. Fabrication : les pommes sont pelées méca-
niquement puis placées dans des rondeaux d'osier
préalablement mouillés. Ces rondeaux sont enfournés
dans des fours à température moyenne d'environ
110 degrés. La dessication dure cinq jours et implique
le retournement fréquent des fruits afin d'en assurer une
bonne uniformité. Chaque jour, un feu réchauffe le four
et les braises sont poussées sur le pourtour de celui-ci.
Aux deuxième et troisième jour, les pommes sont
tapées à l'aide d'un maillet spécial ou d'une presse à
taper. Elles sont ensuite remises au four. Le conditionnement est fait dans des bocaux de verre contenant
environ douze fruits. Autrefois, les expéditions étaient
faites dans des caissettes de bois transportées par les
mariniers de la Loire.

REINETTE DU MANS

POMME À COUTEAU
DE TABLE

PARTICULARITÉ : variété très tardive, récoltée fin octobre et se conservant jusqu'à fin avril, à 4 degrés C.

Production
Il ne reste plus qu'un seul verger de 1 hectare, dans la Sarthe, affilié à un groupement de producteurs. Les autres vergers sont familiaux et exploités par des double-actifs ou pré-retraités. Sur les départements de la Sarthe, du Maine-et-Loire (nord-est) et de l'Indre-et-Loire (nord-ouest), on estime à une vingtaine d'hectares la surface cultivée pour cette variété. Le tonnage, non estimé, est en régression constante depuis plus de dix ans.

Description

Fruit arrondi, aplati et régulier. Pédoncule court, fréquemment charnu. Couleur verte à la récolte, qui devient d'un beau jaune à maturité. Épiderme lisse et cireux, taille moyenne, chair assez ferme, fine, juteuse, au goût sucré et acidulé.

Historique

Dans son *Dictionnaire de pomologie* de 1879, A. Leroy écrit : « Dans le canton de Montfort (Sarthe), notamment aux environs de la commune du Breil, on rencontre des pommiers de Jaune dont beaucoup accusent au moins deux siècles d'existence. Aussi regarde-t-on cette variété comme originaire de ce lieu, où longtemps elle demeura confinée. » Cette variété existait donc déjà au milieu du XVIIe siècle. En 1867, le Congrès pomologique l'admettait, avec recommandation, parmi les fruits du verger. En 1928, la Société nationale d'horticulture de France écrit dans son livre *Les Meilleurs Fruits du XXe siècle* : « Cette variété, que l'on cultive beaucoup dans la Sarthe, est très recherchée sur le marché, notamment à Paris où elle fait l'objet, à l'arrière saison, d'un important commerce rendu avantageux par la facile conservation du fruit. » En 1969, elle est inscrite au catalogue officiel du Centre technique permanent de la sélection, dans la classe I : variété d'intérêt cultural et commercial recommandée pour la production fruitière. Cependant, depuis cette date, on peut dire qu'aucun verger commercial n'a été planté, devant la concurrence d'autres variétés plus faciles à cultiver.

Usages

Se consomme de janvier à avril, en pomme à couteau, pour des desserts (tartes notamment).

Savoir-faire

Aujourd'hui âgés de plus de vingt-cinq ans en moyenne, les arbres sont de haute tige, greffés sur franc. Les travaux essentiels consistent en l'entretien des rameaux pour lutter contre le dégarnissement et les maladies (chancre et feu bactérien).

BIBLIOGRAPHIE

Catalogue officiel des espèces et variétés cultivées en France, 1992 (tome III, Arbres fruitiers, Guyancourt, Gevès, p. 31).

Dictionnaire universel François et Lation, vulgairement appelé Dictionnaire de Trévoux, Paris, Compagnie des Libraires associés, 1771 (article Doyenné).

Fédération nationale des syndicats agricoles de cultivateurs de champignons, Centième Anniversaire (1892-1992), FNSACC, Paris, 1992 (champignons du Saumurois).

Le Gastronome français ou l'art de bien vivre, Paris, Charles-Bèchet, 1828 (pp. 191 et 475 : melons).

A.P.M.V., *La mogette vendéenne. Recettes, fêtes et culture*, Ouest-France, 1987.

BOIS (D.), *Les plantes alimentaires chez tous les peuples et à travers les âges. Histoire, utilisation, culture*, 4 vol., P. Lechevalier, Paris, 1927-1937 (tome I, p. 501 : échalotes grises; pp. 257-259 : mâche; pp. 200-201 : melons; pp. 507-510 : poireau; tome II, pp. 288-296 : doyenné du comice; p. 275 : reinette du Mans).

BONNEFONS (Nicolas de), *Le Jardinier françois*, Cellier, Paris, 7ᵉ éd., 1659 (1ʳᵉ éd. 1651) (p. 236 : échalotes; p. 105 : doyenné du comice; p. 112 : reinette du Mans).

BOUQUET, *Topographie médicale de la région de Luçon*, 1787 (Académie de médecine, Archives de la Société de médecine 189/1/3 : mogettes).

BRIAND-DE-VERZÉ, *Dictionnaire complet, géographique, statistique et commercial de la France*, 2 vol., Warin-Thierry, Paris, 1834 (tome II, s.v. Vendée : échalotes grises et pomme de terre de Noirmoutier; s.v. Moricq : mogettes).

BROSSARD (Daniel) et LAM QUANG (Ba), *Le Mémento fruits légumes*, CTIFL, Paris, 1990 (p. 181 : champignons du Saumurois; p. 209 : échalote).

CHEVALIER (Michel), *Exposition universelle de 1867 à Paris*, rapports de Jury international, tome 11, groupe VII, classes 67 à 73. P. Dupont, Paris, 1868 (p. 187 : doyenné du comice).

COUVERCHEL, *Traité des fruits*, Bouchard-Huzard, Paris, 1839 (p. 233 : melons; p. 474 : doyenné du comice; p. 441 : reinette du Mans).

DE LA PORTE (J.-P.-A.), *Hygiène de table*, Savy, Paris, 1872 (p. 151-152 : mâche).

FREBET, *Topographie médicale du Haut-Maine*, 1788 (Académie de médecine, Archives de la société royale de médecine 175/1/3 : reinette du Mans).

FURETIÈRE, *Dictionnaire universel contenant généralement tous les mots françois*, Paris, 1690 (tome III, s.v. Poire : doyenné du comice ; s.v. Pomme : reinette du Mans).

GIBAULT (Georges), *Histoire des légumes*, Paris, Lib. horticole, 1912 (pp. 160-161 : échalotes grises ; pp. 136-1140 : mâche ; pp. 361-370 ; pp. 180-189 : carotte ; p. 109 : cornette d'Anjou ; pp. 167-172 : poireau).

GIBOIN (M.), « Les légumes de l'Anjou », in *Premier Congrès national de culture maraîchère commerciale, Mémoires et comptes rendus*, Paris, Publications agricoles de la Compagnie d'Orléans, Poher et Danguy (éd.), 1926 (pp. 80-84).

GIDON (Dr. E.), *Noms locaux du haricot ancien (Dolichos) et du haricot moderne (Phaseolus) à partir de 1528 (semis de P. Valeriano)*, Caen, 1936 (mogettes).

GRIMOD DE LA REYNIÈRE, *Almanach des Gourmands*, 3e année, 2e éd., 1806 (p. 50 : reinette du Mans).

LA MARANDAIS (A. de), La Charlotte de Noirmoutier, ambassadrice de la tradition agricole de l'Ile in *Bulletin d'information de la Mutualité sociale agricole*, 450, décembre 1992 (pp. 45-47).

LE BOHEC (J.), La mâche en région nantaise. Nouvelles techniques pour une production en profession, *Info-Ctifl*, n° 71, mai 1991.

LEROY (A.), *Dictionnaire de pomologie*, Paris et Angers, l'auteur, 1879, (Pommes, tome I, pp. 401-403 : reinette du Mans ; pp. 66-67 : poires ; tome 2, p. 61 : doyenné du comice).

MASSERON A., TRILLOT M., *Le Poirier*, Paris, CTIFL, 1991 (pp. 19, 51-52).

MOREAU, « La vente des principaux légumes », in *Premier Congrès national de culture maraîchère commerciale. Mémoires et comptes rendus*, Paris, Publication agricole de la Compagnie d'Orléans, Poher et Danguy (éd.), 1926 (pp. 210-212 : asperges ; pp. 204-207 : carotte ; pp. 196-198 : mâche ; pp. 203-204 : melon ; pp. 207-210 : pomme de terre).

MOREAU (B.), ZUANG (H.), *l'Asperge*, INVUFLEC, Paris, 1977.

ROBERT DE MASSY (J.), *Des halles et marchés et du commerce des objets de consommation à Londres et à Paris*, Rapport à Son Excellence M. le Ministre de l'Agriculture, du Commerce et des Travaux publics, Paris, 1862 (tome II, pp. 322-323 : reinette du Mans).

ROQUES (J.), *Nouveau traité des plantes usuelles*, Paris, 1837 (tome I, p. 500 : doyenne du comice ; p. 502 : pommes et poires tapées).

STANY-GAUTHIER (J.), *Le Folklore du Pays nantais et des régions voisines*, 5e partie : « Mœurs épulaires » (p. 248 : mâche).

TILLIER, *Topographie médicale de Chaillé les Marais*, 1786 (Académie de Médecine, Archives de la société royale de médecine 178/33 : mogettes).

VERONNEAU (Frédéric), «Histoire de la pomme de terre à Noirmoutier», in *Les Amis de Noirmoutier*, n° 87, hiver 1992-1993 : pomme de terre de Noirmoutier.

VILMORIN-ANDRIEUX, *Les Plantes potagères. Description et culture des principaux légumes des climats tempérés*, 4ᵉ édit., Paris, l'auteur 1925 (p. 424 : melons; p. 129 : cornette d'Anjou; p. 481 : oignon de Mazé).

VINET (M.), «Les légumes nantais», in *Premier Congrès de culture maraîchère commerciale. Mémoires et comptes rendus*, Paris, Publication agricoles de la Compagnie d'Orléans, Poher et Danguy (éd.), 1926 (p. 85-93).

YDIER (F.), «Introduction de la pomme de terre dans le Bas-Poitou», in *Bulletin de la société Olona*, 1934, (tome IV, pp. 33-38 et 86-92; tome VII, 1935, pp. 17-18 et 38-40; tome VIII, 1936, pp. 27-29 : pomme de terre de Noirmoutier).

PRODUITS LAITIERS

BEURRE AOC

BEURRE SALÉ AU SEL MARIN

CAILLEBOTTE

CRÉMET D'ANJOU

FROMAGE DU CURÉ

TRAPPE-DE-LAVAL

VÉRITABLE PORT-SALUT

Les Pays de la Loire se caractérisent, dans le secteur des produits laitiers, par une dominante beurrière, d'une part, et par l'absence de pratiques fromagères diversifiées dans les « pays », d'autre part.

Gros consommateurs et producteurs de beurre, les Pays de la Loire produisent les beurres à partir des troupeaux élevés sur les herbages de toute la région. Les laits provenant du bocage vendéen, des zones méridionales de la Loire-Atlantique et de Maine-et-Loire donnent des beurres qui ont droit à l'appellation Charente-Poitou, compte tenu de la qualité des crus. La Vendée à elle seule couvre la majeure partie de cette production. Dans ce domaine, on remarquera la quasi-permanence des beurres salés, certains contenant jusqu'à 5 % de sel. Autrefois obligatoire pour des raisons de conservation, la présence de sel est aujourd'hui synonyme de produit de qualité. La proximité des marais salants favorise la satisfaction de ce goût très marqué, au point qu'une entreprise laitière a jugé utile de posséder ses propres salines. Ainsi le beurre salé reste présent sur toutes les tables, pour la crêpe, la charcuterie et... le plaisir.

Côté fromage, la seule tradition ancienne, présente sur tout le littoral Atlantique, reste le fromage frais, dit ici caillebotte, jonchée en Charentes. A l'origine caillé à l'aide d'extraits végétaux, le lait est de nos jours traité à la présure, non plus à la maison ou à la ferme, mais à l'usine. Le produit change, mais l'habitude reste. La crème, traditionnellement utilisée pour faire le beurre, est également à la base des crémets, mélangée au blanc d'œuf et, de façon facultative, au fromage blanc. Produits plus riches donc plus chers, ils sont consommés dans les villes. Ils donneront leurs noms aux crémets d'Angers et nantais.

Mais les paysans de cette région ne développeront pas de types de fromages. Il faudra attendre la première moitié du XIXe siècle pour que, sous l'influence des monastiques de retour d'exil en leurs abbayes d'origine, naisse un fromage qui deviendra renommé, le fromage de l'abbaye du Port-du-Salut, qui deviendra port-salut. Cela se passe en Mayenne, puis suivront le trappe de Laval et une copie, devenue ô combien célèbre à son tour, le saint-paulin, fabriqué dans toutes les régions. Enfin, à la fin de ce même siècle, un curé, venant d'où ?, sera à l'origine du fromage du curé, produit dans la région nantaise, seule pâte molle à croûte lavée, assez proche des produits normands ou de Thiérache.

Les Pays de la Loire, gros éleveurs de bovins laitiers et de viande, mettront en place durant ce vingtième siècle une forte industrie laitière. Les produits élaborés resteront d'origine exogène, à l'exception du beurre.

HISTORIQUE
DES BEURRES SALÉ ET AOC

Le beurre est constamment cité dès le XIVe siècle dans le *Rouleau des rentes et baux dus à la châtelaine d'Olivet* dans le Haut-Maine. En 1337, le métayer Henri Potier doit par exemple lui verser la moitié d'un pot de beurre. Les grands que la famille La Tremoille accueille dans ses châteaux du bas Poitou au XVe siècle l'apprécient également durant les jours maigres, pour accompagner le poisson. Trois siècles plus tard, Huet décrit les paysans de la Loire-Atlantique mangeant dès leur lever une soupe grasse au beurre et emportant aux champs du pain et à nouveau du beurre. Produit aussi en Mayenne, ce dernier se rencontre en 1786 jusque chez les paysans du sud de la Vendée, à Chaillé-les-Marais. Quant aux Nantais de la Belle Époque, ils « en mettent partout », au témoignage de Paul Eudel : « avec le fromage, avec le bouilli, avec les fruits » ; « Le Nantais, ajoute cet auteur, mange tous les fruits... avec une tartine de beurre [et] Brillat-Savarin aurait formulé cet aphorisme : le beurre est la base de la cuisine nantaise. » Mais les beurres de la région sont-ils « très-estimé[s] », comme l'écrit Huet ? En 1767, le *Gazetin du comestible* recommande à ses lecteurs le beurre du Maine, qu'il qualifie d'excellent. Mais il s'agit de beurre fondu (clarifié). D'ailleurs, quand le même opuscule cite du beurre frais, qui vient d'Angers, il précise qu'« il faut le tirer fondu » et qu'il « est tems d'en ordonner sa provision » — nous sommes en juillet-août. Dans les années 1850, la Sarthe et le Maine-et-Loire fournissent une partie des petits beurres vendus à Paris. Ces produits représentent 5 à 7 % de la consommation parisienne. Les beurres salés, qui viennent notamment de Nantes, semblent encore moins appréciés des habitants de la capitale, avec à peine 2 % du total. Et cela bien que, selon Massy, « il en [soit] de très-estimés, que l'on désigne sous le nom de beurres de pré salé ». Mais, à en croire Eudel en 1908, « les Parisiens l'exècrent, lui reprochant d'avoir goût de graisse à côté du beurre de Normandie qui a goût de crème ».

A la fin du siècle, les progrès sont évidents, notamment en Vendée. En 1898, Ardouin-Dumazet, visitant le Marais poitevin, écrit que « la plupart [des villages] ont une laiterie coopérative où l'on fabrique un beurre renommé à l'égal des meilleurs beurres de Normandie ». Cette reconnaissance tardive a été marquée par l'attribution en 1979 de l'AOC beurre Charente-Poitou aux produits fabriqués en Vendée, tandis qu'était revivifiée la tradition du beurre des marais de Machecoul.

BEURRE AOC

BEURRE

Production
Toute l'année, dans la zone AOC de la région (soit la Vendée, trois cantons de la Loire-Atlantique, quatre cantons de Maine-et-Loire). Un producteur pour 2 600 tonnes en 1992. Décret AOC du 31 août 1979. Vendu emballé sous papier métallisé bicouche portant le sigle de l'AOC, en rouleaux de 500 grammes et plaquettes de 125 et 250 grammes.

AUTRE APPELLATION : beurre AOC Charentes-Poitou.

PARTICULARITÉ : beurre fabriqué à partir de crèmes provenant de laits travaillés le jour même de leur collecte et barattés dans les quarante-huit heures maximum.

Description

Formes moulées (rouleaux et plaquettes), couleur crème homogène, texture ferme restant facile à tartiner. Composé de matière grasse (84 %) pure de lait de vache, eau résiduelle, sel pour le beurre salé, levains de maturation des crèmes.

Savoir-faire

Préparation : Maturation biologique, par ensemencement, de la crème avant barattage. Température moyenne de maturation de 12 degrés pour une durée de dix-huit heures. Fabrication en machine à beurre à fonctionnement continu, type Contimab, et emballage.

BEURRE SALÉ AU SEL MARIN

BEURRE
DEMI-SEL

Production
Dans la région des marais de Vendée et de la Loire-Atlantique. Produit toute l'année à raison de quelques

PARTICULARITÉ : beurre de baratte, de crème crue ou non, contenant du sel marin de granulométrie différente, selon le fabricant.

Description

Forme de pains moulés de 250 à 500 grammes, couleur crème à jaune, sans marbrures, pâte ferme mais

milliers de tonnes pour trois producteurs.

tartinable facilement. Texture moelleuse avec présence de cristaux de sel perceptibles sous la dent. La teneur en matière grasse est de 82 % minimum, le taux de sel est de 2 à 3 % selon le fabriquant, levains de maturation, eau 15 à 16 %.

Usages

Beurre gastronomique d'usage courant en pays breton et dans tout l'Ouest. Consommé en accompagnement des crudités et des fruits de mer.

Savoir-faire

Préparation : Les crèmes sont maturées quelques heures à 12-15 degrés, à l'aide de levains, afin de développer des caractères aromatiques. La fabrication du beurre est faite en baratte ou en continu. Avant ou en fin de barattage, le sel est incorporé sous forme de sel fin séché, de sel à gros grains ou de sel spécialement broyé. Ces types de sels caractérisent le beurre de chaque fabriquant. Les beurres sont ensuite moulés à la machine et emballés sous papier ou papier métallisé bicouche.

CAILLEBOTTE

FROMAGE FRAIS

Production
Plutôt au printemps et en été, la fabrication décline avec la raréfaction du lait cru sur les marchés. Dans le cas particulier des Établissements

PARTICULARITÉ : produit très couramment fabriqué dans les régions de l'Ouest. Fabrication essentiellement fermière et domestique, reprise par des crémiers et artisans.

Description

La caillebotte n'a pas de forme propre, si ce n'est celle du récipient. De couleur blanche, très fragile, elle est composée de lait entier de vache.

Beillevaire, le lait provient du pays de Retz à raison de 50 à 100 litres par semaine. Il y a un producteur artisanal et quelques fermiers.

Historique

La caillebotte est citée par Rabelais, né à quelques kilomètres de l'Anjou, dans son *Tiers Livre* (chap. 51) en ces termes : « Soubdain, vous verrez l'eau prinse comme si fussent caillebottes. » La première partie du terme renvoie évidemment à la coagulation du lait, tandis que la « botte » désignerait le bout, le morceau, selon Verrier et Onillon. Patrick Rance suggère cependant une autre étymologie : les bottes rappelleraient la paille, le jonc ou l'osier tressés sur lesquels on présentait ce laitage.

En 1690, Furetière note que le mot caillebotte désigne « du laict caillé, mais qui est un peu ferme & espaissi, parce qu'il en est sorti davantage de lait clair ». S'agit-il bien des caillebottes que nous connaissons ? En tout cas, dans l'édition publié en 1715 du célèbre *Nouvelle Instruction pour les confitures*, Massialot inclut dans un nouveau chapitre sur les « Crèmes et fromages » une recette pour des « caillebotes de Bretagne » qui correspondent tout à fait aux caillebottes actuelles.

Au début de ce siècle, d'après Verrier et Onillon, la caillebotte reste un mets très apprécié dans la région et, pour les habitants de Briollay, au nord d'Angers, elle est « très populaire autant et peut-être plus que la milière (plat de mil) ». Mets angevin et breton, donc, la caillebotte est consommée aussi en Vendée, comme l'indique en 1931 le guide UNA, qui en recommande la dégustation aux Herbiers, à Luçon et à Fontenay-le-Comte. Cela dit, dans les villes, même les grandes, elle constituait une friandise. Verrier et Onillon évoquent les marchandes de caillebottes de leur enfance qui passaient dans les faubourgs et sur les quais d'Angers, usant d'un langage plutôt cru. A Nantes, « dont les habitants adorent le lait sous toutes les espèces, écrit Paul Eudel exactement à la même époque, on aime ou on n'aime pas les caillebottes. Quand on les aime, on les adore à l'excès » — remarque qui vaut aussi bien pour les caillebottes vendues au début du siècle que pour celles qui sont aujourd'hui commercialisées dans la région.

Usages

Avec du sucre au dessert, avec du café, du caramel et aussi salé pour accompagner le repas, les pommes de terre en particulier. Adjonction éventuelle de crème fleurette, de préférence au moment de la consommation. Délai de consommation : 24 à 48 heures maximum.

Savoir-faire

Préparation : lait cru entier frais. Fabrication : emprésurage à chaud. Caillage lent à la présure, pendant quelques heures à température moyenne. Tranchage du caillé après coagulation, en cubes de 30 millimètres environ, et chauffage par immersion des récipients, pendant 4 minutes dans de l'eau chaude. Le tranchage du caillé n'est pas obligatoire, surtout si le récipient est de petite taille, et la finesse de tranchage peut être variable. Le chauffage, quant à lui, est encore plus variable et peut dépasser largement les 70 degrés et le temps de 4 minutes pratiqué par les Établissements. Beillevaire. On pourra ainsi comprendre qu'il y a des types très divers de caillebotte, allant du simple lait caillé au *cottage cheese* des Anglais, dont le chauffage est très important pour forcer l'exsudation du sérum. Refroidissement et mise en chambre froide.
Ce fromage frais est vendu au détail, en vrac, ou de préférence dans un récipient, consigné ou non.

CRÉMET D'ANJOU

Production
Dans les régions angevine et nantaise. Fabriqué majoritairement pendant le printemps et l'été, périodes des fruits rouges, par plusieurs crémiers et une petite industrie. Cette dernière en produit quelques centaines par jour, en saison. La composition des crémets diffère de celle du fontainebleau car ils contiennent du blanc d'œuf. Selon le fabricant, il y a, en plus, fromage blanc lissé, crème épaisse, arôme.

AUTRE APPELLATION : crémet nantais.

VARIANTE : fontainebleau.

PARTICULARITÉ : produit à base de crème fraîche et de blanc d'œuf moulé sous forme de portions individuelles.

Description

Produit moulé en faisselles cylindriques ou en forme de cœur (jadis tronçonique), de couleur blanche, de tailles variables de 5 à 6 centimères de diamètre et quelques centimètres de haut pour un poids de 40 à 50 grammes. Texture légère et mousseuse.

Historique

Le crémet d'Anjou comme celui de Nantes sont connus au moins depuis le XIXe siècle. En 1908, dans leur *Glossaire de patois angevin*, Verrier et Onillon définissent le premier comme un « laitage fait avec de la crème, au moment où elle va tourner ». Il ne semble donc pas encore être question, à cette époque, d'ajouter à la crème des blancs d'œuf battus en neige. Le guide UNA recommande en 1931 de goûter les crémets vendus à Angers et à Saumur.
Décrivant le goût des Nantais de la Belle Époque pour les laitages, Paul Eudel affirme que, « en tête marchaient les crémets de la rue du Château aussi fameux que ceux de l'Anjou... On les vendait dans de petits paniers d'osier d'où ils sortaient pour se présenter sous l'aspect hémisphérique d'œufs sur le plat. Le blanc était remplacé par de la crème fraîche ». Là aussi, et bien qu'il y ait la volonté manifeste d'imiter l'aspect des œufs, ceux-ci ne paraissent pas entrer dans la compo-

sition du crémet. Ce dernier traduit bien, ne serait-ce que par son nom, le goût ancien des Angevins et des habitants du pays nantais pour la crème et les laitages, qu'ils préféraient aux fromages à proprement parler.

Usages

Consommé en dessert, accompagné de sirop ou de purée de fruits rouges, de sucre, voire de crème fleurette.

Savoir-faire

Battre les blancs en neige, mélanger délicatement les blancs montés avec la crème épaisse maturée et le fromage blanc lissé à 0 % (pour un fabricant) et les arômes, laisser égoutter 3 à 4 heures au réfrigérateur. Mouler dans des faisselles contenant une gaze pour faciliter le démoulage. Vendu en faisselle, il est à consommer dans les 24 heures.

FROMAGE DU CURÉ

FROMAGE
À PÂTE MOLLE ET
À CROÛTE LAVÉE

PARTICULARITÉ : production artisanale au lait de vache cru et entier.

Production
Fabriqué en pays de Retz par un seul producteur, toute l'année, à raison de 50 tonnes environ. Marque déposée.

Description

Forme : carrée de 180 grammes minimum, de 75 millimètres de côté et de 30 millimètres de hauteur, ou ronde, de 150 millimètres de diamètre et de 35 millimètres de hauteur environ, pesant de 7 à 800 grammes, de couleur unie jaune, brun légèrement cuivré. Pâte affinée à cœur et souple. Coupe franche, lisse et ne coulant pas. Pâte homogène ne présentant pas d'ouverture, tout au plus quelques petits yeux isolés ou trous de moulage. Gras/sec 45 % minimum.

Historique

Le pays nantais n'est pas un pays de tradition fromagère. Le médecin piémontais Pantaleone da Confienza, lors de son voyage en France à la fin du XVe siècle, note l'excellence du beurre breton mais la médiocrité de ses fromages ; « dans les lieux où je suis allé, précise-t-il, comme Rays [Raix ?], Nantes et les régions voisines, je n'ai pas goûté de fromage de qualité remarquable ». Et l'auteur d'ajouter : « Je crois que s'ils mettaient dans le fromage le même soin qu'ils apportent à la fabrication du beurre, leurs fromages seraient bien meilleurs. » Le conseil ne fut pas suivi, car, en 1804, Huet pouvait encore écrire que les vaches du département de la Loire-Atlantique « abondent en lait dont nous faisons une grande quantité de beurre très-estimé, et que nous consommons sous une infinité de formes, sans pour autant l'employer en aucune espèce de fromages ». Les provinces voisines, à l'exception du Maine, n'étaient d'ailleurs guère mieux loties : Le Grand d'Aussy rapporte le peu d'estime qu'on avait pour les fromages d'Anjou, et Cavoleau, si sensible aux réalités les plus quotidiennes, ne note aucun fromage en Vendée.

La légende qui veut que la recette du fromage du curé ait été apportée à Nantes par un prêtre vendéen durant les guerres qui ensanglantèrent son département à partir de 1793 est donc très douteuse. Selon Denoueix, le fromage fut en réalité inventé un siècle plus tard, en 1880, par M. Hivert, agriculteur à Saint-Julien-de-Concelles près de Nantes, sur les conseils d'un curé vendéen de ses amis. Toujours selon Denoueix, c'était à l'origine un fromage rond, que son créateur avait nommé Le Délice des gourmets. Rebaptisé en hommage à son inspirateur et devenu carré, le fromage du curé allait ainsi devenir, comme l'écrit Rance, « le plus célèbre » des fromages bretons.

Usages

Identique à tous les fromages de sa famille. En fin de repas, accompagné éventuellement de vin rouge ou blanc comme le muscadet.

Savoir-faire

Fabrication quotidienne avec du lait frais du jour ou un mélange de lait du soir, refroidi vers 15 degrés, et de lait chaud du matin. Adjonction de levains lactiques en complément de la flore naturelle du lait cru. Maturation du lait et emprésurage à chaud (vers 30-35 degrés) avec 10 à 15 millimètres de présure 10 000.

Après coagulation, découpage manuel du caillé ; brassage mécanique ; repos en cuve 10 minutes. Soutirage d'une partie du sérum. Moulage au seau, sur table de moulage. Premier retournement puis léger pressage analogue au reblochon, deuxième retournement après une heure. Huit heures après le moulage arrêt du pressage et démoulage. Ressuyage et saumurage à 12-15 degrés. Mise en cave à 16 degrés et 95 % d'humidité. Tous les deux jours, retournement et frottage manuel avec de l'eau salée ensemencée par la flore de surface des fromages.

Emballage papier pour les carrés ; emballage sous film plastique pour les fromages ronds.

TRAPPE-DE-LAVAL

FROMAGE
À PÂTE PRESSÉE
NON CUITE

PARTICULARITÉ : fromage pasteurisé au lait de vache, de type saint-paulin, dit fromage de Trappe.

Production
Fabriqué dans la seule abbaye de La Coudre (Laval), le fromage est en forte régression depuis dix ans, passant de 185 à 96 tonnes par an en 1992. Produit toute l'année et vendu sous la marque collective Monastic.

Description

Disque épais sous trois formats : grand format, diamètre 21 centimètres, hauteur 5 centimètres, poids 1,7 kilogramme ; moyen, diamètre 11,5 centimètres, hauteur 4,5 centimètres, poids 400 grammes ; petit, diamètre 10 centimètres, hauteur 5 centimètres, poids 300 grammes.
Croûte à morge naturelle de couleur jaune clair. Teneur en matière grasse : 40 % sur sec.

Historique

L'histoire de la trappe-de-Laval est étroitement liée à celle du port-salut. Installées à Laval en 1816, peu de temps après que leurs frères aient réoccupé le monastère d'Entrammes, les sœurs trappistes s'installèrent dans des bâtiments plus spacieux, à La Coudre, en 1859. C'est là qu'à partir de 1868 elles développèrent la production d'un fromage dont la recette leur avait été transmise par les moines d'Entrammes, créateurs du célèbre port-salut. Ce nouveau fromage obtient une médaille au Concours agricole dès 1875. Produisant aujourd'hui 5 tonnes de Véritable Trappe par semaine, les cisterciennes de La Coudre ont été à nouveau honorées d'une médaille d'or en 1984.

Usages

Peut être consommé en raclette, mais son emploi reste celui du fromage de repas, voire du coupe-faim.

Savoir-faire

Le lait est acheté à l'extérieur, après thermisation. Adjonction de levains et de chlorure de calcium pour le maturer ; puis, après ajout de présure, le lait est caillé. Découpé et travaillé, le caillé est délactosé (élimination du lactose du caillé) par lavages successifs à l'eau. Le caillé est moulé puis pressé. Après le démoulage, qui a lieu le lendemain, le fromage est salé par immersion dans une saumure d'acidité et de température contrôlées. Après ressuyage, il est introduit dans des caves d'affinage et sa surface est ensemencée avec des germes d'affinage. Les produits sont conservés en cave plusieurs jours et «soignés» (frottage de la surface de façon à assurer un développement harmonieux de la morge). A la fin de l'affinage, les fromages sont emballés dans un papier spécifique et mis en vente avec l'estampille Monastic, sous le nom de Véritable Trappe.

VÉRITABLE PORT-SALUT

FROMAGE
À PÂTE PRESSÉE
NON CUITE

PARTICULARITÉ : fromage au lait de vache, à croûte colorée naturelle, 50 % de matière grasse sur sec.

Production
En Mayenne, par la Fromagerie de la Trappe du Port-du-Salut (SAFR). Fabriqué toute l'année, marque déposée. Tonnage non communiqué.

Description

Traditionnellement, la forme est ronde de 20 centimètres de diamètre, 6 centimètres de hauteur. Croûte naturelle orangée, il pèse 2 kilogrammes. Le Port-Salut existe aussi en portions de 125 à 300 grammes la part (découpée). Il est composé de lait, sel, ferments lactiques, présure, colorant de la croûte.

Historique

En 1815, en s'installant dans les bâtiments du monastère bénédictin qui avait été fondé à Entrammes, en Mayenne, au IXe siècle, les cisterciens de la Trappe le baptisèrent Port-du-Salut. A partir des années 1830, l'abbé Couturier entreprit de développer la fromagerie du monastère, qui fut pourvue de caves de vieillissement en 1850. La tradition fromagère était ancienne chez les trappistes, et peut-être la recette de fabrication de ce qu'on appela rapidement le port-salut fut-elle importée de l'établissement frère du Monts-des-Cats, près de Cassel, dans le nord. Les moines d'Entrammes profitaient aussi des richesses laitières de la Mayenne et procédèrent à la collecte du lait produit dans les environs.

Le succès du port-salut permit au monastère de créer en Bretagne et jusqu'en Dordogne des filiales qui furent autant de lieux de production du nouveau fromage. A partir de 1873, l'abbé Dom Henri en fit envoyer par le train, trois fois par semaine, une cargaison au marchand parisien Mauget, qui trouva immédiatement un marché d'amateurs. L'année suivante, la marque Port-Salut était enregistrée. Ce qui n'empêcha pas les contrefaçons de se multiplier, à la mesure du succès de ce fromage. En 1894, Ardouin-Dumazet note que la fromagerie du monastère absorbe 20 000 litres de lait par jour, mais il observe la fabrication de port-salut jusqu'à Pressigny (Deux-Sèvres). Du port-salut est également, semble-t-il, fabriqué à Evron et à Lassay, dans le département même de la Mayenne, en 1931. En 1938, les moines d'Entrammes obtinrent l'exclusivité de cette appellation, les imitations devant se contenter de celle de saint-paulin.

Mais, incapables de faire face au développement de la production, les moines durent vendre en 1959 la marque Port-Salut à la Société anonyme des fermiers réunis, qui continue à la commercialiser à partir de fromageries situées dans l'est de la France. Ayant reconstitué leur troupeau laitier, les trappistes recommen-

cèrent en 1962 à fabriquer, selon la recette traditionnelle, leur propre fromage, appelé fromage de l'abbaye.
Mais la production dut en être arrêtée en 1989.

Usages

Consommé au repas ou en casse-croûte et sandwich.

Savoir-faire

Le lait collecté pour la fabrication du port-salut est stan-
dardisé en matière grasse et pasteurisé. Le lait est
maturé à l'aide de levains; puis, après ajout de présure, le lait est caillé. Découpé et travaillé, le caillé est
moulé et pressé. Après le démoulage, qui a lieu le lendemain, le fromage est salé par immersion dans une
saumure d'acidité et de température contrôlées. En
fonction du produit fabriqué, le fromage suivra ensuite
l'affinage.
Les fromages sont introduits dans des caves d'affinage
et leur surface est ensemencée avec des germes d'affinage. Les produits sont conservés en cave plusieurs
jours et « soignés » (frottage de la surface de façon à
assurer un développement harmonieux de la morge).
A la fin de l'affinage, les fromages sont emballés dans
un papier spécifique qui conservera leur qualité pendant plusieurs semaines tout en préservant l'action des
germes d'affinage. C'est l'ensemble de cette étape
d'affinage et sa spécifité qui apportent aux port-salut
morgés ce goût plus fruité.
Ceux emballés entier, sous plastique, subissent une
enduction avec un plastifiant alimentaire coloré en
orange. Ceux découpés en portions sont emballés sous
un film plastique étanche qui conserve leur fraîcheur
plusieurs semaines.

BIBLIOGRAPHIE

FURETIÈRE (Antoine), *Dictionnaire universel*, 3 vol., Le Robert, 1978 (facsimilé de l'édition de 1690) (caillebotte).

HONGROIS (Christian), *Si t'aimes pas l'meuille... Culture et consommation du millet en Vendée*, Aizenay, 1991 (p. 93 : caillebotte).

JOUBERT (André), « La vie agricole dans le Haut-Maine, au XIVe siècle, d'après le rouleau inédit de Mme d'Olivet (1335-1342) », in *Revue historique et archéologique du Maine*, tome XIX, 1886, 1er semestre (pp. 274-304 et 396-419 : beurre).

MARCHEGAY (Paul), « Approvisionnements et dépenses de table au milieu et à la fin du XVe siècle », in *Annuaire départemental de la Société d'émulation de la Vendée*, tome XV, 1871 (pp. 139-154 : beurre).

MASSIALLOT, *Nouvelle Instruction pour les confitures*, Amsterdam, Aux dépens de la compagnie, 1734 (1re éd. 1692) (p. 203 : caillebotte).

NASO (Irma), *Formaggi del Medioevo. La « Summa laticiniorum » di Pantaleone da Confienza*, Torino, 1990 (p. 123 : fromage du curé).

RABELAIS (François), *Le Quart Livre*, édition critique commenté par Robert Marichal, Droz, Genève, 1947 (1re édition 1548-1552), (chap. LIX, p. 241 : caillebotte).

RANCE (Patrick), *The French Cheese Book*, London, 1989 (pp. 51, 99 et 103 : caillebotte ; p. 51 : fromage du curé ; pp. 43-44 : port-salut ; pp. 44-45 : trappe).

ROBERT DE MASSY (J.), *Des halles et marchés et du commerce des objets de consommation à Londres et à Paris. Rapport à Son Excellence M. Le Ministre de l'Agriculture, du Commerce et des Travaux publics*, tome II, Paris, 1862 (pp. 265-267 : beurre).

TILLIER, *Topographie médicale de Chaillé-les-Marais*, 1786 (Académie de médecine, Archives de la Société royale de médecine 178/33).

PRODUITS DE LA PÊCHE

COQUE DU CROISIC

HUÎTRE DE VENDÉE-ATLANTIQUE

MOULE DE BOUCHOT

ALOSE

ANGUILLE

CIVELLE

LAMPROIE MARINE

SANDRE ET BROCHET

SARDINE À L'HUILE

SAUMON DE LOIRE

SOLE SABLAISE

THON BLANC GERMON

Les Pays de la Loire sont particulièrement bien pourvus en milieux aquatiques, aussi, tout logiquement, nous y rencontrons de nombreux produits. Ceux-ci sont de diverses origines : maritime ; fluviale, avec la Loire et la partie intermédiaire entre mer et continent, l'estuaire ; enfin, lacustre, grâce à l'existence du lac exceptionnel de Grand-Lieu, en Loire-Atlantique, qui couvre, en pleines eaux, quelques 5 600 hectares. Tous ces milieux sont exploités de façon spécifique, tant du point de vue des modalités réglementaires, des techniques et outils de pêche que des produits récoltés.

Autour de certains de ces produits viennent se greffer des coutumes collectives qui ne font qu'ajouter au caractère particulier de la pêche au sandre, au brochet ou à l'anguille. Sur les bords du lac de Grand-Lieu, les pêcheurs ne sont admis à pratiquer leur art qu'à certaines conditions strictement contrôlées. Les poissons carnassiers qui y sont pêchés sont réservés au commerce. De même pour l'anguille, quand elle ne sert pas à la consommation familiale. Les autres prises, les espèces jugées banales, dites « de bouteilles », sont distribuées aux alentours. Enfin, ici, un rituel collectif est encore pratiqué au mois d'août ; tous les pêcheurs réunis s'adonnent à une pêche « à la senne » (au filet), les bénéfices qu'ils en retirent alimentant une caisse de solidarité.

Dans le fleuve, de très haut en amont jusqu'à l'estuaire, beaucoup de poissons sont recherchés. Dans l'*Inventaire*, nous avons fait figurer les migrateurs « princiers », telles l'alose, la civelle et la lamproie. On se saurait toutefois oublier le saumon, connu et pêché en Loire depuis le XIIIᵉ siècle. Mais ce salmonidé de renom a eu ici comme ailleurs à souffrir des équipements de la Loire, au point de devenir rare et aléatoire d'une année sur l'autre.

Quant à la mer, elle est vaste et diverse dans cette région côtière où les îles sont nombreuses. De la Loire-Atlantique nous viennent les moules de bouchot, cet élevage sur pieux, pratiqué depuis la fin du XVIIIᵉ, la coque du Croisic, dont l'élevage récent ne fait que reprendre une pratique de plusieurs siècles, et enfin les huîtres dénommées Vendée-Atlantique, qui, englobant les côtes vendéennes, sont particulièrement prisées à la sortie des claires.

La pleine mer, au-delà de Noirmoutier et de l'île d'Yeu, reste le domaine de la pêche traditionnelle. C'est le cas de la sole ramenée aux Sables-d'Olonnes, du thon et de la sardine traités à l'île d'Yeu et à Saint-Gilles-Croix-de-Vie. Au siècle dernier, un enfant du pays fut à l'origine de l'installation de conserveries importantes, il s'appelait Colin et fut suivi par les Cassegrain, Amieux et autres. De nos jours, ce secteur traditionnel est encore présent sur les côtes.

COQUE DU CROISIC

COQUILLAGE

AUTRE APPELLATION : rigadeau.

Production
Produit d'élevage, la coque du Croisic subit moins les variations saisonnières. Elle se récolte toute l'année, en dehors d'une période de transition moins propice, au printemps, où elle se vide pour reproduire.
Avant le bloom phytoplanctonique d'avril-mai, la coque est dite plus maigre, un peu « fatiguée » au sortir de l'hiver. En réalité, la commercialisation est plus soumise à variations que l'élevage lui-même. En mai-juin la coque souffre du temps instable. Dès qu'il « chaffourne » et tourne à l'orage, la coque se tient moins bien à l'étal, les ventes et les commandes baissent. La production est stable. 2 000 tonnes par an, soit près du tiers de la production nationale. Le Traict du Croisic bénéficie

PARTICULARITÉ : la coque du Croisic n'est pas un produit de cueillette mais d'élevage. Le Traict du Croisic est le premier site d'élevage de coques en France. La zone des parcs se découvrant à marée basse, la coque du Croisic est réputée mieux tenir sur l'étal que la coque de gisement naturel, irrégulièrement émergée et qui s'ouvre assez vite après la pêche. On reconnaît par ailleurs à la coque du Traict un poids de chair supérieur à la coque de gisement.

Description

De forme ellipsoïdale, la coque est striée, de couleur blanc crème, dégradé d'ocre ou de bleu selon la nature sablo-vaseuse des parcs. A l'instar de la couleur, le goût se nuance en fonction des terrains. La taille commerciale est de 30 millimètres de longueur.

Historique

Les coquillages ont toujours abondé sur les côtes de la région. Décrivant avec précision, en 1542, les rochers du rivage vendéen dans son *Grand Routtier, Pillotage et Encrage de Mer*, Pierre Garcie dit Ferrande, qui demeurait à Saint-Gilles-sur-Vie, remarque « par-dessus tout les gros burgaux avecques leur corps courans jusques à la symme du rocher », et, plus loin, « macres, normiers, palourdes, iambles, croseilles, moucles grosses et petites a grant plenté » (en grande quantité). Deux siècles plus tard, Duhamel du Monceau cite, pour toute la basse Loire, du Croisic à Bourgneuf, outre bien entendu les huîtres et les moules, la *saguine*, le *presteau* et encore le *bourgeau*. Aucun de ces auteurs ne mentionne donc la coque, qui porte dans la région le nom de *sourdon*.

229

de la fermeture saisonnière des gisements naturels et de la surexploitation de certains d'entre eux, notamment à l'étranger.
Le Traict du Croisic s'étend sur 650 hectares environ, dont 170 sont concédés à la production conchylicole. Les concessions d'exploitation des parcs sont attribuées par les Affaires maritimes. Il y a dix producteurs-expéditeurs. La coque du Croisic emploie une cinquantaine de personnes.

Il faut dire que le faible statut gastronomique des coquillages ne permet guère de différenciation poussée entre les espèces, même si la *coque de mer* est citée dès 1538 dans un marché d'approvisionnement pour la table d'Henri d'Albret, roi de Navarre. Le médecin Bouquet explique en 1787 que, dans la région de Luçon au sud de la Vendée, « la nourriture du peuple est faite de pain d'orge, de beaucoup de coquillages et de quelques mauvais poissons tirés du marais ». Avait-on affaire à des coques ? La réédition de la *Statistique de la Vendée* de Cavoleau rapporte les observations de Piet pour Noirmoutier : selon cet auteur, le sourdon, qui se plaît dans la vase molle, est destiné aux pauvres et on le fait cuire avant transport.
Au Croisic, où la tradition conchylicole est ancienne, les coques ne sont élevées que depuis une vingtaine d'années. Cette orientation a été prise à la suite de la destruction des huîtres portugaises en 1971 et à cause de la faible rentabilité de la moule à plat, fortement concurrencée par la moule de bouchot. Ce coquillage autrefois peu apprécié est devenu une des richesses du pays et une source de revenus non négligeable.

Usages

Bien qu'il existe plusieurs recettes, la coque ou rigadeau est ordinairement cuisinée en marinière. Elle est aussi dégustée crue.

Savoir-faire

L'ensemencement des parcs s'étend de la mi-septembre à la fin mai. Pour les semis, les parqueurs s'approvisionnent dans l'estuaire de la Vilaine, près de Tréhiguier où est classé un gisement naturel de naissains, dragué par des pêcheurs locaux. A ce gisement d'importance s'ajoute en complément celui de Saint-Nazaire. Le naissain frais pêché est transporté par camion, puis déposé sur un chaland pour atteindre les lieux d'ensemencement, lors des mortes eaux au moment de l'étale de pleine mer, c'est-à-dire quand les courants sont faibles. A la pelle, à la volée, 2 à 6 tonnes de naissains sont semées avec la meilleure homogénéité possible, sur les parcs balisés par de grandes perches de 3 à 4 mètres plantées à marée basse. L'enfouissement est vérifié dans les jours suivants. Les parcs sont entretenus pendant la croissance des coques : on ratisse les coques vides et le « limu » qui s'y fixe très vite. Ces tapis d'algues vertes occasionnent une décomposition des matières organiques, préjudiciable à l'élevage des coques. La récolte s'effectue à marée basse, dix à dix-huit mois selon les terrains après l'ensemencement, mais seulement en fonction des commandes. Elle se mécanise depuis quelques années, avec l'adaptation, pour la coque ou la palourde, de la récolteuse à bulbes utilisée en agriculture, et conduite sur ces terrains sableux avec de petits tracteurs. Les rendements moyens sont de 1 tonne à l'heure. D'autres techniques de récolte plus traditionnelles ont toujours cours : on emploie en effet la fourche pour pelleter le sable dans le sas ou la « branlette ». Le premier est un panier rectangulaire, et la seconde une sorte de table à rebords, inclinée vers une ouverture en entonnoir. Tous deux ont comme fond une grille de tri calibrée qui permet de séparer le sable des coques, soit en secouant le sas, soit en brassant le mélange dans la « branlette ». Après la récolte, les sacs de 5, 10, 15 kilos sont stockés vingt-quatre heures au moins dans un bassin de dégorgement ou simplement sur les rives du Traict. Avant expédition, les coques sont calibrées et, si nécessaire, entreposées en chambre froide.

HUÎTRE DE VENDÉE-ATLANTIQUE

HUÎTRE

Production
En 1992, elle était
de 12 000 à
15 000 tonnes
commercialisables
en Vendée et dans
le Sud-Loire, de
septembre à janvier,
pour environ mille
producteurs. La
marque collective
Huîtres de Vendée-
Atlantique fut créée
en été 1992 et est
gérée par une
association.

PARTICULARITÉ : affinage dans des claires (bassins de faible profondeur dans lesquels l'huître est constamment immergée), où l'eau est moins salée, plus riche en plancton. C'est la fine de claire, ou huître spéciale de claire.

Description

Forme creuse. Poids des huîtres très grosses : 120 grammes et au-dessus ; grosses : 90 à 120 grammes ; moyennes : de 60 à 90 grammes ; petites : de 50 à 60 grammes.

Historique

Les huîtres de Bourgneuf étaient très réputées auprès des gastronomes du XVIIIᵉ siècle, et *Le Gazetin du comestible* écrit en 1767 qu'elles «passent pour les meilleures du royaume», bien que «la forme en [soit] petite». C'est bien en effet «la plus petite des huîtres connues», celle qui se fixe sur les rochers, qu'il faut préférer à toutes les autres huîtres présentes dans la région. «Le corps de l'animal, écrit Cavoleau en 1818, «est gras et remplit très-bien sa coquille ; il est d'une saveur exquise, ni trop fade ni trop abondante». Ce qui n'est pas le cas des deux autres espèces : la grosse et grasse huître de sable, qu'on rencontre dans la baie de l'Aiguillon, n'est guère mangeable que crue ; quant aux petites huîtres noires de vase, à la chair maigre et très salée, «elles ne valent rien» selon Cavoleau. Toutes ont été affectées par le rude hiver de 1788-1789 et malheureusement ce sont les plus mauvaises qui se sont reproduites le plus rapidement. Ce qui n'empêche pas la production d'être abondante en ce début du XIXᵉ siècle. Les huîtres sont acheminées à dos de cheval dans l'intérieur et notamment vers Nantes. En

1908, Eudel évoque cette époque bénie où « arrivaient sur de petits ânes chargés de bâts, les petites huîtres de Bourgneuf dont le banc naturel n'avait pas encore été détruit ».

C'est en 1816 qu'apparaissent les premiers parcs à huîtres de Noirmoutier. Depuis l'épuisement du banc de Cancale, les producteurs sont à la recherche de nouveaux gisements, qu'ils trouvent précisément dans la baie de Bourgneuf. Mais l'exploitation se fait sans discernement : Piet, l'historien de Noirmoutier, a calculé qu'en deux ans l'île a exporté plus de 25 millions d'huîtres, et, dès 1822, les bancs commencent à s'épuiser. La production, réduite au tiers de ce qu'elle était, est exportée vers les parcs charentais de Marennes, qui ont pris la relève. Ce n'est qu'en 1841 qu'est pris enfin un *règlement pour la police de la pêche des huîtres dans la baie de Bourgneuf*, qui rend obligatoire le triage et institue une saison de vente. L'épuisement des bancs explique sans doute l'effacement temporaire des huîtres de Bourgneuf au milieu du XIXe siècle. Un dictionnaire de commerce de 1839 les trouve encore excellentes mais ne cite aucun parc de la région parmi les plus connus de France.

Les huîtres de Bourgneuf ne participent plus à l'approvisionnement de Paris vers 1862, contrairement à celles de Cancale, d'Ostende ou de Marennes. Elles connaîtront par la suite d'autres vicissitudes : le remplacement progressif, de 1868 à 1920, de l'huître plate par la creuse dite portugaise, puis l'introduction dans les années soixante-dix des huîtres japonaises. L'affinage en claires, désormais généralisé, permet à la baie de Bourgneuf de figurer aujourd'hui au deuxième rang des bassins ostréicoles français.

Usages

Traditionnellement consommée pour les repas de fêtes, l'huître est devenue un coquillage d'usage plus « ordinaire » de nos jours. Se consomme froide ou chaude, avec ou sans sauce et beurre, accompagnée d'un vin blanc sec du pays nantais.

Savoir-faire

Trois fois par an, l'huître pont des larves de 1/10e ou 2/10e de millimètre. Ces larves vont errer au gré du courant. Pour capter ces larves, les ostréiculteurs préparent des collecteurs, coquilles, morceaux d'ardoise, tubes cannelés... (tout est bon à condition de présenter une surface propre). Le jour J est repéré par l'Ifremer. Les ostréiculteurs collectent en majorité à Fourras. C'est la première étape : le captage a lieu fin juillet-début août. La deuxième étape est le relevage en octobre-novembre. Ensuite, les huîtres sont étalées sur des tables et stockées en parc de mer jusqu'en avril. En janvier, c'est le détroquage, on sépare les huîtres qui sont ensuite réparties dans des poches pour être élevées en parc pendant dix-huit mois. Pendant près de deux ans elles seront constamment surveillées. Au terme de ces dix-huit mois, c'est-à-dire aux mois d'octobre et novembre, elles pourront être récoltées au fur et à mesure des ventes. L'affinage est une étape supplémentaire, les huîtres sont stockées deux mois de plus dans les claires. La baie de Bourgneuf en a fait son domaine, grâce à l'estuaire de la Loire toute proche et grâce aux variations de salinité qu'elle engendre.

MOULE DE BOUCHOT

COQUILLAGE

Production
Récolte de juin à novembre pour les moules de bouchot. Grâce aux filières,

PARTICULARITÉ : cette moule est élevée selon une technique séculaire inaugurée dans la baie de L'Aiguillon et largement diffusée aujourd'hui : le « bouchot ». Le terme désigne les alignements de pieux de chêne fichés sur l'estran et sur lesquels les moules sont élevées. Grande région d'élevage, le site de L'Aiguillon

la production débute dès mars et se prolonge en novembre et décembre. Le marché français de la moule est important puisqu'on en importe des pays européens voisins. 1 200 tonnes sont produites sur L'Aiguillon, 12 000 pour l'ensemble de la baie, ce qui équivaut à 10 à 15 % de la production mytilicole française. Avec la mise en place des filières de pleine mer, la production du bassin devrait atteindre les 20 % de la production nationale. Les exploitants envisagent la création d'une appellation d'origine contrôlée. Cinq cents kilomètres de bouchots sont plantés dans l'anse de l'Aiguillon et 240 filières sont mouillées dans le Pertuis breton. Ce bassin mytilicole est situé à la charnière de la Vendée et de la Charente-Maritime, entre la Tranche-sur-mer et l'île d'Oléron.

n'est pas seulement le berceau d'une technique, c'est aussi un centre important pour le captage des naissains de moules, exportés notamment vers la Bretagne ou la Normandie.

Description

L'*edulis* est plutôt petite. Élevée en bouchot, on la distingue par sa chair jaune, une coquille bien noire et assez dure. Les connaisseurs distinguent au goût une moule de L'Aiguillon.

Historique

Dès 1542, Pierre Garcie dit Ferrande décrit, dans son *Grand Routier de mer*, les «moucles grosses et petites» qui peuplent en abondance les rochers de la côte vendéenne. Mais il ne fait pas mention de l'élevage des moules en bouchots. Une légende veut cependant que les bouchots aient été fortuitement découverts par un navigateur irlandais du nom de Patrick Walton échoué dans la baie de L'Aiguillon en 1235. Aucun argument n'a jamais été avancé pour fonder cette histoire, si ce n'est une étymologie très douteuse qui fait dériver «bouchot» de deux mots celtiques : *bout* qui signifierait clôture, et *choot* qui désignerait le bois!

En réalité, au Moyen Age, le *bouchau* est une «vanne placée à l'écluse d'un canal... pour retenir et pour faire passer l'eau». Sur les côtes vendéennes, le terme a fini par s'appliquer logiquement aux bassins du marais qui communiquaient avec la mer et à l'entrée desquels on pouvait placer des nasses pour interdire aux poissons de repartir. C'est ainsi que l'entend encore Duhamel du Monceau, à la fin du XVIIIe siècle, quand il décrit les bouchots de clayonnage, terminés par des nasses ou bourgnons, que l'on rencontre dans la baie de L'Aiguillon. «Outre les poissons qui se trouvent dans les parcs, écrit-il, on [y] prend de très bonnes moules

Les entreprises mytilicoles sont locataires sur le domaine public maritime. Bien que 20 % des exploitants soient vendéens, 80 % des concessions se situent en Vendée. On compte 32 entreprises familiales pour une cinquantaine d'emplois sur L'Aiguillon-la-Faute et 140 pour 300 sur l'ensemble de la baie.

attachées aux clayonnages.» On est donc passé progressivement du sens de parc à poissons à celui de parc à moules.

La production est assez importante à cette époque pour qu'en 1752 Mercier du Paty rédige un *Mémoire* sur les bouchots à moules. Le dispositif de pieux et de clayonnages enfoncés dans la vase, qu'il décrit avec précision, est déjà le même qu'aujourd'hui. Encore concentrés à Charron et à Esnandes, aujourd'hui dans le département de la Charente-Maritime, les bouchots produisent, écrit cet auteur, «des moules beaucoup plus grosses et beaucoup plus délicates que partout ailleurs», fort appréciées d'ailleurs des Bordelais qui «en viennent charger des barques entières [et] les distribuent ensuite dans presque toute la Guyenne».

L'installation des bouchots sur le côté vendéen de la baie de L'Aiguillon est chose acquise en 1844. A cette date, de la Fontenelle de Vaudoré, dans sa réédition de la *Statistique de Vendée*, écrit qu'«il existe vers Champagné quelques bouchots [...] semblables à ceux d'Esnandes, près La Rochelle, dont les produits sont si avantageux». Mais le fait doit être récent car, en 1855, Coste peut encore opposer la partie charentaise de la baie, «où il n'en a jamais existé un seul». A la fin du siècle, les bouchots ont envahi la côte vendéenne, jusqu'au Lay, dans l'ouest du marais poitevin, profitant de la surpopulation que connaissent alors les environs de La Rochelle.

Usages

En plus de la moule marinière, on recense près de 200 recettes pour accommoder ce coquillage populaire. La moule-frite n'est pas de tradition dans la région, on prépare plutôt des soupes, des consommés de moules, avec du pineau pour la partie charentaise. On la déguste aussi crue, avec un filet de vinaigre. L'*éclade* est une préparation locale, de fête et de plein air : on couvre d'aiguilles de pins des forêts du littoral des moules retournées vers le sol, de façon à préserver leur chair de la cendre. On flambe. Les aiguilles consumées, les moules sont ouvertes et bonnes à consommer.

Savoir-faire

Chaque année de janvier à mars-avril, on renouvelle un sixième des pieux plantés dans les bouchots. Autrefois en châtaignier, puis en pin, aujourd'hui en chêne et bientôt en bois du Brésil, mesurant jusqu'à 7 mètres et enfoncés de moitié dans le sol, ils ne résistent guère plus de six ans au pourrissement. On recherche des bois denses, avec la meilleure rectitude pour la mécanisation. Dans certaines zones, ces pieux se garnissent naturellement de larves jusqu'au mois de juin. Alors commence un travail de jardinage : on éclaircit ce naissain de moules pour le transplanter dans des filets boudins sur les pieux qui ne garnissent pas. Les boudins, enroulés en spirale, vont tenir sur le pieu les grappes de moules pendant leur croissance ; un premier maillage de coton plus serré se délitera progressivement, un second, à plus large maille en matière synthétique, tiendra jusqu'au terme de l'élevage. Cette technique a évolué au niveau du captage.

ALOSE

POISSON MIGRATEUR

AUTRES APPELLATIONS : alose feinte, petite alose.

Production
De mars à juin. Dans la partie estuarienne, la pêche de l'alose ne débute qu'après la campagne civelière. Les prises d'aloses

PARTICULARITÉ : l'alose est classée parmi les poissons à migration de grande amplitude. A l'instar des autres espèces amphihalines de Loire, elle est pêchée lors de son passage vers les zones de fraie, en amont dans la partie haute du fleuve.

sont très irrégulières d'une année sur l'autre. Avec une production excédant 20 tonnes, la saison 87 fut exceptionnelle. En 1990 par contre, les quantités pêchées dépassaient à peine 4 tonnes en Loire-Atlantique. La pêche en zone marine est sous administration maritime et exploitée par des marins pêcheurs. Les zones mixtes et fluviales, découpées en lots et administrées par la DDAF, sont exploitées sous licences par des marins pêcheurs et des pêcheurs professionnels fluviaux. Une cinquantaine de marins pêcheurs exclusivement estuariens et une centaine de professionnels fluviaux pêchent en Pays de Loire.

Description

Beau poisson aux reflets rose argenté, l'alose est estimée pour sa chair fine malgré la présence d'arêtes. Les poissons commercialisés font de 3 à 6 livres en moyenne.

Historique

A la fin du XVIᵉ siècle, l'auteur d'un traité d'économie domestique, *Le Menagier de Paris*, note que « l'Aloze franche [fraîche] entre en Mars en saison ». S'il précise « fraîche » c'est parce que, hors saison, les aloses salées étaient proposées aux consommateurs amateurs qui les accommodaient généralement « à la moutarde », comme bien d'autres poissons salés à l'époque. L'estime dans laquelle on tenait l'alose, surtout fraîche, est confirmée par de nombreux auteurs anciens. Le Grand d'Aussy, citant Champier, nous apprend qu'au XVIᵉ siècle « on la réservoit pour la table des Grands », estimation qui valait encore à l'époque où il écrit (1782) puisqu'elle était toujours considérée comme « un des meilleurs » poissons.

Les aloses, autrefois beaucoup plus répandues qu'aujourd'hui, sont envoyées à Paris depuis de nombreuses régions de France. C'est dans la Loire, cependant, qu'elles sont les plus abondantes, comme en témoigne à la fin du XVIIIᵉ siècle Duhamel du Monceau, qui remarque : « Je ne connais pas de rivière, où l'on prenne autant d'aloses que dans la Loire. » A la même époque *Le Gazetin du comestible*, publié à Paris, propose aux connaisseurs de « très-belles » aloses d'Angers, dont les « prix sont toujours dépendans de l'abondance & du tems ». En effet, l'« abondance » était très variable et la saison plutôt courte. A cette époque, les aloses remontaient la Loire de la fin mars à mi-juin, bien en amont de Nantes, jusqu'à Tours et même Orléans. En 1931 le *Guide UNA* recommande encore celles que l'on pêche à Gennes et à Saumur et, deux ans plus tard, Curnonsky et Croze nous apprennent que l'alose est cuisinée dans la région avec une farce « angevine », « à la piquerette (braisée au vin d'Anjou) », à l'oseille... et au beurre blanc.

Uages

Sur le bassin de Loire, l'alose est souvent préparée à l'oseille. Des essais de valorisation du produit (fumage, désarêtage) sont en cours.

Savoir-faire

Dans l'estuaire de la Loire, l'alose est pêchée au filet dérivant à trois toiles de type tramail, sur une longueur ne dépassant pas les deux tiers du fleuve. Dans la zone maritime, le filet est mouillé en flot car on estime mieux travailler à l'étale de pleine mer, tandis qu'à Nantes ce serait plutôt à l'étale de basse mer. On relève à la fin de l'étale, qui dure de 10 à 30 minutes, lors des marées de vives eaux. Même si l'on veille à ce que le filet travaille bien dans le courant, qu'il remonte tendu en « baillée », l'étale est le moment le plus pêchant, surtout avec un coup de « princer » en soirée ou d'« aubé » en matinée, c'est-à-dire lorsque le soleil se mire dans l'eau, qu'il incite les aloses à « voyager », les faisant « lever » du fond. Au-delà de la limite de balancement des marées, on utilise un tramail fixe, de surface ou de fond. Dans le haut de la Loire, en amont d'Angers, les pêcheurs mettent également en place des filets-barrages pour pêcher le saumon et l'alose. Le principe de cette technique est de dérouter le poisson migrateur avec un filet perpendiculaire au courant, solidement fixé avec des perches de châtaigner nommées fourchettes, très tendu et non pêchant. Le poisson longe l'obstacle, signale par des fils tests son passage au-dessus d'un carrelet, qui, installé sur une « toue » (grand bateau plat traditionnel), est actionné par un mécanisme à contrepoids.

ANGUILLE

POISSON MIGRATEUR

Production
L'anguille est
pêchée toute
l'année. Les bonnes
pêches d'anguilles
d'availaison, ou
« pimpeneaux », se
font à l'automne,
aux premières crues
et sous tempêtes
d'ouest. De 35 à
40 tonnes pour
Grand-Lieu. Plus de
40 tonnes en Loire.
Une dizaine de
pêcheurs en activité
sur Grand-Lieu. 150
à 200 pêcheurs en
Loire.

AUTRES APPELLATIONS : pimpeneau, marguin, lorto, franche.

PARTICULARITÉ : pêchée selon des modes particuliers, sur deux zones importantes de production : la Loire et le lac de Grand-Lieu.

Description

Les pêcheurs distinguent l'anguille sédentaire, jaune ou verte, appelée *marguin* sur le lac de Grand-Lieu, et qui est prise du printemps à l'été, et l'anguille d'avalaison pêchée à l'automne, le « pimpeneau », de couleur noire et argentée.

Historique

L'anguille est un des poissons les plus appréciés des gastronomes médiévaux. Elle le reste à l'époque moderne : *le Gazetin du comestible* de 1767 nous apprend que les plus belles anguilles de Loire peuvent valoir jusqu'à 18 livres pièce, et que celles de Bourgneuf-en-Retz « sont surnommées charbonnières [et] la beauté en règle le prix ». Toutefois, un siècle plus tard, les anguilles de la Loire ne sont guère exportées vers la capitale car, même si les Parisiens en consommaient toujours beaucoup (200 kilos par personne en 1872), elles viennent, nous l'apprend Husson, « d'Amsterdam, de Dordrecht, d'Angleterre, de Sainte-Eulalie en Born (Landes) et un peu de la Somme ».
Cela dit, la consommation sur place a persisté et en pays de Retz, il s'est développé une véritable « civilisation de l'anguille ». La communauté des pêcheurs qui y exploite le lac de Grand-Lieu en a fait sa principale ressource. Concédés au Xe siècle à l'abbaye de Buzay et, par la suite, à différents propriétaires privés, les

droits de pêche sur le lac sont gérés depuis le début du siècle par la coopérative des pêcheurs, principalement installés dans le village de Passay.

Utilisant pour la capture des anguilles des bosselles d'osier, les pêcheurs de Passay ont maintenu pendant longtemps des coutumes spécifiques, comme les charrettes à chiens pour transporter le poisson dans les environs ; au nombre de cent-vingt dans les années vingt, ils ne sont plus qu'une dizaine en 1993. Alors que les poissons fins (brochets, sandres) sont vendus, l'anguille fait l'essentiel de leurs repas, grillée, en matelote ou en « bouilleture », plat dans lequel des tronçons d'anguille mijotent pendant 6 à 8 heures dans du vin blanc avec des oignons, des pruneaux et du raisiné (moût de raisin réduit).

Usages

Principale ressource des pêcheurs du lac de Grand-Lieu, l'anguille y est traditionnellement dégustée grillée sur feu de bois. On la prépare aussi en matelotte, la « bouilleture », dans laquelle entre du raisiné, le vignoble étant proche. D'ailleurs, les poissons non commercialisés (carpes, brèmes, tanches, perches...), autrefois troqués aux paysans voisins, sont dits « poissons de bouteille ». Le 15 août et le dimanche suivant à Passay, les fêtes des pêcheurs du lac donnent lieu à une pêche collective à la senne.

La préparation de l'anguille fumée est plus spécifique du bord de Loire.

Savoir-faire

A Grand-Lieu, les plus belles pièces, atteignant la livre, sont prises à la ligne de fond à partir du mois de mars. On les nomme « lortos » ou « anguilles de ligne » par référence au mode de pêche. Le marguin, au printemps mais surtout l'été, et le pimpeneau, à l'automne, sont pour l'essentiel pêchés à la bosselle ou au verveux. Les bosselles de Grand-Lieu, de grande dimension, autrefois en osier, sont faites aujourd'hui de grillage goudronné. Mais cette nasse traditionnelle est de plus en plus remplacée par le verveux d'importation méditérranéenne, plus souple d'utilisation avec son fil nylon. Ces nasses en entonnoir forment la pointe d'un barrage en grillage ou en filet, la ramaille, qui guide le poisson vers le piège. Pour relever bosselles et verveux, placés dans des coins qui lui sont propres, chaque pêcheur dispose d'une « plate » qu'il pousse avec la gaule en zone herbeuse. Cette embarcation est bien adaptée à la pêche sur le lac, avec la côme centrale pour mettre le poisson. Toutes les plates sont équipées de moteur remplaçant la très ancienne voile carrée, typique à Grand-Lieu.

Dans une autre région de marais, en grande Brière mottière, près de Saint-Nazaire, en Loire-Atlantique, on utilise, de plus, un instrument spécifique pour l'anguille : la fouine. Il s'agit d'une très longue fourche à quatre doigts dentelés que l'on lance dans la vase. L'anguille est prise entre les doigts de la fouine, que l'on écarte pour libérer le poisson.

En Loire, les techniques et engins pour pêcher l'anguille sont nombreux. Les bosselles en plastique, grillage ou osier sont petites pour les zones de courants et de marées, mais deviennent assez semblables à celles de Grand-Lieu dans les zones fluviales, plus en amont de Nantes. les petits poissons, crevettes ou bigorneaux pêchés localement servent d'appât. On retrouve également les verveux et les lignes de fond, plus la tezelle, ou la braie, d'autres pièges plus ou moins utilisés. Un engin toutefois est plus typique de la Loire : le dideau ou guideau, pour pêcher l'anguille d'avalaison d'octobre à février. Il s'agit d'un filet fixe de larges dimensions, mouillé au plus fort du courant, fixé à une barge ou une « toue », et d'où il est relevé à l'aide d'un treuil motorisé.

CIVELLE

AUTRE APPELLATION : Pibale.

Production
Cette pêche est ouverte de novembre jusqu'à la mi-mars. Les années froides, les civelles remontent plus tard, une prolongation est accordée jusqu'à fin mars en zone mixte et mi-avril en zone maritime.
Approchant 90 % de leur chiffre d'affaires, la civelle représente le premier revenu des pêcheurs estuariens.
Après la période faste des années soixante-dix, la production a enregistré un déclin sensible dans la décennie quatre-vingt, passant de 500 à 80 tonnes environ. La demande est essentiellement le fait d'Espagnols qui ont développé le marché, en organisant leur ramassage et en installant des viviers en bords de Loire.
Les marins pêcheurs exploitent les zones maritimes

PARTICULARITÉ : anguilles pêchées au stade d'alevin lorsque, arrivant de la zone de reproduction située dans la mer des Sargasses, elles remontent fleuves et rivières pour vivre en eau douce.

Description

Les civelles sont transparentes et mesurent de 6 à 9 centimètres de long.

Historique

Au début du XIXe siècle, les civelles de la Loire étaient assez renommées pour que Peuchet et Chanlaire en fassent mention, pour le département de la « Loire-Inférieure », dans leur *Statistique de la France* : ils les définissent, fort justement, comme des « anguilles nouvellement nées qui sortent de la mer et entrent par milliers dans la Loire ». En 1769, Duhamel du Monceau mentionnait déjà la « sivelle » parmi les poissons qui remontaient le fleuve, de Paimbœuf à Nantes. Mais, dès la fin du XVe siècle, elle faisait partie des banquets donnés par les autorités municipales de Nantes en l'honneur des hôtes de marque. Quatre siècles plus tard, les Nantais l'apprécient toujours autant et Paul Eudel évoque « les civelles que les marinières apportaient, cuites en rond et parsemées de persil, dans des paniers d'osier ». Souvent, elles avaient « remonté jusqu'aux réservoirs d'eau de la Ville et coulai[ent] par les robinets des fontaines ». L'auteur précise que « le peuple raffolait de ces animalcules », qu'il ne fallait pas confondre avec les « affreuses petites anguilles dites pimpenaux », plus grosses que les civelles.
Dans le marais poitevin, où elles sont également nom-

allant de l'embouchure à Cordemais et mixtes, de Cordemais à Nantes. Les professionnels fluviaux eux, pêchent en zone mixte, uniquement jusqu'à Cordemais, limite de salure des eaux. Cette pêche s'est developpée aux entrées des étiers et canaux de vendée qui alimentent les marais de Machecoul, de Challans, de Brem. La civelle fait aussi l'objet d'une importante pêcherie dans l'embouchure du Lay à L'Aiguillon-sur-Mer. Deux coopératives de commercialisation s'y sont constituées. A la centaine de marins pêcheurs de l'estuaire et à la quarantaine de fluviaux s'ajoutent les pêcheurs côtiers de Pornic, du Croisic, de Noirmoutier et même des Sables-d'Olonne, sans compter amateurs et braconniers. Les effectifs en légère régression avoisinent 250 unités.

breuses, on les dénomme pibales comme à Bordeaux. En 1844, dans la réédition de la *Statistique de Vendée*, il est souligné que la pêche « des petites anguilles ou pibeaux » est à peu près la seule à faire « l'objet d'un commerce, et ce commerce s'étend au-dehors du département ».

Usages

Dans la région nantaise, la civelle se mange frite à la poêle, mais surtout cuite dans beaucoup d'huile, avec du vinaigre, de la moutarde, du persil et des échalotes. Avant la cuisson, il est nécessaire de faire baver la civelle, qui est lavée, passée dans « treize eaux différentes ». Au mois de mars, pendant la saison de pêche, on peut déguster cette préparation à l'huile et au vinaigre pendant la fête de la civelle qui a lieu sur les quais du port de Basse-Indre près de Nantes. Autrefois, il se vendait sur les marchés nantais de petits pains de civelles. Mises à bouillir dans un grand faitout, elles étaient pressées dans un moule spécial puis présentées démoulées sur un torchon.

Savoir-faire

La pêche se pratique surtout la nuit, lorsque la civelle se déplace. Dans cette ambiance nocturne, la pêche, intense, s'assimile à une course de vitesse entre de nombreux concurrents. L'équipement, pour pêcher la civelle, fait l'objet d'une réglementation. Les engins utilisés sont de grands tamis, à petite maille et de forme circulaire, qui ne doivent dépasser 1,20 mètre de diamètre et 1,30 mètre de profondeur. Un tamis est fixé de chaque côté du bateau qui tracte ce dispositif pour capturer la civelle lors de son entrée dans le fleuve. Dès le début du flot, jusqu'à l'étale de pleine mer, on guette l'apparition des « cordons » de civelles pour les capter au plus vite. Les bateaux ou canots civeliers de 6 à 7 mètres sont équipés de puissants moteurs dont la force maximale est théoriquement de 100 chevaux. Ceci expliquerait le nouveau comportement des civelles, qui ne remontent plus en cordons bien formés mais de plus en plus disséminées lorsqu'elles font surface. Sur les étiers et petits cours d'eaux se pratique, en amateur, une pêche à la main, avec de petits tamis de 60 centimètres. Quant aux braconniers, ils n'hésitent pas à établir des barrages aux entrées des rivières et canaux.

LAMPROIE MARINE

POISSON MIGRATEUR

VARIANTE : lamproie fluviatile, espèce plus petite qui est surtout pêchée dans le bassin de la Garonne).

PARTICULARITÉ : espèce amphilhaline qui se reproduit en eaux douces. Elle est pêchée en Loire au printemps lors de sa migration vers les frayères.

Production
La lamproie, tout comme l'alose, remonte l'estuaire pour gagner les frayères au printemps. Sa pêche se pratique de mars à juin, mais ne démarre vraiment qu'après la période civelière. Pêche irrégulière. Les pêcheurs comptent une année bonne sur trois ou quatre. Les estimations officielles donnent environ 30 tonnes par an pour les zones fluviales et maritimes. La lamproie se classe cinquième en quantité pêchée, mais représente la

Description

La lamproie marine est anguilliforme, avec une robe brun-jaune, marbrée de noir. Les individus mesurent de 60 centimètres à 1 mètre et pèsent de 700 grammes à 1,5 kilogramme.

Historique

Dès le XIIIe siècle, les lamproies de Nantes était célèbres, comme le montre un poème anonyme qui dresse une liste des produits fameux et des localités qui leur sont associées. Trois siècles plus tard le médecin Bruyerin Champier décrit avec étonnement comment « elles sont transportées à Paris, sur des coursiers, depuis la ville de Nantes en Bretagne, [enfermées] dans de petits

deuxième valeur de la production halieutique locale. La zone maritime comprend l'embouchure jusqu'à la limite de salure des eaux, c'est-à-dire Cordemais. La zone mixte s'étend de Cordemais jusqu'à Nantes. Ces deux zones sont exploitées par des marins pêcheurs. En amont de Nantes commence la zone fluviale sur laquelle les pêcheurs dits fluviaux exercent une activité professionnelle sous licences attribuées par la Direction départementale de l'agriculture. La zone concernée est la Loire, de l'estuaire jusqu'à Saumur. La lamproie se pêche en petite quantité en Loire moyenne. La lamproie constitue une ressource pour les pêcheurs de la région qui gardent une activité professionnelle en Loire en dehors de la période civelière, soit une centaine environ. La lamproie semble

récipients de bois étroits et allongés ». Au XVIIIe siècle, on les faisait encore venir « par la Messagerie ». Tant de soins se justifiait par la qualité d'un poisson extrêmement recherché, dont la délicate préparation exigeait de longues explications dans les livres de cuisine. La pêche que décrit Duhamel du Monceau à la fin du XVIIIe siècle est semblable à celle qui se pratique aujourd'hui. Près des ponts de Nantes, on capture les lamproies grâce à des nasses d'osier tendues dans la rivière. Mais elles s'y débattent et s'y meurtrissent, et celles qu'on pêche plus en aval, jusqu'à Paimbœuf, avec un filet appelé roulée, sont « plus blanches et plus fines ». Mais déjà, semble-t-il, la lamproie est moins appréciée. En mars 1767, au plus fort de la saison, elle ne coûte à Angers que 3 livres pièce, soit moins cher qu'une anguille.

Toutefois, la lamproie est de retour sur les tables des grands au XIXe siècle, car, en 1839, elle suscite l'enthousiasme de Courchamps (de son vrai nom Marcel Cousin). Cet auteur affirme, dans sa *Néo-Physiologie du goût*, que les « grosses lamproies ont conservé le privilège de recevoir encore aujourd'hui les mêmes préparations que dans les premiers temps de l'art culinaire et les étuvées de lamproie qu'on appelle à l'angevine sont une des anciennes combinaisons gastronomiques qui méritent le mieux de rester en considération parmi les gourmets. Honneur aux riverains de la Loire à qui nous devons la tradition de cet excellent ragoût du XVIe siècle ». Plus loin, dans son article sur les fruits secs, ce même auteur ajoute : « Nous avons déjà dit que lorsque les poires tapées se trouvent réunies avec des pruneaux d'Agen, des raisins secs et de petits oignons glacés, elles produisent un bon effet dans tous les vieux ragoûts au sang et au vin, tels que les gibelottes de venaison, les étuvées de lamproie et les civets de lièvre à l'ancienne mode. » Au cours du XIXe siècle, la préparation « à l'angevine » deviendra la recette de lamproie et sa prééminence sera confirmée en 1855 par Lombard, qui, dans *Le Cuisinier et le Médecin*, commence son article sur ce pois-

plus recherchée par les fluviaux, qui obtiennent en tout cas les meilleurs tonnages.

son avec les mots : « Les lamproies se mangent étuvées, à l'angevine, procédé gastronomique très en considération parmi les gourmets... » Néanmoins, en 1908, le Nantais Paul Eudel se souvenait avec émotion des « lamproies [...] dont la chair savoureuse était fort appréciée des gourmets [et qu'on] apprêtait souvent au vin rouge et aux pruneaux ». Au début du siècle, donc, la lamproie et sa recette angevine semblent déjà faire partie d'un passé gastronomique regretté.

Usages

Dans le bassin de la Loire, on retiendra la recette du civet de lamproie aux blancs de poireaux. En fait, la lamproie est peu consommée localement. Elle se prépare en matelote, à la mode bordelaise, région vers laquelle s'expédie l'essentiel des captures.

Savoir-faire

La lamproie est pêchée différemment selon la zone du fleuve. En aval de Nantes, dans la zone estuarienne, elle est prise à la lampresse, un filet dérivant de type tramail de 120 à 150 mètres de longueur, aux mailles de 40 millimètres environ. En amont de Nantes, « de l'autre côté des ponts », c'est-à-dire dans la zone fluviale, on la pêche au filet, mais aussi avec une nasse, à deux goulets, de 1 mètre de diamètre et de 1,5 mètre de longueur. Elle est fabriquée en osier car cette pêche délicate réclame une bonne flottabilité de l'engin. Les nasses devant être maintenues entre deux eaux, sont retirées tous les trois jours pour faire sécher l'osier. Chaque pêcheur possède donc deux jeux de 20 à 30 nasses. En amont d'Angers, hors de la zone d'influence des marées, est utilisé un filet spécial à deux toiles, la « vouillée », qui s'apparente au chalut Devisme par sa seconde toile en forme de poche.

SANDRE ET BROCHET

Production
A l'automne, sur le lac de Grand-Lieu, la pêche est ouverte du 15 septembre aux premières crues d'octobre-novembre. Le sandre est plus recherché que le brochet. En Loire, les prises sont écoulées auprès des restaurateurs. A Grand-Lieu, la production a été de 1 tonne en 1992 pour chaque espèce.La pêche est effectuée dans le lac de Grand-Lieu et dans le bassin de la Loire, sauf dans sa partie estuarienne sous influence de la marée. Une dizaine de pêcheurs sont en activité sur Grand-Lieu. 150 à 200 pêcheurs en Loire pour la région.

PARTICULARITÉ : pêchés selon des techniques particulières.

Description

Poissons carnivores, au corps allongé, d'une belle couleur gris métallisé, plus ou moins striée et tirant vers le vert pour le brochet. La voracité de ce poisson, légendaire, transparait bien dans sa gueule puissante. Chair blanche et ferme.

Historique

Au Moyen Age, on apprécie beaucoup le gros brochet, appelé *lus*, qu'on distingue du brochet proprement dit. Déjà, les autorités municipales de Nantes offraient à leurs hôtes de marque des *bercqs* — nom que portait localement ce poisson —, déjà abondants dans la région. Quelques siècles plus tard, la Loire est toujours riche en brochets : vers 1769, Duhamel du Monceau les signale en amont de Nantes, et, à la même époque, le *Gazetin du comestible* propose des « brochets de Loire » aux Parisiens en quête des meilleurs produits des différentes provinces.

L'histoire du sandre dans la région est tout autre. Originaire d'Europe centrale et d'Allemagne, ce poisson est d'introduction relativement récente en France. Au XIXe siècle, il n'est encore connu que dans les rivières de l'est de la France, comme le Doubs et la Saône. Apparu dans la Loire durant les dernières décennies, le sandre s'y est rapidement multiplié et est devenu, avec le brochet, une « spécialité » des pêcheurs qui exploitent le lac de Grand-Lieu, situé à quelques kilomètres de Nantes.

Usages

Le 15 août et le dimanche suivant à Passay, les fêtes des pêcheurs du lac de Grand-Lieu sont l'occasion d'une pêche collective à la senne. Poissons de vente, sandre et brochet sont préparés de multiples façons, dont les paupiettes de sandre au champigny et le fameux brochet beurre blanc accompagné de vins blancs régionaux.

Savoir-faire

A Grand-Lieu, sandres et brochets sont pêchés au filet droit à toile unique de 50 à 100 mètres, de type araignée. Le sandre évolue en eau libre et en banc, alors que le brochet est présent vers les bordures et couverts. Dans les hauts fonds sont donc disposés des casiers cylindriques en filets, dits louves. En Loire et sur ses affluents, le poisson carnassier est pêché au filet fixe ou dérivant à plusieurs nappes de type tramail. Plus en amont, on emploie aussi des nasses.

SARDINE À L'HUILE

CONSERVE DE POISSON

PARTICULARITÉ : technique de conservation dans l'huile dite technique à l'ancienne.

Production
Produite d'avril-mai à octobre-décembre. Il n'y a qu'un producteur à Saint-Gilles-Croix-de-Vie.

Description

Longueur : 12 à 15 centimètres, couleur : dos bleu-vert, ventre argenté, poids : 20 grammes. On peut vérifier la fraîcheur de la sardine par l'aspect des yeux, l'odeur des branchies, la tenue de la paroi abdominale.

Historique

Si le hareng était sur toutes les tables médiévales et si le siècle de Louis XIV fut aussi celui de la morue, c'est la sardine qui fut incontestablement la reine du XVIIIe siècle en matière de poissons. «Celui qui n'a pas mangé des sardines sortant de la mer, n'a point goûté l'une des principales joies du Paradis de ce bas Monde», n'hésite pas à écrire Grimod de la Reynière au début du siècle suivant. Mais ajoute-t-il, «si la sardine fraîche est un mets digne des palais les plus difficiles et les plus délicats, la sardine paquée [salée et pressée] est abandonnée aux estomacs les plus vulgaires. C'est la nourriture du bas peuple, et on la range partout, avec les harengs et les maquereaux salés, dans la classe des salines de dernier ordre». Malgré ce mépris de la part des amateurs de bonne chère, les sardines pressées faisaient vivre de nombreux pêcheurs le long de la côte Atlantique. En 1757, par exemple, on dénombrait trente navires au Croisic spécialisés dans la pêche aux sardines et, à la fin du siècle, celle-ci se transporta aussi vers les côtes vendéennes, où elle finit par remplacer la pêche à la morue, qui dépérissait. En 1788, un médecin local remarque que «les sardines que l'on prend dans la rade des Sables et de Saint-Gilles sont très estimées et procurent... une branche de commerce assez considérable dans les années où les excellents petits poissons sont abondants».

Comme les sardines fraîches supportaient mal le transport vers l'intérieur et que les sardines salées n'attiraient guère les gourmands, on recherchait de nouvelles méthodes de conservation qui permettent de garder ce poisson sans lui ôter sa «délicatesse». Dès les années 1770, Duhamel du Monceau parle d'une nouvelle technique très prometteuse: «On m'a assuré, écrit-il, qu'on pouvoit en conserver de très bonnes pendant une quinzaine de jours, quand après les avoir fait cuire, on les mettoit dans des boëtes de fer blanc, étant recouvertes de toute part avec du beurre fondu.» Mais une garde limitée à deux semaines n'était pas très satisfaisante et ce n'est qu'avec l'application des procédés de conservation mis au point par Appert, en 1809, que les conserves de sardines atteignent un véritable statut gastronomique. Grimod de La Reynière consacre un chapitre de son *Almanach des gourmands* en 1810 aux sardines confites de Nantes, au cours duquel il précise qu'elles peuvent être «au beurre, au vinaigre et à l'huile», celles à l'huile étant «très certainement» les meilleures. «Les sardines, ainsi préparées, poursuit-il, renfermées dans des boîtes de fer-blanc soudées, peuvent voyager sans risques, et arriver sur la table des Gourmands presqu'aussi bonnes que lorsqu'elles sortent de la Mer.»

L'adoption de l'appertisation pour le conditionnement des sardines marque la création d'une nouvelle industrie qui prendra une extension considérable au cours du XIXe siècle. L'homme tenu comme le père de cette industrie s'appelle Colin, «confiseur, rue du Moulin» à Nantes. Sa renommée atteint rapidement Paris puisqu'en 1828 l'auteur du *Gastronome français* le surnomme avec enthousiasme «l'Appert de la Bretagne» et précise qu'on peut trouver ses sardines au 176 de la rue Saint-Honoré à Paris. «Pour les seules sardines en boëtes de fer blanc... le début s'élève à plus de 20 000 par an». En réalité, la production annuelle s'élève dès 1836 à 100 000 boîtes de sardines.

Le succès de Colin attire à Nantes d'autres conserveurs, comme Cassegrain ou Amieux, qui profitent de l'explosion du marché. On en compte déjà sept en 1844, et c'est au nombre de onze qu'ils se rendent à l'Exposition nationale de 1861; la même année, la chambre de commerce de Nantes peut estimer la production locale à 15 millions de boîtes par an. La fabrication a d'ailleurs essaimé dans toute la région. Si en 1818 Cavoleau notait que la sardine pêchée aux Sables-d'Olonne ou à Saint-Gilles-Croix-de-Vie «n'est pas pressée ni salée sur place», de la Fontenelle de Vaudoré, qui révise en 1844 sa *Statistique de la Vendée*, remarque qu'«un établissement s'est depuis installé à Saint-Gilles, [comme] succursale de Colin pour les sardines confites à l'huile».

Quant aux treize conserveries qui s'implantent aux Sables dans le troisième quart du siècle, elles ont du mal à absorber les 153 millions de sardines que leur fournissent annuellement les pêcheurs du cru.

Dès le milieu du XIXᵉ siècle, les Parisiens mangent 255 tonnes de sardines à l'huile par an et la consommation ne va cesser de s'accroître jusqu'aux années 1880, où elle atteint 300 tonnes. Cela dit, à la fin du siècle, le statut de la sardine en boîte avait bien changé. D'après Husson, en 1875, «dans beaucoup de maisons bourgeoises, on n'en dédaigne pas l'usage [mais] depuis un certain temps déjà, on y recourt fréquemment, pour augmenter le menu des repas dans les établissements où l'on nourrit beaucoup de personnes; elle se vend aussi, concurremment avec la charcuterie, pour le déjeuner des ouvriers», contents de leur «haut goût» pour «l'assaisonnement d'un gros morceau de pain». Ainsi, de mets de choix pour gastronomes exigeants, la sardine à l'huile était devenue un aliment populaire, semblable, voire égal, à son ancêtre «pressée», abandonnée aux «estomacs les plus vulgaires». Depuis, grâce aux nouveaux moyens de transport à température contrôlée, on a vu la sardine fraîche arriver en masse sur nos marchés. Ainsi l'*ortolan maritime*, comme l'appelait Grimod, est aujourd'hui à la portée de toutes les bourses et se classe à son tour parmi les poissons «ordinaires».

Usages

Était particulièrement consommée pendant le carême.

Savoir-faire

Sous la forme traditionnelle (aujourd'hui distribuée sous le nom de *sardines à l'ancienne*), la sardine est d'abord légèrement salée ou plongée dans la saumure afin d'évacuer l'huile du poisson. Elle est ensuite étêtée puis éviscérée. Elle est enfin lavée puis séchée afin de rendre sa peau brillante et de la raffermir. Elle est frite dans l'huile sur des grilles métalliques (dans l'huile d'olive, elle porte l'appellation « huile d'olive pure »). Une variante consistait à griller les sardines au four avant de les mettre en boîte, mais elles risquent ensuite d'absorber toute l'huile. Égouttées, elles sont mises en boîte par six. Les boîtes remplies d'huile (arachide, olive) et éventuellement d'aromates (citron, tomate, escabèche...) sont fermées par sertissage, puis stérilisées en autoclave. Les sardines vieillissant dans la boîte par échange avec l'huile, elles acquièrent leur maximum de maturité au bout de deux ou trois ans (sardines millésimées).

Saumon de Loire

POISSON MIGRATEUR

Production
La période d'ouverture s'étend de février à juin-juillet et des quotas sont attribués, à quelque cent pêcheurs en activité épisodique sur le bassin de la Loire, par arrêté préfectoral. Malgré les efforts de réempoissonnement, le tonnage ne dépasse pas une tonne, en zone fluviale. La pêche, liée à la qualité des eaux, est contrariée par le bouchon

PARTICULARITÉ : poisson migrateur de la famille des salmonidés. Il remonte la Loire pour frayer en eau douce et fait l'objet d'une pêche traditionnelle.

Description

Chair ferme de couleur rose tirant sur le rouge. Le poids des grands saumons atteint 10 à 15 kg alors que les « madeleinaux » pris en fin de saison, pèsent de 3 à 5 kilogrammes.

Historique

Dès le XIIIᵉ siècle, un poème anonyme cite, parmi les produits célèbres passés en quelque sorte en dictons, les « saumons de Loire ». Les premiers apparaissaient dans l'estuaire dès septembre, leur pêche s'effectuant jusqu'en mai, avec un maximum en février-mars. Au XVIIIᵉ siècle, les gastronomes parisiens pouvaient com-

vaseux de l'estuaire et, en dehors des crues, le poisson est refoulé en mer où il est pris dans les filets de la pêche côtière. Une partie des poissons capturés est destinée aux écloseries pour l'élevage à des fins de réempoissonnement.

mander des saumons d'Angers qui pesaient 20 à 30 livres à cette saison. En mai-juin, on pouvait encore prendre quelques saumons descendants, dont certains étaient réputés, selon Duhamel du Monceau, pour l'excellence de leur chair rouge. A la Madeleine, on ne trouvait plus que des poissons de 5 à 6 livres, dits « Magdelaneaux », ainsi que de petits saumoneaux.

Contrairement à la pêche à la drague très destructrice qui se pratiquait sur la côte au sud de l'estuaire, on utilisait dans la Loire un trémail dit « sédor ». Les pêcheurs de Trentemoux et de l'île des Chevaliers près de Nantes passaient, à la fin du XVIIIᵉ siècle, « pour les plus habiles du canton » dans le maniement de ce délicat instrument ; « certains, poursuit Duhamel du Monceau, remontent jusqu'à Belle-Ile et en Poitou, d'autres ne dépassent pas le pont de Nantes ». Mais on pêchait au sédor jusqu'à Saumur.

Le saumon frais était très apprécié de la cuisine aristocratique depuis le Moyen Age, qui le connaissait aussi salé. Mais les salaisons locales ne pouvaient suffire aux besoins puisqu'à la fin du XVIIIᵉ siècle on devait en importer d'Angleterre et d'Écosse. Quant au saumon fumé, il est plutôt une « innovation » récente. Duhamel du Monceau nous apprend qu'autrefois, dans les Pays de la Loire comme ailleurs en France, en plus du salage, on avait l'habitude de mettre le saumon dans des pots remplis de beurre clarifié ou encore dans du vin en vue de sa conservation.

Usages

Sur les bords de la Loire, le saumon est consommé grillé. La plupart des prises sont vendues aux restaurateurs.

Savoir-faire

Dans l'estuaire, le saumon n'est plus l'objet d'une pêche dirigée, il est pris au filet dérivant pendant la saison de pêche de l'alose. En zone amont de Nantes, il est pêché au filet fixe et pour la partie fluviale, en Maine-et-Loire, surtout en amont d'Angers, il est pêché au filet barrage. Cette technique consiste à faire obstacle à la migration du poisson dans le cours de la rivière, pour l'amener à passer au-dessus d'un carrelet sur une toue (grand bateau plat rectangulaire, traditionnel en Loire), dans lequel il se trouve pris. Le bouge également employé, est une technique comparable, dont le principe est de créer une aire de repos pour les migrateurs dans laquelle on tend un carrelet.

Sole sablaise

POISSON PLAT

Production
La campagne de la sole correspond à sa période de fraie, lorsqu'elle revient du large vers la côte. Le «passage» de soles commence vers fin décembre et s'achève au début mars jusqu'en septembre, après quoi, elle n'est plus capturée avant la nouvelle campagne, elle se tient dans les eaux côtières où des fileyeurs viennent encore la pêcher.
Les marins pêcheurs considèrent qu'une année sur deux est

PARTICULARITÉ : la sole dite sablaise est une espèce présente localement, qui se tient pendant une longue phase de son cycle sur les fonds vaseux au large de cette côte. Elle est donc traditionnellement pêchée «devant chez eux» par les équipages des Sables-d'Olonne, de l'île d'Yeu et de Noirmoutier, mais largement exploitée aujourd'hui par toute la flotte atlantique.

Description

Poissons plat de forme ovale avec un petit bec un peu tordu. Les yeux sont placés à droite sur la face brune tandis que la face aveugle est d'un blanc crème. C'est un poisson maigre à chair blanche et ferme. Sa taille commerciale est de 21 centimètres au moins, pour un poids de 180 à 800 grammes.

Historique

A la fin du XVIIIe siècle, Duhamel du Monceau décrit les pêcheurs de la côte Atlantique, au sud de l'estuaire

bonne, même si les quotas concernant la sole sont généralement atteints. Les équipages sablais comptabilisent 800 tonnes pour la dernière saison, mais 1 020 tonnes ont été débarquées au port des Sables, ce qui correspond à un huitième de la production française. La zone de pêche s'étend au large des Sables-d'Olonne et de Noirmoutier, dans la zone 8 du golfe de Gascogne. La quasi-totalité de la flotte sablaise participe à la campagne, soit plus de cent cinquante unités. Certains fileyeurs restent armés pour la sole presque toute l'année.

de la Loire, utilisant des bateaux non pontés de 2 à 3 tonneaux pour pêcher à la drague dans les baies de Bourgneuf et autour des îles de Bouin et de Noirmoutier. Parmi leurs captures figurent notamment des soles. Mais cette pêche existe également plus au sud, vers Les Sables-d'Olonne. Le même auteur écrit en effet sur sur les côtes d'Aunis jusqu'à cette localité, les soles «s'ensablent ou se fourrent entre les pierres au retour de la marée». Un siècle plus tard, le voyageur Ardouin-Dumazet rapporte, sans l'avoir observée lui-même, la pratique des marais à poissons dans le marais poitevin. A l'entrée de la vanne qui fait communiquer les canaux et la mer «est encastré un borgnon, sorte de nasse en osier, dont la pointe assez lâche, tournée vers le marais, permet aux poissons d'entrer mais non de sortir». A la marée montante, les poissons pénètrent dans le marais et y restent pendant environ deux ans. «On y trouve, ajoute Ardouin-Dumazet, la plie, la dorade, la tanche de mer et quelques soles.»

Les pêcheurs de la côte Atlantique avaient de bonnes raisons de rechercher la sole car ce poisson bénéficiait de la haute estime des gastronomes depuis au moins le XVIe siècle. Le Grand d'Aussy rapporte que, dès cette époque, alors que le turbot était cité comme «le premier des poissons», la sole se mettait «au second rang». Cette opinion est encore confirmée par un contemporain de Le Grand d'Aussy, l'auteur d'un *Dictionnaire des alimens* publié en 1750, qui ne fait que des éloges de ce poisson : «Il y a peu de poissons qui aient un aussi bon goût, & qui soient en même tems d'une qualité si saine que la sole.» De plus, poursuit-il, «la sole, appelée autrement perdrix de mer, à cause de son bon goût, est beaucoup meilleure transportée que sur les lieux, ce qui vient de ce qu'elle referme une petite viscosité qui se dissipe par le transport; c'est pourquoi elle est plus excellente à Paris ou à Lyon que sur le bord de la mer». Ainsi, les pêcheurs de soles ne craignaient pas de voir leur poisson refusé par les Parisiens, qui regardaient d'un œil suspect d'autres poissons de mer, guère «arrangés» par le transport.

Usages

Les gourmets dégustent la sole meunière parce que l'on ne retire au poisson ni l'arête ni la peau, qui lui donnent son goût particulier. On recense par ailleurs de très nombreuses recettes qui indiquent que ce poisson est l'un des plus cuisinés. Les petites soles sont plutôt frites ou poêlées, mais, dès qu'elles atteignent une certaine taille, on lève souvent les filets. Les moyennes peuvent aussi être grillées, et les grosses pièces cuites au court bouillon.

Savoir-faire

Deux types de bateaux sont armés pour la sole : les fileyeurs et les chalutiers ou dragueurs. La sole se déplace et se pêche la nuit. Les fileyeurs «filent» donc la journée et ne virent ou ne ramènent leurs filets que le lendemain matin. Comme pour toute pêche, on file en observant les plongeons d'oiseaux, les taches sur l'eau, les changements de couleur (verte, blanche, etc.). Mais les filets sont toujours mouillés sur une hyperbole qui barre le passage des soles vers la côte. Pour virer le lendemain, on «poumaille», autrement dit on tire sur le filet. On rembarque ainsi des longueurs de 2 kilomètres en moyenne, mais jusqu'à 30 kilomètres pour les nouveaux catamarans. Le démaillage est parfois long et fastidieux, se prolongeant pendant trois ou quatre heures lorsque le filet est «sale», que sont pris divers débris et surtout d'indésirables étoiles de mer, crabes, araignées ou méduses. Pour cette opération, deux marins au moins sont postés devant une longue table sur laquelle glisse le filet amené sur le vireur. Dès qu'il est rembarqué et démaillé, on peut le filer à nouveau.

Le poisson est vidé sur place, lavé et descendu dans la glacière. Si la houle favorise la pêche au filet en décollant le poisson du fond, elle n'est plus nécessaire avec le chalutage. La technique du chalut de fond, en effet, consiste à racler les sols marins avec des chaînes que les marins appellent le radar et qui lestent la poche tractée par le bateau. Le radar «racasse» les fonds où sont posées les soles, soulevées et prises dans le chalut. Il est préférable de draguer dans le «franc», c'est-à-dire dans les fonds vaseux où s'enfouissent les soles et qui ne comportent pas d'obstacle pour le chalut. Chaque patron établit donc des plans de pêche personnels, transmis seulement à sa famille, où il indique les passages possibles, les «coursives» entre les roches.

Après son passage en criée, le poisson est conditionné en atelier de mareyage : calibré, glacé, filmé avant l'expédition.

THON BLANC GERMON

CONSERVE DE POISSON

Production
En hausse, ayant passé de 35 millions de boîtes en 1985 à 80 millions de boîtes en 1992, le thon blanc est (chez Saupiquet) le résultat d'une production spécifique en octobre de chaque année. L'activité est concentrée pour la Vendée à Saint-Gilles-Croix-de-Vie. Il y a deux entreprises.

AUTRES APPELLATIONS : thons albacor et listao.

PARTICULARITÉ : association d'une espèce, le germon, et de trois préparations : le thon au naturel, le thon à l'huile et les rillettes de thon.

Description

De la famille des scombres, les thons d'espèce Germon mesurent de 60 centimètres à 1 mètre et pèsent 95 kilogrammes environ. Leur goût est fin et délicat.

Historique

Dès le XVIIIe siècle, les habitants de l'île d'Yeu se sont fait une spécialité de la pêche au petit thon de l'Atlantique, ou germon, que l'on appelait d'ailleurs localement *longue oreille*. Sur les 90 caboteurs enregistrés dans l'île en 1728, 19 avaient armé au thon, qui procurait ainsi un complément d'activité appréciable durant l'été. Les pêcheurs cherchaient à vendre au plus vite — aux Sables-d'Olonne par exemple — un poisson qui était estimé frais, mais leur éloignement des côtes les obligeait parfois à saler le germon, après l'avoir découpé en tronçons. Ces salaisons se conservaient mal et Duhamel du Monceau indique également qu'on « faisait aussi sécher » le poisson « mais en petite quantité », et surtout mariner, à l'instar des thons de la Méditerranée. « Au moyen de cette préparation, ajoute l'auteur, il est fort estimé. » La production était modeste et ne devait pas dépasser 70 tonnes par an.

C'est le développement des conserveries de la région à la fin du XIXe siècle qui allait donner à cette pêche son impulsion décisive. Dans les années 1850, elles commencèrent à utiliser le germon, concurremment avec la sardine. Ce fut le cas des trois usines qui s'installèrent sur l'île d'Yeu entre 1867 et 1879. En 1891, leur production de thon en boîte se montait à 160 tonnes. L'adoption d'un voilier spécialement conçu pour cette pêche, le *Dundee*, permit avant la Première Guerre mondiale une nouvelle augmentation des prises, également favorisée par la « crise sardinière » de la fin du siècle, qui poussa par exemple les pêcheurs des Sables-d'Olonne à se reconvertir. Ce port se classait d'ailleurs au 5e rang des ports thoniers français en 1912.

Cette activité se renforça encore après 1918, où la pêche devint l'occupation quasi exclusive des habitants de l'île d'Yeu : dans les années soixante, ils pêchaient annuellement plus de 3 000 tonnes de thon, dont la moitié était transformée sur place dans des conserveries de plus en plus étroitement spécialisées.

Savoir-faire

Le germon est pêché dans l'Atlantique, du golfe de Gascogne à la Bretagne. Le thon au naturel se met cru dans la boîte et cuit pendant la stérilisation. Le thon blanc à l'huile est coupé en morceaux avec une scie, cuit dans la saumure, puis refroidi pour raffermissement. On enlève ensuite la peau, l'arête centrale et les restes sanguins, il est séché puis mis en boîte, soit en morceaux, soit en miettes. Les filets (ventre) sont traités à part car ils sont très recherchés. Les boîtes sont remplies d'huile d'olive. Elles sont ensuite serties et stérilisées. A ces préparations de base s'ajoute aussi une conserve dite rillettes de thon, autre spécialité de cette industrie.

BIBLIOGRAPHIE

Comme des sardines en boîte, in Musées du Château des ducs de Bretagne, Nantes, 1991.

Dictionnaire des alimens, (attr. Briand), Gissey et Bordelet, Paris, 3 vol., 1750 (article Sole).

Exposition des produits de l'industrie à Nantes, Nantes 1825 (p. 48 : sardines).

Le Gastronome français ou l'art de bien vivre, Paris, Charles-Bèchet, 1828 (p. 358 : sardine).

Gazetin du comestible, 1767, n° 3, mars (p. 1 : alose et anguille ; p. 5 : saumon ; n° 11, novembre, p. 1 : anguille ; n° 2, février, p. 2, n° 3, mars, p. 3, n° 10, octobre, p. 3, n° 11, novembre, p. 4, n° 12, décembre, p. 4 : huître de Bourgneuf).

BAUDOUIN (Marcel), *L'Industrie de la sardine en Vendée*, Paris, 1894 (sardines).

BOUQUET, *Topographie médicale de la région de Luçon*, 1787 (Académie de médecine, Archives de la Société royale de médecine 189/1/3 : coque du Croisic).

BRIAND-DE-VERZÉ, *Dictionnaire complet, géographique, statistique et commercial de la France*, 2 vol, Warin-Thierry, Paris, 1834 (tome 2, s.v. Sarthe : alose).

BRUYERIN CHAMPIER, *De re cibaria*, Lyon, Sebast. Honoratum, 1560, XX, 31 (p. 1073 : lamproie).

CORNU (Roger) et DE BONNAULT-CORNU (Phanette), *Pratiques industrielles et vie quotidienne : conserveries et ferblanteries nantaises. XIXᵉ siècle-XXᵉ siècle*, Nantes (Lersco-CNRS), 1989 (sardines).

COSTE, *Sur le littoral de la France et de l'Italie. Rapport à M. le ministre de l'agriculture... sur les industries... de l'anse de L'Aiguillon*, Paris, 1855 (pp. 147-168 : moules de bouchot).

CURNONSKY et CROZE (A. de), *Le Trésor gastronomique de France*, Delagrave, Paris, 1933 (p. 90 : aloses).

DARTIGUE (G.), « Traité passé par Henri d'Albret pour alimenter sa maison », in *Annales du Midi*, 49, 1937 (p. 416 : coque du Croisic).

DEHERRYPON (Martial), *La Boutique de la marchande de poissons*, 2ᵉ éd., Paris, 1881 (pp. 91-102 : sardines).

D'ORBIGNY père, « Mémoire sur les bouchots à moules des communes d'Esnandes et de Charron », in *Annales de la société d'agriculture de La Rochelle*, 1846 (pp. 30-42 : moules de bouchot).

DUHAMEL DU MONCEAU, *Traité général des pesches et histoire des poissons qu'elles fournissent*, Paris, 1767-1788 (tome I, pp. 72 à 77; tome II, pp. 195, 257-261, 284-291, 329,331).

FERRANDE (Pierre Garcie dit), *Le Grand Routtier, pillotage & encrage de mer*, Poitiers, 1542, f.g.i. verso-g iii recto : coque du Croisic; moules de bouchot).

GRIMOD DE LA REYNIÈRE, *L'Almanach des Gourmands*, 7e année, 1810 (pp. 21-31 : sardine).

HUETZ DE LEMPS (Christian), «La pêche à l'île d'Yeu», in *Revue du Bas-Poitou et des Provinces de l'ouest*, juillet-septembre 1964 (pp. 256-276 et janvier-février 1965, pp. 19-45 : thon).

HUSSON (Armand), *Les Consommations de Paris*, Paris, Hachette, 2e éd., 1875 (p. 328 : anguille; pp. 333-334 : sardine).

KREBS (Albert), *Le thon (Germon). Sa pêche et son utilisation sur les côtes françaises de l'Atlantique*, Paris, 1936 (thon).

LEGUAY (J.-P.), «Un aspect de la sociabilité urbaine : cadeaux et banquets dans les réceptions municipales de la Bretagne ducale», in *Charpiana. Mélanges offerts par ses amis à Jacques Charpy*, Rennes, Fédération des sociétés savantes de Bretagne, 1991 (pp. 349-359, p. 358 : civelle; p. 190 : lamproie et brochet/sandre).

LIBAUDIÈRE (F.), «Des origines de l'industrie des sardines», in *Annales de la société académique de Nantes et de la Loire-Inférieure*, 8e série, vol. 10, 1909 (pp. 208-245 : sardine).

LINARD (A.), *Les Pêcheurs du lac de Grand-Lieu*, Le Chasse-Marée, n° 21, janv. 1986 (pp. 2-17).

LOCARD (A.), *Les Huîtres et les mollusques comestibles*. Paris, 1890 (p. 175 : moule bouchot).

MERCIER DU PATY, «Mémoire sur les bouchots à moules, pour servir à l'histoire naturelle du Pays d'Aunis», in *Recueil de pièces en prose et en vers lues dans les Assemblées publiques de l'Académie royale des Belles-Lettres de la Rochelle*, Paris, 1752 (pp. 79-95).

ROBERT DE MASSY (J.), *Des halles et marchés et du commerce des objets de consommation à Londres et à Paris. Rapport à Son Excellence M. le Ministre de l'Agriculture, du Commerce et des Travaux publics*, tome II, Paris, 1862, (tome II, pp. 310-311 : huître de Bourgneuf; pp. 283 ss : sardine).

TATTEVIN (Georges), «La sardine. Sa pêche et son commerce au Croisic au XVIIIe siècle», extrait du *Bulletin de la Société archéologique de Nantes*, 1941.

VIANDES, VOLAILLES

BŒUF GRAS À L'HERBE DU MAINE

PIGEONNEAU

VOLAILLE DE CHALLANS
canard, chapon, poulet noir

VOLAILLE DE LA SARTHE
Chapon du Mans, poulet fermier de Loué

Le rôle des Pays de la Loire en matière de production de viande est primordial. Deux groupes de produits dominent, les bovins et la volaille. Martine Denoueix, dans son *Patrimoine gastronomique en Pays de la Loire*, fait un point récent et documenté sur la situation actuelle dans ces secteurs. En ce qui concerne les bovins, la région est classée première de France avec environ 20 % de la production, veaux non compris. Vendée, Mayenne et Maine-et-Loire se trouvent dans le peloton de tête des départements français producteurs.

Il y a tout juste cent ans, en 1893, la race bovine parthenaise — aussi appelée vendéenne — voyait son standard établi. La nantaise et la maraîchine, connues et réputées, étaient considérées comme étant des races dérivées de la parthenaise, « race du bassin de la Loire ». L'expédition des bœufs parthenais pour la boucherie de Paris commença dans la ville de Cholet, en Maine-et-Loire. Depuis lors on donna le surnom de *bétail choletais* à ces animaux. Cholet reste l'un des plus importants marchés de gros bovins de la région, si ce n'est le plus grand. La ville de Chemillé, elle, s'est spécialisée dans la viande bouchère de qualité.

La réputation locale de qualité bouchère des viandes bovines se maintient avec la production d'un bœuf à l'herbe à croissance lente et viande très goûteuse. Élevé selon un mode de type « traditionnel », à partir des races maine-anjou, normande, charolaise, blonde d'Aquitaine, limousine, il bénéficie d'un label rouge. Né dans le bocage mayennais et sarthois, ce signe de qualité a été étendu depuis 1992 à tous les départements de la région des Pays de la Loire.

Le mouton est présent ; trois races à viande sont originaires de la région : le vendéen, de très bonne conformation, dont les carcasses sont régulièrement primées au concours général de Paris, le bleu du Maine, et le rouge de l'Ouest. Les agneaux de prés-salés de Vendée, élevés aux alentours de L'Aiguillon-sur-Mer et de sa fameuse baie bordée de prairies, sont devenus bien rares...

La Sarthe se distingue depuis longtemps par ses productions de volaille de grande qualité, à chair fine et savoureuse. La race de La Flèche a longtemps dominé. Les marchés aux volailles de Loué et du Mans étaient des places très réputées. Les fleurons du Maine — poularde de La Flèche et chapon du Mans — y étaient commercialisés, concurrençant sur les plus grandes tables les célèbres volailles de la Bresse.

Aujourd'hui, quatre départements se distinguent toujours en production avicole de qualité : Sarthe, Vendée, Mayenne et Maine-et-Loire. Les éleveurs de la Sarthe ont su valoriser leur savoir-faire à travers la mise en place du label rouge Volaille de Loué. Du haut de son piedestal, le chapon, sacrifié au moment des fêtes de fin d'année, voire de Pâques, continue de briguer la meilleure place au palmarès gastronomique des volailles des Pays de la Loire, sans toutefois bénéficier des mêmes techniques d'élevage qu'autrefois. En Vendée, à la limite du marais breton, Challans perpétue la tradition avicole avec le canard de chair, mais aussi le poulet noir et le chapon fermier. Le canard était aussi appelé nantais, car ces volatiles étaient chargés et expédiés par les Nantais. C'était, au début de ce siècle, la spéculation principale du marais breton. Issu au départ d'un croisement du canard sauvage avec le canard de Rouen, il est aujourd'hui issu d'un croisement avec le Barbarie. L'ensemble de ces produits bénéficie, sous différentes appellations, d'un label rouge.

Osons un clin d'œil enfin au fameux blanc de Vendée, race de lapin créée au début du siècle par Mme Douillard et, selon Annick Audiot, initialement élevé pour la qualité de sa peau. Il est actuellement introuvable dans son berceau d'origine...

Bœuf gras à l'herbe du Maine

VIANDE DE BŒUF
ENGRAISSÉ

Production
En 1992, 816 bêtes ont été labellisées et 1 000 en 1993. La limite géographique de l'aire s'étend aux cinq départements des Pays de Loire, ainsi qu'aux arrondissements d'Alençon et de Mortagne dans l'Orne. La production est régulière. Nombre de producteurs : 550.

PARTICULARITÉ : de race pure ou croisée dite « jaune », mâle castré, génisse, femelle n'ayant porté qu'une fois.

Description

Ce sont des bovins adultes appartenant aux races à viande Maine-Anjou, Normande, Charolaise, Blonde d'Aquitaine, Limousine ou issus de leurs croisements (animaux dits « jaune »).

Historique

L'élevage bovin est une tradition ancienne dans les bocages de l'Ouest. Au début du XIXe siècle, ce sont les bœufs gras de Cholet, « si estimés aux marchés de Poissy et de Sceaux », selon les termes de Cavoleau, qui ont la plus grande réputation. En 1862, le Maine-et-Loire fournissait encore près de 50 000 des 200 000 bœufs dont se nourrissait Paris. Mais, nous explique Massy, « on donne [aux bœufs engraissés à l'étable de décembre à mai] le nom générique de Cholet, emprunté à l'arrondissement de Cholet, où l'élevage et l'engraissement sont très importants. Cette désignation a été étendue à d'autres animaux qui n'ont pas la même origine ». Beaucoup venaient en fait de Vendée, dont *Le Gastronome français* recommande les bœufs dès 1828 ; l'élevage s'y développa considérablement au cours du XIXe siècle : peu avant 1900, ce département exportait annuellement 80 à 90 000 têtes de bétail vers Paris.

Au nord de la Loire régnait la race mancelle. Les marchés à bestiaux de la Sarthe et de la Mayenne étaient déjà importants : à la fin du XVIIIe siècle, le médecin Frébet cite ceux de Beaumont-le-Vicomte, Sillé-le-Guillaume et Lassay, et la *Géographie de la France* de

Couëdic parue en 1791 leur ajoute Mamers et Evron, tout en remarquant l'importance de l'élevage bovin dans les cantons de Bonnétable et de La Fresnaye. La réputation des jeunes bœufs des cantons de Sablé et de Brûlon est déjà grande en 1829 lorsque Pesche écrit que « l'espèce [en] est connue et recherchée aux foires de Sablé et autres des environs, sous le nom de bœufs manceaux ». Mais ceux-ci ne sont pas engraissés sur place. En 1840, seulement un bœuf mayennais sur sept est mis à l'engraissement et Auguste de Sérière commente ainsi ces chiffres : « A trois ans, les jeunes bœufs sont attelés à la charrue, à sept ans les cultivateurs les vendent dans les foires aux herbagers du Calvados, de l'Orne et de l'Eure, qui les engraissent et les livrent à la consommation. »

L'embouche sur prairies connaît depuis quelques années un regain d'intérêt. Quelques producteurs de la Mayenne — au troisième rang des départements français pour les gros bovins — et de la Sarthe ont ainsi développé en 1985 le label Erve-Vègre, du nom d'une rivière limitrophe des deux départements. Étendu en 1992, sous le nom de Bœuf à l'herbe du Maine, à toute la région des Pays de la Loire, il renoue avec la grande tradition de l'élevage bovin.

Savoir-faire

L'élevage est de type traditionnel. L'alimentation du veau avant sevrage doit se faire au seul pis de la vache. Le sevrage ne peut intervenir avant l'âge de cinq mois. Pendant cette période, les veaux peuvent avoir accès aux aliments consommés par leur mère (herbe, fourrage...). Si l'allaitement maternel est insuffisant, l'éleveur peut utiliser un aliment de substitution agréé par l'organisme certificateur. Le pâturage sur prairie est la règle. Les séjours en étable ne doivent pas dépasser cinq mois de l'année civile. Les animaux d'embouche introduits sur les exploitations des éleveurs agrées ne doivent pas dépasser dix-huit mois. Les bœufs, génisses et vaches sont livrés à l'abattoir à un âge compris entre trente mois et quatre ans. Le savoir-faire réside avant tout dans l'art d'engraisser lentement l'animal ; la qualité de la viande en dépend. Les bêtes sont ensuite abattues dans deux abattoirs au Mans et vendues uniquement en boucheries artisanales.

Pigeonneau

PIGEON D'ÉLEVAGE

PARTICULARITÉ : pigeonneau consommé à vingt-huit jours.

Production
Production régulière toute l'année. Le pigeonneau est élevé dans la région, vendu sous plusieurs marques, indicatrices de provenance : Pigeonneau d'Anjou, Maine-Anjou, Pigeonneau craonnais, Pigeonneau vendéen... L'élevage est encore destiné à l'autoconsommation pour une part non négligeable dans la région. La production évolue vers le développement d'élevages rationnels. Les Pays de Loire, première région productrice, comptent pour près

Description

Les présentations les plus courantes sont le pigeon plumé, plein, et le prêt à cuire. Cela correspond à un volatile mort, généralement saigné, plumé (à sec), mais gardant tête, pattes et entrailles. Un pigeonneau plumé, plein, pèse environ 500 grammes. Afin de s'adapter à la demande, depuis peu des découpes de pigeonneaux, décarcassés ou désossés, sont proposées : baronnet, crapaudine...

Usages

Le pigeon de chair, connu du consommateur comme produit traditionnel de fête, fait l'objet d'une demande plus forte en fin d'année, à Pâques et au mois de mai (communions, mariages...). Il s'accommode de nombreuses préparations culinaires, depuis le traditionnel pigeon aux petits pois jusqu'au pigeon laqué adapté des recettes chinoises.

Savoir-faire

L'élevage du pigeon a connu un essor important depuis les années soixante-dix. Le pigeon, monogame, est

de 40 % de la production nationale, soit 1,6 million de pièces. Le nombre d'éleveurs est difficile à estimer : entre 150 et 200 éleveurs.

élevé en parquets (bâtiment d'élevage de 2,5 mètres × 2,5 mètres et 2 mètres de hauteur, avec volière orienté au sud ou à l'ouest), de 25 à 35 couples chacun pour la production et la vente aux consommateurs de pigeonneaux âgés de vingt-huit à trente-quatre jours. L'alimentation est en libre-service, le pigeon s'autorégulant quantitativement et qualitativement. La consommation totale annuelle par couple est de 26 kilogrammes de maïs, 13 kilogrammes de blé, 13 kilogrammes de granulés complémentaires à 25 % de protéines. Chaque parquet comporte un abreuvoir, une boîte à minéraux, une trémie d'alimentation et des pondoirs. Il faut deux nids par couple, car la femelle pond avant d'avoir fini d'élever sa précédente nichée. Sexuellement mature vers l'âge de six mois, le pigeon peut être conservé pendant trois à quatre ans. La femelle pond deux œufs à deux jours d'intervalle. L'incubation commence après la ponte du deuxième œuf et dure dix-huit jours. Le parquet doit être bien éclairé. Chaque couple produit entre dix et quatorze pigeonneaux par an. Les jeunes sont élevés par les parents qui leur régurgitent dans le bec un lait de jabot jusqu'à huit-dix jours, puis de plus en plus de grains jusqu'à l'emplumement complet vers l'âge de vingt-huit jours, moment où les pigeonneaux, sur le point de descendre du nid, sont abattus.

HISTORIQUES DES CANARDS ET DE LA VOLAILLE DE CHALLANS

La tradition avicole vendéenne est attestée dès le début du XIXᵉ siècle. En 1818, Cavoleau, dans sa *Statistique de la Vendée*, écrit qu'«au marché de Challans, se vend une quantité considérable de beurre, de volaille, de gibier, de poissons et d'étoffes pour le pays. Des marchands appelés Chevrotins achètent les trois premiers articles pour les transporter à Nantes». Parmi les volailles ainsi acheminées vers Nantes figurait, vraisemblablement, le fameux canard de Challans, élevé en liberté dans le marais. Bonneton suggère que ceux qu'on élevait jadis ainsi en «patrouilloux» étaient le résultat d'un croisement entre le Rouen et le canard sauvage, bien différent par conséquent du Challans actuel, qui descend du canard de Barbarie.

Quoi qu'il en soit, les canards achetés à Challans étaient réexpédiés par les marchands nantais vers Paris, où les amateurs les appréciaient sous le nom de canards de Nantes. En 1875, Husson, auteur d'une étude sur les consommations de Paris, écrit en effet que «les départements de l'Eure, de Seine-et-Marne, du Loiret, d'Indre-et-Loire, de la Sarthe, de la Loire-Inférieure et de la Seine-Inférieure nous expédient les plus grandes quantités de canards... les canards de Nantes sont ceux qui apparaissent les premiers sur le marché; ils jouissent alors d'une grande faveur». C'est évidemment le chemin de fer qui a permis aux canards «nantais», ou plutôt challandais, de concurrencer leurs congénères de Rouen, dont la réputation était plus ancienne.

Le poulet noir de Challans n'avait pas, à l'époque, encore conquis la faveur des gastronomes. Le label fut obtenu en 1969 par le Syndicat de défense du poulet noir, permettant un fort démarrage de la production dans les années soixante-dix. En 1980 fut créé le Syndicat des labels avicoles challandais, qui supervise une production très diversifiée où figure, outre le canard de Challans, le poulet fermier, la dinde, la pintade, qui bénéficient également d'un label.

CANARD FERMIER DE CHALLANS

CANARD DE CHAIR,
FAMILLE
DES ANATIDÉS

PARTICULARITÉ : canard de souche Barbarie noir.

Description

Production
En 1992, la
production s'élevait
à 110 900 canards,
135 000 en 1988. La
part de production
du canard de
Challans est de
16,5 %. Vingt-deux
cantons nord-
vendéens, et les
cantons limitrophes
des Deux-Sèvres, de
Maine-et-Loire, de
la Loire-Atlantique,
ce qui représente
trente-deux cantons,
participent à la
zone de production,
avec 160 éleveurs.

Souche : Barbarie noir. Couleur : noir et blanc. Poids : entre 1,1 et 1,9 kilogrammes.

Savoir-faire

Les canards sont achetés à un jour chez l'un des sept accouveurs agréés. Ils sont bagués au numéro de la semaine de la mise en élevage, et alimentés avec 70 % de céréales (soja, luzerne, minéraux) minimum. L'alimentation est dépourvue d'activateurs de croissance. A la 6e semaine ils ont accès à un parcours herbeux supérieur à 2 mètres carrés par canard, abrité par les haies et les étiers (marais vendéens). Les canards sont abattus au 77e jour minimum.

CHAPON FERMIER DE CHALLANS

CHAPON

PARTICULARITÉ : coq castré. Chapon de souche de Vendée, sélectionné par l'Institut de selection animale.

Production
10 600 en 1988,
57 000 en 1992, ce
qui représente 7 %
de la production
nationale. Mis en
production entre
octobre-novembre,
mars-avril par
cinquante éleveurs.
Les zones sont les
vingt-deux cantons
nord-vendéens, les

Description

Souche : noire de Vendée. Plumage : noir. Poids : entre 2 et 3,5 kilogrammes.

Usages

Consommés exclusivement pendant les fêtes de Noël et de Pâques.

cantons limitrophes des Deux-sèvres, de Maine-et-Loire, de la Loire-Atlantique, ce qui représente trente-deux cantons.

Savoir-faire

Les coqs sont achetés à un jour chez l'un des sept accouveurs agréés. Le chaponnage intervient entre cinq et dix semaines. Ils sont bagués au numéro de la semaine de la mise en élevage, et alimentés avec 75 % de céréales (soja, luzerne, minéraux) minimum. L'alimentation est dépourvue d'activateurs de croissance. A la 6e semaine ils ont accès à un parcours herbeux supérieur à 4 mètres carrés par chapon, abrité par les haies et les étiers (marais vendéens). Les chapons sont abattus au 154e jour minimum.

Poulet noir fermier de Challans

POULET DE CHAIR

Production
Elle est régulière toute l'année. Elle couvre vingt-deux cantons nord-vendéens, les cantons limitrophes des Deux-Sèvres et de Maine-et-Loire, de la Loire-Atlantique, ce qui représente trente-deux cantons. En 1988, le nombre de poulets noirs était de 1 368 000. Il atteint 1 906 000 en 1992, ce qui représente 21,5 % de la production nationale. Il y a cent soixante producteurs.

PARTICULARITÉ : poulet certifié de souche noire, le seul poulet noir labellisé en France.

Description

Plumage : noir. Poids : 1 à 1,800 kilogramme mort. Viande rosée.

Savoir-faire

Les poulets sont achetés à un jour chez l'un des sept accouveurs agréés. Ils sont bagués au numéro de la semaine de la mise en élevage, et alimentés avec 70 % de céréales minimum. L'alimentation est dépourvue d'activateurs de croissance. A la 6e semaine, ils ont accès à un parcours herbeux supérieur à 2 mètres carrés par poulet, abrité par les haies et les étiers (marais vendéens). Les poulets sont abattus au 81e jour minimum.

HISTORIQUE
DU CHAPON DU MANS
ET DU POULET DE LOUÉ

Parmi les volailles de la Sarthe, le chapon du Mans est de loin le plus anciennement connu. Il est cité par de nombreux agronomes et naturalistes du XVIe siècle dont le Manceau Pierre Belon ; dès 1583, Charles Estienne explique dans *La Maison rustique* que, pour bien engraisser les chapons, les gens « au Mans et en Bretagne » leur donnaient du « grain demy cuit, & de paste bien minuisée & par morceaux, & se font engraissez en quarante iours pour le plus ». A peu près à la même époque, en 1600, le Languedocien Olivier de Serres les présente comme les chapons les plus estimés. La réputation des chapons du Mans n'a donc pas attendu la célébrité littéraire que lui donneront les lettres envoyées, entre 1655 et 1658, par le poète Etienne Martin de Pinchesne à l'archidiacre manceau Pierre Costar, afin de le remercier pour ses expéditions régulières de chapons et de gélinottes du Maine.

Dans le sillage de son frère chapon, la poularde du Mans s'insinue en effet dans les faveurs des gourmands : elle figure dès 1646 à la table de Mazarin et, à partir du dernier quart du XVIIe siècle, elle fait partie intégrante de l'approvisionnement des grandes maisons. Mais ces volailles « du Mans » viennent-elles bien toutes de cette ville ? Couëdic, à la fin du XVIIIe siècle, repère un élevage florissant de volailles « pour Paris, Nantes & autres villes de consommation » à Sillé-le-Guillaume, ainsi que dans d'autres villes de la Sarthe : Fontenay-le-Vicomte, La Ferté-Bernard ou Mamers. Ce n'est donc pas un hasard si à la même époque paraît une facétie dans l'air du temps intitulée *Question d'état pour les poulardes de La Flèche contre celles du Mans*. Ce n'est que justice car, nous révèle Huet en 1804, « les poulardes dites du Mans [sont tirées] plutôt de la commune de Mézeray et des environs de la Flèche ». La même année, Grimod de la Reynière lui fait écho en s'écriant que « le Mans et La Flèche se disputeront jusques dans le sanctuaire des lois... la gloire de nous envoyer les plus succulentes poulardes ».

La dispute continue tout au long du XIXe siècle, bien qu'une chose paraisse acquise : les unes et les autres sont engraissées à La Flèche ou aux alentours, mais c'est Le Mans qui les expédie vers Paris. La description qu'en donne Ardouin-Dumazet en 1910 ne laisse aucun doute : le « plumage noir, brillant, aux reflets verts et violacés », les « barbillons d'un rouge vif », sont bien ceux de la race dite encore aujourd'hui la Flèche, apte à produire chapons comme poulardes.

Et Loué ? A 20 kilomètres à l'ouest du Mans et 40 kilomètres au nord-ouest de La Flèche, ce village se situe dans un triangle avicole fort productif, mais on est bien en peine encore, au XIXᵉ siècle, d'y trouver une référence précise à ses fameux poulets. *La Statistique de la France*, parue en 1811, n'y remarque qu'une papeterie. A peine vingt ans plus tard, Pesche note bien qu'on y fait « beaucoup de volailles », mais ce sont « particulièrement des oies ». La fortune de Loué vint bien plus tard, surtout à partir des années soixante. Après le grand siècle du chapon, après le triomphe de la poularde « bourgeoise », le poulet s'est en effet affirmé au XXᵉ siècle comme la volaille de référence. Cependant, en refusant la production industrielle, les éleveurs de Loué ont su renouer avec les traditions de l'élevage avicole manceau.

CHAPON DU MANS

CHAPON

Production
Zone de production : la Sarthe et les arrondissements limitrophes de la Mayenne. 150 000 chapons ont été commercialisés en 1992. Production en hausse. On compte une centaine de producteurs. Les chapons sont essentiellement produits pour les fêtes de fin d'année, et, dans une moindre mesure, pour les fêtes de Pâques.

AUTRE APPELLATION : chapon de Loué.

PARTICULARITÉ : texture moelleuse et fondante de la chair due à une infiltration régulière de la graisse dans les tissus : le persillé. Ce résultat est obtenu par les effets conjugués de la castration, de l'alimentation, de la vie à l'air libre et de l'âge d'abattage.

Description

Le chapon du Mans pèse entre 4,2 et 4,5 kilogrammes vivant. Sa chair doit être abondante, moelleuse et persillée. La «fléchoise», race traditionnelle originaire de La Flèche et se prêtant bien au chaponnage, a disparu. La race mise en œuvre aujourd'hui est une souche à croissance lente à chair blanche, à patte blanche et plumage coloré, sélectionnée par le Groupement des fermiers de Loué.

Usages

Le chapon a une connotation très festive, cette volaille de luxe occupe une place de choix dans les repas de fin d'année. Elle est habituellement consommée rôtie.

Savoir-faire

Le chapon du Mans, qui jouissait d'une grande notoriété reposant sur un ensemble de pratiques complexes et bien identifiées, a vu sa production diminuer inexorablement pour s'interrompre dans les années soixante. Celle-ci a été relancée au milieu des années quatre-vingt par les éleveurs de Loué. Certaines des techniques d'élevage spécifiques au chapon du Mans ont été maintenues, telles que le chaponnage, effectué avec beaucoup de soin pour que le chapon soit « franc ». D'autres ont évolué, comme les modes d'alimentation qui intègrent aujourd'hui, en quantité réglementée, des aliments tels que les tourteaux, ou la claustration qui se faisait autrefois en petites cages appelées épinettes dans lesquelles les volailles étaient enfermées les dernières semaines d'engraissement. D'autres, enfin, ont disparu. Ainsi la race locale autrefois utilisée s'est éteinte, tout comme la pratique du moulage de la volaille morte dans un moule en bois, précédant l'emmaillotage dans une toile imbibée de lait, toutes deux liées à une présentation particulière de l'animal. Aujourd'hui, on entend par chapons du Mans ou de Loué des volailles élevées de la façon suivante : les jeunes coqs, élevés en plein air, sont nourris essentiellement de céréales et ont accès à un parcours illimité. La castration est pratiquée vers l'âge de six semaines selon les méthodes traditionnelles manuelles. La période totale d'élevage dure cinq mois environ et se termine par une période de finition en claustration près de trois semaines avec une alimentation contenant des produits laitiers.

Le chapon est présenté effilé avec un collier de plumes au cou. Plus récemment, celui-ci peut être préparé prêt à cuire.

Le chapon bénéficie d'un label rouge sous l'appellation Chapon fermier du Mans, ou Chapon fermier de Loué.

POULET FERMIER DE LOUÉ

POULET DE CHAIR

Production
Produit toute l'année, en Sarthe et dans les cantons limitrophes de la Mayenne par 950 éleveurs. En 1991, 25 millions de volailles fermières auront été élevées, dont 27 % sont des poulets.

PARTICULARITÉ : volaille élevée en liberté, dans la région du bocage du Maine.

Description

Différentes souches sont à l'origine du poulet de Loué : le poulet blanc fermier de Loué de race cou nu, abattu à 93 jours ; le poulet jaune fermier de Loué (nourri à base de maïs et de luzerne) abattu à 12 semaines ; le poulet noir fermier cou nu abattu entre 12 et 13 semaines.

Savoir-faire

Le savoir-faire est aujourd'hui codifié à travers un cahier des charges. L'animal est acheté à un jour chez les accouveurs agréés par le Syvol. Au début, un poulailler comprend 4 000 poulets par bande, disposés dans 400 mètres carrés utiles. Pendant cinq semaines (trente-cinq jours), ils restent dans le poulailler (11 mètres carrés par poulet). A 15 jours environ, ils sont bagués, une bague qui les suivra jusqu'au consommateur. La durée de l'élevage s'élève à 91 jours, pendant lesquels ils bénéficient de quatre types d'aliments : de croissance, de transition, de plein air et de finition. Tous ces aliments sont fournis par des firmes d'aliments agréées. A 5 semaines les poulets sortent en plein air

(2 hectares minimum pour 4 000 poulets), et, en plus des aliments, ils bénéficient de céréales à volonté fournies par l'éleveur. Une visite de contrôle est effectuée par des techniciens du Syvol deux ou trois fois par an et par bande. A 91 jours, ils sont abbatus dans les abattoirs agréés de la région et vendus effilés ou prêts à cuire. Une désinfection du poulailler au formol et un vide sanitaire de trois semaines doivent être respectés.

BIBLIOGRAPHIE

Le Gastronome français ou l'art de bien vivre, Paris, Charles-Bèchet, 1828 (p. 181 : chapon du Mans, volaille de Loué).

AUVRAY (L.M.), *Statistique du département de la Sarthe*, Paris, An X [1802] (p. 164 : chapon du Mans, volaille de Loué).

BARE (Abbé R.), «Costar et les gélinottes du Mans», in *Bulletin de la Société d'agriculture, sciences et arts de la Sarthe*, IIIᵉ série (tome V, 1933-1934, 2ᵉ fascicule, pp. 217-225 : chapon du Mans, volaille de Loué).

BOULARD, HELLO, VIAL ET AL, *Vendée*, Bonneton, Paris, 1987 (p. 131 : canard, volailles de Challans).

COUPERIE (Pierre), «Les marchés de pourvoierie : viandes et poissons chez les Grands au XVIIᵉ siècle», in Pour une histoire de l'alimentation, *Cahier des Annales n° 28*, Hémardinquer, Armand Colin, Paris, 1970 (tabl. 2 : chapon du Mans, volaille de Loué).

DE SERIERE (Auguste), *Notice statistique et historique sur le département de la Mayenne*, Laval, 1840 (pp. 30-31 : bœuf gras).

ESTIENNE (Charles) et LIEBAUT (Jean), *L'Agriculture et maison rustique*, Berthelin, Rouen, 1641 (texte établi en 1583) (p. 73 : chapon du Mans, volaille de Loué).

FREBET, *Topographie médicale du Haut-Maine* (Académie de médecine, Archives de la Société royale de médecine 175/1/3).

GRIMOD DE LA REYNIÈRE, *Almanach des Gourmands*, 1ʳᵉ année, 3ᵉ édit., an XII [1804] (p. 67 : chapon du Mans, volaille de Loué).

HUSSON (Armand), *Les Consommations de Paris*, Paris, Hachette, 2ᵉ éd., 1875 (p. 194 : bœuf gras; p. 305 : canard, volaille de Challans).

LACHÈVRE (Frédéric), *Poètes et goinfres du XVIIᵉ siècle. La chronique des chapons et des gélinottes du Mans d'Etienne Martin de Pinchesne*, Paris, 1907.

PERIQUET (Jean-Claude), *Les poules, oies et canards. Races, soins, élevage*, Paris, 1992 (pp. 78-79 : chapon du Mans, volaille de Loué).

PESCHE (J.R.), *Dictionnaire topographique, historique et statistique de la Sarthe*, Le Mans-Paris, 6 vol., 1829 (tome II, p. 361 : bœuf gras; pp. 361 et 629 : chapon du Mans, volaille de Loué).

ROBERT DE MASSY (J.), *Des halles et marchés et du commerce des objets de consommation à Londres et à Paris. Rapport à Son Excellence M. le Ministre de l'Agriculture, du Commerce et des Travaux publics*, Paris, 1862 (tome II, pp. 139-142 : bœuf gras).

ROUSSEAU (E.), *Races de pays en Poitou et Vendée*, Parthenay, UPCP, Geste Ed., 1991.

LES
RECETTES
TRADITIONNELLES

RECUEILLIES PAR CÉLINE VENCE

SOUPES

———

SOUPE À LA FÈVE

SOUPE AUX PIOCHONS

POTIRONNÉE

SOUPE AU TAPIOCA

SOUPE AU CONGRE DE LA RADE DU CROISIC

SOUPE DE POISSONS DE L'ÎLE D'YEU

SOUPE À LA FÈVE

Pour 4 personnes
*1 bon kilo de fèves
fraîches,
en gousses bien
pleines
1 petite poignée
d'oseille
6 branches de
cerfeuil
3 branches de
persil plat
50 g de beurre
10 cl de crème
fraîche
pain de campagne
gros sel
sel fin
poivre du moulin*

Soupe vendéenne. Naguère, pour la préparer on recherchait particulièrement les fèves réputées de la région de Saint-Michel-de-l'Herm.

PRÉPARATION ET CUISSON

Prélever les fèves dans les gousses, les mettre dans une casserole, les couvrir d'eau froide, porter à frémissement. Retirer du feu, sortir 3 à 4 fèves à la fois pour les « dérober » (retirer leur seconde peau) ; il faut éviter de les égoutter toutes à la fois car, en refroidissant, leur peau se « recolle » et l'opération s'avère plus difficile. Dans une autre casserole, mettre au fur et à mesure les fèves épluchées. Leur ajouter l'oseille lavée et ciselée (retirer la queue) et le persil haché. Ajouter 1,5 litre d'eau et une grosse pincée de gros sel, porter à petite ébullition pendant 20 minutes.

Passer au moulin à légumes dans la première casserole nettoyée. Remettre sur le feu en ajoutant le beurre et la crème, donner deux à trois bouillons. Rectifier le sel, poivrer.

Pendant ce temps, dans la soupière, couper quelques lamelles de pain de campagne (deux à trois par personne). Verser la soupe dessus, couvrir et tenir au chaud 5 à 7 minutes afin que le pain gonfle en s'imbibant.

PRÉSENTATION

Servir bien chaud.

SOUPE AUX PIOCHONS

Pour 4 personnes
1 kg de piochons
pain de campagne
50 g de beurre
20 cl de crème
fraîche
gros sel
sel fin
poivre du moulin
(facultatif)

En Vendée, les «piochons» sont les têtes de chou vert en bouton, cueillies avant que ce dernier ne s'ouvre. Il s'agit d'une soupe toute simple.

PRÉPARATION ET CUISSON

Enlever les petites feuilles se trouvant sur les tiges des piochons, éplucher celles-ci avec le couteau économe, rafraîchir leur base en coupant un tronçon d'environ 2 centimètres. Laver.

Porter à ébullition dans une grande casserole 2 litres d'eau additionnée d'une petite poignée de gros sel. Y jeter les piochons, les laisser cuire jusqu'à ce qu'ils soient tendres (vérifier en piquant les tiges avec la lame d'un couteau, on ne doit pas rencontrer de résistance). Cela demande entre 20 et 30 minutes selon la grosseur et la tendreté.

Pendant ce temps, couper quelques lamelles de pain (2 à 3 par personne), les beurrer assez bien (utiliser tout le beurre), les mettre dans une soupière.

Lorsque les choux sont cuits, les couper grossièrement avec l'écumoire, ajouter la crème, laisser encore à frémissement 10 minutes. Rectifier le sel. Poivrer (facultatif).

Verser le contenu de la casserole sur le pain, couvrir, laisser au chaud 7 à 8 minutes avant de servir, pour que le pain s'imbibe bien.

Potironnée

Pour 4 personnes
*1 quartier de
potiron d'au moins
1 kg
1 cuill. à soupe de
sucre en poudre
50 cl de lait
20 cl de crème
fraîche
50 g de beurre
sel fin
poivre du moulin
(facultatif)*

Soupe de potiron vendéenne, très onctueuse.

PRÉPARATION ET CUISSON

Enlever les graines du potiron, ainsi que les fibres qui les retiennent, le couper en morceaux, ce qui rendra plus facile le retrait de son écorce. Celle-ci enlevée, couper à nouveau en gros dés.

Mettre les morceaux dans une casserole avec le sucre et 10 centilitres d'eau, couvrir, laisser cuire 10 minutes. Retourner les morceaux et poursuivre leur cuisson sans couvercle, jusqu'à ce qu'ils s'écrasent sous la spatule. Les égoutter dans un chinois fin (la pulpe ne doit pas passer). Dans la casserole, faire couillir le lait. Lui ajouter la crème et le potiron. Bien mélanger, saler, redonner deux à trois bouillons, puis baisser le feu pour laisser réduire à bon frémissement environ 10 minutes.

PRÉSENTATION

Verser en soupière en mêlant le beurre jusqu'à ce qu'il soit fondu. Ne poivrer que si on le désire, c'est une question de goût.

Soupe au tapioca

Pour 4 personnes
*1 l de bouillon
50 à 60 g de
tapioca
(3 cuill. à soupe)
sel fin
poivre du moulin*

La soupe au tapioca est rituelle en région nantaise lorsqu'il reste du bouillon, surtout s'il est de volaille ou de bœuf.

PRÉPARATION ET CUISSON

Porter le bouillon à ébullition. Vérifier son assaisonnement.

283

Y verser en pluie le tapioca, tout en remuant, puis laisser cuire à petit frémissement de 5 à 6 minutes. Goûter pour apprécier la cuisson (éventuellement, la poursuivre de quelques minutes).

PRÉSENTATION

Il est indispensable de servir bien chaud.

SOUPE AU CONGRE DE LA RADE DU CROISIC

Pour 8 personnes
1 tête de congre
1 morceau de congre d'environ 800 g
2 poireaux bien blancs
1 gros oignon
300 g de tomates
100 g de beurre
2 à 3 branches de persil plat
1 gousse d'ail
1 bouquet garni (1 brindille de thym, 1/2 feuille de laurier, 3 pousses de fenouil)
1 petit piment-oiseau
1 clou de girofle
100 g de vermicelle
gros sel
sel fin
poivre du moulin

C'est une soupe qui peut emporter le palais. Il ne faut jamais s'étonner de trouver des épices fortes dans la cuisine des régions des grands ports côtiers atlantiques, un souvenir de l'époque où les grands bateaux y faisaient escale, revenant d'Inde ou du Nouveau Monde. A Nantes en particulier, les épices de toute nature qui étaient débarquées empruntaient ensuite les plates gabares qui remontaient la Loire en direction des châteaux où logeaient rois, Cour et seigneurs.

Le fenouil qui figure dans cette soupe traditionnelle est celui que l'on cueillait jadis sur les talus, où il poussait de façon sauvage. Aujourd'hui on peut utiliser les petites pousses récupérées sur les bulbes de fenouil frais qu'on trouve en saison sur les marchés.

PRÉPARATION ET CUISSON

Laver la tête de poisson, la couper en deux. Nettoyer le morceau de congre, le couper en tronçons. Ne garder que les blancs des poireaux, les émincer. Émincer également l'oignon.

Dans un faitout, sur feu doux, dans la moitié du beurre, faire revenir les blancs de poireau et l'oignon. Lorsque la préparation commence à blondir, ajouter la tomate pelée et égrenée en morceaux, les branches de persil, l'ail écrasé, la tête de poisson et les tronçons. Couvrir, laisser étuver 10 minutes en retournant une fois.

Mouiller avec 2 litres d'eau bouillante. Ajouter encore le bouquet, le piment en y piquant le clou de girofle, et une bonne pincée de gros sel. Couvrir et laisser à petits bouillons environ 45 minutes.

Éliminer le bouquet, le piment et la tête de congre. Sortir les tronçons de poisson, enlever les arêtes et la peau, mettre dans le moulin à légumes et passer au-dessus d'une grande casserole, en ajoutant peu à peu le reste du contenu du faitout. Rectifier le sel, poivrer, porter à nouveau à ébullition.

Lorsque celle-ci se produit, y jeter le vermicelle en pluie, laisser cuire 8 minutes.

PRÉSENTATION

Au moment de servir, ajouter le reste de beurre. Remuer.

SOUPE DE POISSONS DE L'ÎLE D'YEU

Pour 4 personnes
1 tête de congre, avec 1 morceau de chair attenant, d'environ 800 g au total
2 kg de petits poissons divers
1 bouquet garni (1 branche de thym, 1/2 feuille de laurier, 3 branches de persil plat,

Cette soupe comporte toujours une tête de congre tranchée large sur le poisson afin d'avoir un bon morceau de chair attenant.

L'assortiment des autres poissons entrant dans la soupe comporte ce que le pêcheur n'a pas vendu (petites dorades, prêtres, tacauds, petites plies, etc.).

Elle ne comporte par contre jamais de maquereau ni de sardine.

PRÉPARATION ET CUISSON

Nettoyer tous les poissons (l'habitude ancienne était de ne pas les écailler, aujourd'hui on préfère procéder

enfermant 1 gousse
d'ail)
1 gros oignon
2 clous de girofle
600 g de pommes
de terre
1 grosse tomate
ferme
6 à 8 grains de
poivre noir (gris)
4 fines tartines de
pain de campagne
8 cl d'huile,
ou 80 g de beurre
20 cl de crème
fraîche
gros sel
sel fin
poivre du moulin
Cayenne

à cette opération). Les mettre dans un grand faitout, les couvrir d'eau à hauteur. Ajouter une pincée de gros sel (l'eau ne doit pas être trop salée), le bouquet et l'oignon coupé en quatre, clous de girofle piqués.

Porter à ébullition, puis régler le feu pour conserver un léger frémissement pendant 45 minutes (au besoin, remettre en cours de cuisson un peu d'eau chaude, le poisson devant rester couvert).

Introduire alors les pommes de terre et la tomate pelée et égrenée, ces deux légumes devant être coupés en morceaux. Ajouter les grains de poivre. Poursuivre la cuisson à frémissement pendant le même temps, les pommes de terre devant être enfouies dans le liquide. Augmenter alors le feu à vif et, pendant 5 minutes, brasser avec une cuillère en bois. Retirer du feu.

Faire légèrement frire les tartines de pain à la poêle, dans de l'huile ou dans le beurre selon goût (1 demi-cuillerée d'huile ou 10 grammes de beurre par face). Les poser dans la soupière, les couvrir avec la crème. Retirer le bouquet et les quartiers d'oignons du faitout, passer le reste du contenu au chinois, dans la soupière, en foulant légèrement au pilon pour récupérer tous les jus.

Remuer le contenu de la soupière avec la louche (le pain se défait). Rectifier le sel et le poivre, ajouter une pointe de Cayenne.

P R É S E N T A T I O N

Il est de tradition que la soupe reste peu salée, par contre elle doit incendier la gorge. Le feu est éteint avec des gorgées de gros-plant frais.

FRUITS DE MER POISSONS

BROCHET (OU SANDRE) AU BEURRE BLANC

BOUILLETURE DU PONT-DE-CÉ

CIVELLES EN OMELETTE

FRITURE DE LANÇONS

GRENOUILLES DES MARAIS

POISSON BLEU AU RIZ

SAINT-JACQUES À LA NANTAISE

SANDRE (OU ALOSE) FARCI À L'OSEILLE

BROCHET OU SANDRE AU BEURRE BLANC

Pour 8 personnes
1 brochet ou
1 sandre
de 1,700 à 2 kg
2 carottes moyennes
2 oignons moyens
1 bouquet garni
(1 branche de thym,
1/2 feuille de laurier,
2 branches de persil)
1 bouteille de vin
blanc
25 g de gros sel
1 cuill. à café de
poivre concassé

**Pour le beurre
blanc**
100 g d'échalotes
grises
10 cl de vin blanc
très sec
20 cl de vinaigre de
vin blanc
250 g de beurre
sel fin
poivre blanc du
moulin

La recette convient fort bien aussi au sandre, le peuplement de ce dernier en rivière ayant pallié la diminution du nombre de brochets.

Depuis des décennies, les discussions en Pays de Loire sont alimentées par l'origine du beurre blanc, et cela continuera encore, mais pourquoi s'en plaindre puisque en fait cette région bénéficie de deux «beurres blancs», le nantais, non crémé, et l'angevin, avec crème — tous deux réjouissant également le palais. Les Nantais s'appuient sur une anecdote précise pour revendiquer l'origine de la «sauce» au beurre blanc : elle serait une béarnaise ratée (œufs oubliés) préparée par l'aide de Clémence, la cuisinière du marquis de Goulaine, à l'orée du siècle! Tous sont néanmoins d'accord sur la nécessité de préférer l'échalote grise à l'échalote de Jersey.

PRÉPARATION ET CUISSON

Préparer un court-bouillon dans une longue poissonnière : porter à ébullition, pendant 20 minutes, 3 litres, d'eau, auxquels sont ajoutés les carottes et les oignons grossièrement émincés, le bouquet, le vin, le gros sel et le poivre concassé. Le laisser refroidir.

Ne pas écailler le poisson (sa chair restera plus savoureuse). Le vider et laver soigneusement la cavité ventrale. L'introduire dans le court-bouillon froid, remettre sur feu moyen pour amener à ébullition, puis baisser le feu pour maintenir à frémissement pendant 25 à 30 minutes.

En fin de cuisson, confectionner le beurre blanc (cette formule figurant parmi les préparations classiques).
Éplucher les échalotes en retirant toutes les parties dures pour ne conserver que les cœurs tendres (c'est pourquoi, au départ, il en faut la quantité demandée).

Enlever également le germe vert central s'il est formé. Hacher finement ce qui va être utilisé, mettre sur feu très doux dans une casserole avec le vin et le vinaigre, laisser réduire jusqu'à quasi-évaporation du liquide, l'échalote devant être réduite en purée non blondie. Dans une autre grande casserole, porter de l'eau à ébullition pour servir de bain-marie. Dans une troisième casserole assez grande, placée au bain-marie, verser une cuillerée à soupe d'eau bouillante, puis fouetter en incorporant peu à peu le tiers du beurre divisé en noisettes très fermes, puis peu à peu la purée d'échalotes, en la foulant au chinois et toujours peu à peu le reste de beurre en noisettes fermes, sans arrêter de fouetter. Saler et rectifier le poivre.

Important : la température de l'eau du bain-marie est très importante. Non seulement elle ne doit pas bouillir, mais elle doit être descendue à 80 degrés environ et maintenue à ce niveau, car si elle est trop froide le beurre ne montera pas, et si elle est trop chaude le beurre tournera.

P R É S E N T A T I O N

Sortir le poisson du court-bouillon, en retirer la peau en même temps que les écailles, le poser sur un plat long. Présenter le beurre blanc en saucière.
Il est également possible de lever totalement les filets pour la présentation.

BOUILLETURE DE PONT-DE-CÉ

Pour 4 à 6 personnes
1 kg d'anguilles de petite taille

Le Pont-de-Cé se situe en Anjou, sur la Loire, à quelques kilomètres au sud d'Angers, dans un lieu qui était autrefois une halte pour les gabares. Il s'y déroulait chaque année une fête populaire joyeuse, que l'on

200 g de petits oignons blancs
150 g de beurre
200 g de petits champignons de couche
1 citron
1 oignon moyen
20 g de farine
1 cuill. à soupe d'huile
1 bouteille de vin rouge d'Anjou
1 bouquet garni (1 branche de thym, 1 feuille de laurier 2 branches de persil plat)
1 cuill. à café de sucre en poudre
sel fin
poivre du moulin

retrouve dans certains documents sous le nom de «baillée des filles» (on peut se demander s'il n'y a pas dans ce terme une erreur orthographique puisque la fête se déroulait autour de l'élection d'une «reine des pêcheurs d'anguilles», une femme pêcheur, et que dans cette région proche de la mer et vivant du trafic maritime (par les gabares) on n'a pas simplement voulu faire là allusion à l'École navale (la «baille»)...

Au banquet qui marquait cette élection, on mangeait la *bouilleture*, une sorte de matelote d'anguilles. En principe celles-ci devaient être petites.

En remontant la Loire, on trouve d'ailleurs d'autres matelotes de ce genre dénommées *bouilleture* ou *bouilliture*, mais il ne faut pas oublier que les pruneaux n'y entrent que lorsqu'on arrive en Touraine — en Anjou ils ne sont pas de mise.

P R É P A R A T I O N   E T   C U I S S O N

Dans une petite casserole, sur feu très doux, mettre les oignons pelés et 20 g de beurre. Couvrir, laisser dorer 20 minutes en secouant souvent le récipient.

Nettoyer les champignons (s'ils ne sont pas très petits, les couper en deux ou en quatre), les arroser de jus de citron pour qu'ils ne noircissent pas. Les mettre dans une autre casserole avec 50 grammes de beurre; couvrir, laisser étuver 10 minutes en les retournant une fois.

Dans une sauteuse, faire blondir dans 20 grammes de beurre 5 à 6 minutes en remuant l'oignon finement émincé. Poudrer avec la farine, remuer 1 à 2 minutes. Mouiller avec le vin, ajouter le bouquet et le sucre, porter à petite ébullition pendant 20 minutes.

Vider les anguilles (si elles sont petites il n'est pas besoin de les dépouiller, par contre, si elles sont grosses, mieux vaut le faire et retirer la matière grasse qui se trouve en général entre chair et peau). Les laver à l'eau courante, les tronçonner en morceaux de 5 centimètres environ, les saler et les poivrer. Les faire revenir à la poêle, dans 20 grammes de beurre auquel on ajoute l'huile, très rapidement, sur feu moyen en les retournant. Les égoutter en passoire.

Retirer le bouquet de la sauteuse, introduire les anguilles, les laisser à frémissement pendant 8 minutes. Leur ajouter les oignons et les champignons, rectifier l'assaisonnement, poursuivre la cuisson pendant 4 à 5 minutes.
Servir très chaud.

CIVELLES EN OMELETTE

Pour 4 personnes
400 g de civelles
2 cuill. à soupe de vinaigre
4 œufs
50 g de beurre
sel fin
poivre du moulin

Les civelles ne sont pas des larves ou des alevins d'anguille venant de naître comme on le pense parfois, ce sont des petites anguilles qui ont déjà trois ans. Elles arrivent par vagues dans les estuaires des fleuves, principalement atlantiques, au gré des courants depuis des mers lointaines, entre la mi-février et la fin mars, selon les années, au moment des marées montantes. Elles étaient naguère fort nombreuses dans l'estuaire nantais, seul endroit où elles portent leur véritable nom, les autres régions les ayant baptisées *pibales* (Sud-Ouest) ou *anguillas* (Espagne).
On en compte environ deux mille au kilo.

PRÉPARATION ET CUISSON

Laver les civelles à grande eau jusqu'à ce que celle-ci soit claire, en prenant soin de boucher le trou de l'évier pour qu'elles n'y disparaissent pas.
Porter à ébullition 2 litres d'eau additionnée de vinaigre, y plonger les civelles 2 minutes. Les égoutter dans une passoire doublée d'une mousseline — précaution également indispensable pour qu'elles ne passent pas par les trous. Les éponger dans un torchon.
Battre les œufs en omelette avec sel et poivre.
Dans une poêle, faire chauffer le beurre sur feu moyen. Dès qu'il est fondu, y mettre les civelles, les retourner

aussitôt. Au moment où elles deviennent blanches, verser dessus les œufs battus et les faire couler jusqu'au fond du récipient avec une fourchette. Lorsqu'ils sont pris, les faire glisser sur un plat chaud.

FRITURE DE LANÇONS

Pour 4 personnes
(approximativement car la friture se mange sans limites),
1 kg ou plus de lançons
farine
sel fin
quartiers de citrons
pour servir
bain de friture

En langage populaire, on appelle les lançons des *anguilles de sable*, du fait qu'à marée basse ils s'enfouissent dans le sable pour attendre le flux remontant et qu'ils glissent dans les doigts lorsqu'on veut les saisir.

La joie des pêcheurs de grèves est de les «dénicher» avec une faucille émoussée qu'ils «promènent» dans le sable; les poissons délogés sautent alors très haut, et il faut être assez preste pour les attraper «au vol» avec la main et assez habile pour qu'ils y restent. Il s'en pêche beaucoup de cette façon sur la côte Atlantique, de Saint-Jean-de-Monts aux Sables-d'Olonne.

PRÉPARATION ET CUISSON

Si généralement les poissons pour friture sont petits et ne se vident pas, il est préférable de vider les lançons, car ce sont souvent d'assez gros spécimens. Pour ce faire, et pour qu'ils gardent belle allure, il faut éviter d'ouvrir leur cavité ventrale. On procède donc en introduisant la lame d'un petit couteau pointu dans l'anus pour pratiquer une fente d'environ 1 centimètre en remontant vers la tête; il suffit alors de décoller les entrailles, puis de saisir les branchies et de tirer doucement, ce qui entraînera tout. Laver et sécher sur un torchon.

Étaler de la farine sur un plat, y rouler les poissons, les tapoter pour éliminer l'excédent de farine qui les rendrait pâteux.

Faire chauffer le bain de friture, y introduire les poissons par 6 à 8 à la fois (pas plus, sinon ils refroidissent le bain et deviennent mous). Les retourner avec l'araignée à friture ou avec une écumoire lorsqu'ils commencent à remonter en surface, les retirer lorsqu'ils sont dorés, les poser sur papier absorbant, les saler.

PRÉSENTATION

Les proposer de préférence en pyramide sur un plat plat, plutôt que dans un plat creux. Tenir à disposition, à volonté, des quartiers de citrons.

GRENOUILLES DES MARAIS

Pour 4 personnes
36 à 48 cuisses de grenouille
selon leur grosseur
un peu de farine
80 g d'échalotes
2 gousses d'ail
50 g de beurre
20 cl de gros-plant
10 cl de bouillon
de volaille
bien dégraissé
(à défaut de l'eau)
1 petit bouquet
(1 brindille de thym,
3 branches de
persil plat)
2 œufs
20 cl de crème
fraîche
4 autres branches
de persil
sel fin
poivre du moulin

Naguère les grenouilles se pêchaient autant dans le pays de Retz que dans la région nantaise et dans les marais vendéens. Aujourd'hui, bien que moins abondantes, elles sont toujours présentes au printemps sur les tables.

Lorsque les cuisses de grenouilles s'achètent en brochettes, il faut veiller à ce qu'elles aient des reflets légèrement nacrés et à ce qu'elles n'aient pas d'odeur fétide. Avant de les cuisiner, il faut les sortir des brochettes, leur couper l'extrémité des pattes (les doigts) avec des ciseaux, pour qu'elles soient plus présentables dans l'assiette, puis les rincer à l'eau légèrement vinaigrée ou citronnée, et les baigner pendant une heure dans du lait, ce qui les rendra moelleuses.

PRÉPARATION ET CUISSON

Préparer les cuisses de grenouilles comme il est mentionné.
Hacher finement ensemble les échalotes et l'ail, faire fondre 5 minutes dans la moitié du beurre, sur feu très doux, en remuant souvent, les aromates ne devant pas se colorer.

Poudrer avec une grosse pincée de farine, en remuant encore. Mouiller avec le vin et le bouillon. Assaisonner, ajouter le bouquet, porter à petite ébullition pendant 5 minutes.

Sortir les cuisses de grenouille de leur bain de lait, les éponger soigneusement, les frotter de farine pour les sécher. Les introduire dans la sauce. Les laisser cuire à frémissement pendant 8 à 12 minutes selon leur grosseur.

Retirer les cuisses de grenouilles, les maintenir au chaud. Dans un bol, délayer les jaunes des œufs avec la crème, verser en très mince filet dans la sauce de cuisson, en remuant sans cesse jusqu'à épaississement, sans laisser bouillir.

Hors du feu, battre en incorporant le reste de beurre, et rectifier l'assaisonnement. Mêler le persil haché et verser sur les cuisses de grenouille.

POISSON BLEU AU RIZ

Pour 4 personnes
800 g de maquereaux
100 g de beurre
1 gros oignon
20 cl de vin blanc
250 g de riz grain long
sel fin
poivre du moulin

Les poissons bleus sont les maquereaux, ils sont ainsi baptisés sur toute la côte vendéenne et dans ses îles.

PRÉPARATION ET CUISSON

Les maquereaux seront si possible de même taille pour assurer une égalité de cuisson.

Vider, laver les poissons, éliminer les têtes et les nageoires, couper le tout en tronçons d'environ 3 centimètres d'épaisseur.

Dans une sauteuse, sur feu doux, dans 25 grammes de beurre, faire légèrement blondir l'oignon haché. Ajouter les tronçons de poisson, les retourner une fois ou deux (ils doivent être saisis sans être cuits). Mouiller avec 50 centilitres d'eau. Ajouter le vin. Saler et poivrer. Lorsque le court-bouillon arrive à ébullition, y ajouter le riz lavé. Réduire le feu pour ne plus avoir que de petits bouillons. Au bout de 17 minutes, goûter le riz car il se peut qu'avec le gras (beurre et gras du poisson) sa cuisson réclame quelques minutes de plus. Théoriquement, d'ailleurs, les grains doivent avoir absorbé le liquide.

PRÉSENTATION

Sortir les tronçons de maquereau. Rectifier l'assaisonnement du riz, lui mêler le reste de beurre, verser dans un plat creux.
Désarêter le maquereau en essayant de ne pas briser la chair, répartir sur le riz.

SAINT-JACQUES À LA NANTAISE

Pour 4 personnes
8 coquilles saint-jacques
50 g d'oignon
85 g de beurre
1 gousse d'ail
20 cl de muscadet
1 petit bouquet garni
(1 brindille de thym,
2 branches de
persil plat)
mie de pain très
légèrement rassise
4 autres branches
de persil plat
un peu de vinaigre
sel fin
poivre du moulin

C'est une recette de coquilles gratinées. Elle se distingue par la présence des barbes dans la farce, aujourd'hui en général on jette ou qu'on garde pour corser une nage ou un court-bouillon.

PRÉPARATION ET CUISSON

Ouvrir les saint-jacques, détacher les noix en passant dessous la lame d'un petit couteau ; prélever les barbes, les coraux et les noix. Laver à part les barbes qui demandent dans un premier temps à être rincées dans de l'eau vinaigrée, puis de nouveau rincées abondamment. Si les coraux présentent une partie noire, la retirer, les passer sous l'eau rapidement en même temps que les noix. Laisser égoutter les barbes à part, puis les hacher très finement ; enlever le muscle qui cerne les noix. Laver soigneusement les valves creuses des coquilles.
Hacher l'oignon, le faire fondre sur feu très doux, dans

20 grammes de beurre ; lorsqu'il commence à s'affaisser, lui ajouter les barbes et l'ail pilé, bien mélanger, mouiller avec le muscadet. Ajouter le bouquet, laisser mijoter à couvert en maintenant le feu doux pendant 30 minutes.

Lorsque la sauce à l'oignon est prête, hors du feu lui mêler les noix de saint-jacques coupées transversalement en deux ou en trois selon leur grosseur, et les coraux escalopés, puis de la mie de pain émiettée peu à peu, jusqu'à ce que soit absorbé l'excès de liquide, sans pourtant trop épaissir la préparation. Incorporer le persil haché et 50 grammes de beurre en noisettes. Rectifier le sel, poivrer à volonté.

Beurrer l'intérieur des coquilles creuses, y répartir la préparation, parsemer en surface un peu de pain émietté et passer au four sous la voûte allumée, pour gratiner.

S ANDRE (OU ALOSE) FARCI À L'OSEILLE

Pour 1 alose ou
1 sandre
de 1,5 kg
200 g d'échalotes
400 g d'oseille
80 g de beurre
3 œufs
6 branches de
persil plat
2 branches de thym
(frais de préférence)
1/2 feuille de laurier
50 cl de muscadet
ou de gros plant
20 cl de crème
fraîche
sel fin
poivre du moulin

L'alose qui remontait au printemps la Loire jusqu'à l'Anjou était autrefois fort abondante, elle avait été d'ailleurs baptisée le «poisson de mai». Sa recette classique était «farcie à l'oseille», et, comme on avait le choix, on choisissait selon son goût soit une femelle, si on désirait les œufs dans la farce, soit un mâle si on préférait la laitance.

L'alose s'est raréfiée, et c'est le sandre, résultat d'un repeuplement qui a très bien réussi en Loire, qui mérite aujourd'hui cette recette.

PRÉPARATION ET CUISSON

Écailler, vider le poisson par les ouïes pour ne pas ouvrir les flancs. Récupérer rogue ou laitance s'il y en a. Laver le poisson, sans oublier la cavité ventrale. Hacher 50 grammes d'échalotes très finement hachées, les mettre dans une casserole sur feu doux avec 20 grammes de beurre, les faire légèrement blondir pendant 7 à 8 minutes en remuant souvent.

Trier l'oseille en ne conservant que 2 centimètres de tige si elle est tendre, en l'équeutant totalement si elle est ferme. La laver à grande eau, la ciseler sur les échalotes, remuer pendant 2 minutes, juste pour la faire «tomber» et pour évaporer l'eau qu'elle va rendre. Retirer du feu.

Faire durcir les œufs, les écraser à la fourchette, les mêler à l'oseille, en même temps que les œufs du poisson si l'on a une rogue. Saler et poivrer. Introduire cette préparation à l'intérieur du poisson par la gueule, en s'aidant du manche d'une cuillère en bois.

Beurrer un plat à four de la longueur du poisson. Disposer en lit le reste des échalotes finement émincées, le persil haché, les parties feuillues du thym (l'excès de tige étant retiré) et le laurier émietté. Mouiller avec le vin en le versant délicatement. Poser le poisson farci sur un plat, saler, poivrer, parsemer le reste de noisettes de beurre.

Introduire le poisson dans le four à 210° C, laisser cuire 20 à 30 minutes selon son épaisseur, en arrosant deux fois en cours de cuisson avec le jus du plat.

Sortir le poisson du plat. Passer le fond de cuisson au chinois dans une casserole, en foulant légèrement pour récupérer les sucs ; ajouter la crème, laisser épaissir sur feu doux en remuant souvent.

Lever les filets du poisson en éliminant les arêtes. Préparer quatre parts, et sur chacune étaler le quart de la farce.

Si on a la laitance du poisson, la frotter de farine, la blondir à la poêle 2 à 3 minutes dans une petite noix de beurre en la retournant, l'escaloper en biais en quatre morceaux, et en poser un sur chaque part de poisson.

P R É S E N T A T I O N

Napper chaque part du poisson avec un peu de sauce, présenter le reste à part, en saucière.

Viandes

Cul de veau à la montsoreau

Échine de porc ancenienne

Gogue angevine

Gras-double à la crème

Jambonneau à la nantaise

Rillauds angevins

Rillettes de la Sarthe

Rognons de veau à la baugeoise

Rôti de porc aux reinettes

CUL DE VEAU
À LA MONTSOREAU

Pour 8 personnes
1 quasi de veau
250 g de couennes
de porc fraîches
250 g d'oignons
800 g de carottes
1/2 bouteille de vin
blanc
d'Anjou sec
2 cuill. à soupe de
marc
1 bouquet garni
(2 branches de
thym,
1/2 feuille de laurier)
bouillon
de préférence de
veau ou de bœuf
20 cl de crème
fraîche
sel fin
poivre du moulin

«Cul de veau» est le nom angevin du quasi de veau entier, c'est-à-dire du morceau situé entre la longe et le cuisseau, qui correspond, dans le bœuf, à ce que l'on appelait autrefois la «culotte».

Sa cuisson, pour être réussie selon une méthode chère aux Angevins, doit être menée de façon à ce que la pièce soit d'abord rôtie avant d'être mouillée.

À Montsoreau spécialement, la recette se singularise parce qu'on accompagne le cul de veau de cœurs de céleri braisés, ou en saison et cela devient une gloire, de morilles à la crème.

PRÉPARATION ET CUISSON

Le quasi de veau est à commander à l'avance chez le boucher car sa découpe ne correspond plus aux façons de faire modernes.

Garnir le fond d'une grande terrine (ou d'une cocotte, le récipient devant pouvoir aller au four) avec les couennes, côté gras contre le fond du récipient.

Étaler dessus, en couches, les oignons émincés et les carottes en fines rondelles. Poser le morceau de viande. Sans couvrir, introduire dans le four à 210° C, pendant 20 minutes, en retournant à la moitié de cette pré-cuisson.

Sortir la terrine (ou la cocotte) du four, mouiller avec le vin et le marc, ajouter le bouquet ainsi que du bouillon à hauteur. Saler et poivrer en fonction du goût de ce dernier. Couvrir et remettre au four en baissant à 180° C, pour environ 2 heures.

Sortir la préparation du four, sans l'éteindre, retirer la viande, l'envelopper d'une feuille d'aluminium pour qu'elle ne refroidisse pas. Éliminer les couennes. Mêler la crème au fond de cuisson, rectifier l'assaisonnement et remettre la terrine (ou la cocotte) dans le four.

PRÉSENTATION

Prendre un couteau fort bien affûté pour ne pas mettre la viande en charpie, la couper en tranches. Disposer celles-ci sur un plat. Napper avec un peu de fond de cuisson (si possible après avoir décanté l'excès de gras remonté en surface). Présenter le reste de ce fond à part.

ÉCHINE DE PORC ANCENIENNE

Pour 4 personnes
800 g d'échine de porc,
pesée, désossée
150 g de beurre
35 cl de lait
40 cl de crème fraîche
3 feuilles de sauge fraîche
1 kg de pommes de terre moyennes
1 ou 2 poireaux très verts
sel fin
poivre du moulin

La cuisson de la viande dans le mélange lait-crème lui donne beaucoup de moelleux.

L'alliance de la sauce et de l'oignon semble particulière à cette vieille recette, ne se retrouvant guère dans les plats français. En revanche, on le rencontre couramment dans les cuisine anglaise et irlandaise, ce qui explique peut-être son origine, due une nouvelle fois à un échange maritime, encore qu'Ancenis soit situé loin de la mer — mais sur la Loire.

La sauge est une herbe aromatique qui s'accomode mal avec les épices fortes.

PRÉPARATION ET CUISSON

Saisir la viande sur toutes ses faces, sur feu moyen, dans 30 grammes de beurre. Retirer la viande, vider la matière grasse.

Remettre la cocotte sur feu doux, avec 20 grammes de beurre et les oignons finement émincés. Remuer 5 minutes. Remettre la viande, arroser avec le lait, ajouter la moitié de la crème et la sauge ; saler et poivrer légèrement. Couvrir et laisser cuire 30 minutes en retournant à mi-cuisson.

Faire cuire en même temps les pommes de terre à l'eau, avec leur pelure, 25 minutes environ selon leur grosseur.

Éplucher les poireaux, conserver les blancs pour une autre préparation, peser 300 grammes de vert en éliminant les feuilles extérieures les plus dures ; laver, ciseler finement. Jeter le vert de poireau dans de l'eau salée à pleine ébullition, égoutter au bout de 3 minutes. Lorsque les pommes de terre sont pratiquement cuites, mettre sur feu très doux le vert de poireau dans une casserole, avec 10 grammes de beurre, couvrir et laisser étuver 6 à 7 minutes.

Porter à ébullition le reste de crème.

Peler les pommes de terre, les passer au presse-purée ou au moulin à légumes, battre vigoureusement la pulpe en lui incorporant peu à peu la crème chaude, puis le reste de beurre. Saler, poivrer. Mêler les poireaux égouttés.

PRÉSENTATION

Sortir le porc de la cocotte (en principe, on ne consomme pas sa sauce de cuisson). Le couper en huit tranches, les présenter avec la purée.

GOGUE ANGEVINE

Pour 4 personnes
4 tranches de gogue de 1 cm d'épaisseur
2 tranches de foie de porc de la même épaisseur, peau extérieure soigneusement retirée
30 g de panne de porc,
ou 1 noix de beurre
sel fin
poivre du moulin

Si le mot *gogue* a différentes significations selon les régions, en Anjou il correspond à un très gros boudin circonvolutionné, comportant de gros dés de maigre et de gras de porc, beaucoup, de vert de bettes ou d'épinards ainsi que du persil, cuits et finement hachés. La gogue peut se manger froide, et pour la fête de Pâques, associée au foie de porc dans la recette suivante.

PRÉPARATION ET CUISSON

Dans une poêle assez large, sur feu doux, faire fondre la moitié de la panne cassée en petits morceaux. Lorsqu'elle est fondue, rajouter à moyen feu les tranches de foie côte à côte. Les retourner au bout de 1 minute, saler et poivrer, puis baisser le feu pour les cuire à nouveau doucement 2 minutes sur chaque face. Lorsque l'on baisse le feu sous le foie, prendre une autre poêle, très large (car la gogue est de grand diamètre), y faire fondre sur feu doux le reste de panne cassée en morceaux, puis augmenter le feu à moyen et saisir les tranches de gogue 1 minute par face. (*Attention*, les retourner avec une spatule souple très large, sinon elles se brisent.)

P R É S E N T A T I O N

Chauffer les assiettes (larges). Poser sur chacune une tranche de gogue et une demi-tranche de foie (ne pas les arroser de leur graisse de cuisson).
En général, prévoir en accompagnement une purée de pommes de terre bien beurrée.

Variante

Il est fréquent, en Anjou, de servir la gogue ainsi poêlée (mais sans le foie) pour accompagner une omelette ou des œufs au plat.

G R A S - D O U B L E   À   L A   C R È M E

Pour 4 personnes
800 g de gras-double (acheté déjà blanchi et roulé)
400 g d'oignons
40 g de beurre
30 g de saindoux
20 cl de crème fraîche
sel fin
poivre du moulin

Ce plat est une riche préparation de la région de Pornic. Autrefois, la fondue d'oignons se préparait également au saindoux, comme le gras-double.

P R É S E N T A T I O N

Émincer les oignons, les mettre dans une sauteuse, sur feu doux, avec la moitié du beurre et 2 cuillerées à soupe d'eau (ou de bon bouillon). Couvrir, laisser fondre lentement en secouant souvent le récipient. Au bout de 15 minutes, remettre le reste de beurre et 2 cuillerées d'eau ou de bouillon, remuer, poursuivre la cuisson à couvert pendant le même laps de temps et en secouant le récipient. Cette façon de procéder permet d'obtenir des oignons tendres et blonds sans qu'ils brunissent.

Couper le gras-double en tranches de 3 à 4 centimètres, les dérouler, les recouper à la longueur voulue. Les faire revenir dans une poêle dans le saindoux, en remuant sans cesse jusqu'à ce qu'elles commencent à blondir. Les égoutter, les joindre aux oignons.

Ajouter la crème, saler et poivrer, bien mélanger et laisser réduire doucement, en remuant trois à quatre fois, jusqu'à ce que le gras-double soit enrobé d'une sauce nappante.

JAMBONNEAU
À LA NANTAISE

Pour 6 personnes
1 gros jambonneau
arrière demi-sel
1 chou pommé
d'environ 1 kg
36 marrons
1 gros poireau blanc
300 g de carottes
1 gros oignon
2 clous de girofle
1 bouquet garni
(1 branche de thym,
1 feuille de laurier,
1 petite branche de
céleri,
3 branches de
persil plat)
un peu de vinaigre
1 douzaine de grains

Il s'agit d'une ancienne recette de la cuisine de campagne, sorte de potée associant de façon inhabituelle les marrons.

PRÉPARATION ET CUISSON

Faire blanchir le jambonneau : le mettre dans un faitout, le couvrir largement d'eau froide, placer sur feu doux pour amener lentement à frémissement. Lorsque celui-ci se produit, égoutter.

Retirer les feuilles extérieures du chou et le trognon, couper la pomme en six, éliminer encore sur chaque part la grosse côte centrale, laver à l'eau vinaigrée. Mettre les morceaux de chou dans le faitout nettoyé, les couvrir d'eau froide à hauteur, placer sur feu doux, égoutter à la prise d'ébullition.

Enlever l'écorce des marrons, mettre ceux-ci dans une casserole, les couvrir d'eau froide, placer sur feu doux.

de poivre noir ou gris
sel fin
poivre du moulin

Dès que la seconde peau commence à se craqueler, retirer le récipient du feu. Prélever les marrons par 2 à 3 à la fois (pas plus), les débarrasser de cette seconde peau.

Éplucher le poireau, les carottes et l'oignon, piquer ce dernier de clous de girofle.

Dans une marmite, mettre le jambonneau blanchi encore tiède, le couvrir d'eau chaude. Ajouter le poireau, les carottes, l'oignon piqué, le bouquet, les grains de poivre. Laisser cuire à petits bouillons pendant 1 heure.

Au bout de 40 minutes, prélever quelques louches de bouillon de cuisson de la viande, les verser dans une casserole, y introduire les marrons qui doivent être couverts, les cuire à bon frémissement jusqu'à ce qu'ils soient tendres, en évitant qu'ils ne s'effritent.

Lorsque le jambonneau a cuit 1 heure, introduire dans la marmite les morceaux de chou ainsi que les pommes de terre pelées, entières. Rectifier l'assaisonnement, poursuivre la cuisson pendant 30 minutes.

P R É S E N T A T I O N

Sortir le jambonneau, le désosser, le couper en six parts.

Sur un plat large et plat, disposer au centre les morceaux de viande, les entourer des carottes coupées en deux, des marrons égouttés, des morceaux de chou et des pommes de terre.

Présenter en même temps les condiments habituels aux potées ou au pot-au-feu.

Remarque

Le lendemain, on pourra servir le bouillon soigneusement dégraissé, après l'avoir à nouveau porté quelques minutes à ébullition.

RILLAUDS ANGEVINS

Pour 1 kg environ de rillauds

1 kg de poitrine de porc maigre fraîche
25 g de gros sel
300 g de saindoux
2 cuill. à soupe de sucre en poudre

Autrefois, la tradition voulait que les rillauds (à ne pas confondre avec les rillons tourangeaux) soient présentés dressés en pyramide au sommet de laquelle était posé un morceau de queue de porc réservé à l'invité d'honneur.

L'usage semble s'en être perdu.

Leur particularité est qu'ils n'ont pratiquement pas de place dans l'ordonnancement d'un repas. En fait ils sont là pour un casse-croûte matinal, pour un en-cas, et même parfois pour une assiette-repas avec une salade. Le saindoux est indispensable pour les réussir. La graisse d'égouttage finale n'est pas à jeter, elle donne de la saveur à la cuisson des légumes.

PRÉPARATION ET CUISSON

Couper la poitrine en cubes d'environ 30 à 40 grammes en veillant à ce que chaque morceau comporte sa part de couenne. Les mettre dans un plat creux, les parsemer le sel, les laisser macérer 24 heures dans un endroit frais, en les retournant plusieurs fois pour qu'ils «prennent» le sel de la même façon.

Égoutter, éponger chaque cube un à un, les mettre sur feu doux dans une cocotte avec le saindoux. Laisser à frémissement, sans aucun bouillon, pendant 3 heures, en retournant trois à quatre fois.

Égoutter à nouveau, sans oublier de récupérer la graisse (le saindoux s'est enrichi de la fonte de la graisse du lard).

Lorsque l'égouttage est parfait, remettre les rillauds dans la cocotte, poudrer avec le sucre, et, sur feu doux, retourner sans cesse jusqu'à ce que chaque morceau soit caramélisé en surface.

RILLETTES DE LA SARTHE

**Pour 1 kg environ
de rillettes
familiales pur porc**
*250 g de panne de
porc
(graisse de rognon)
1 kg d'échine de
porc
1 bouquet garni
(2 branches de thym,
1 feuille de laurier,
enfermant 2 clous
de girofle)
sel fin
poivre du moulin*

Le mot *rillettes* vient de l'ancien français *rille*, morceau de porc. Aujourd'hui, le produit possède une définition légale : «Produit obtenu par la cuisson, dans sa propre graisse ou dans de la graisse de porc, de viande de porc, ou du mélange de viandes (porc et oie, ou lapin)». Les rillettes de la Sarthe, ou rillettes du Mans, sont pur porc, à longues fibres, et sont de couleur claire.

PRÉPARATION ET CUISSON

Casser la panne en petits morceaux à la main, sans la couper, afin de pouvoir retirer les peaux qui enveloppent les cellules graisseuses. Mettre sur feu doux dans un récipient à fond épais, dans lequel on a d'abord versé 2 centimètres d'eau. Laisser fondre lentement. Couper la viande en bandes de 2 centimètres de large environ, le long des fibres et non transversalement.
Lorsque la panne est fondue, introduire la viande et le bouquet, laisser cuire sans que jamais la graisse ne bouille, pendant 3 à 4 heures, en brassant de temps à autre, et de plus en plus souvent au fur et à mesure que la cuisson s'avance.
Lorsque les fibres de viande commencent à blondir, ôter le bouquet et laisser tiédir.
Avec une petite louche à sauce, prélever au fur et à mesure un peu de la graisse fondue qui surnage à la surface. La mettre dans une casserole.
Saler et poivrer la préparation avant qu'elle ne soit figée, en la mélangeant bien à la cuillère en bois.
Prendre des pots paraffinés, les emplir jusqu'à 1 centimètre du bord. Recouvrir avec la graisse mise de côté (au besoin, la mettre sur feu doux si elle s'est solidifiée). Laisser refroidir avant de placer le couvercle sur les pots. Entreposer au frais.

ROGNONS DE VEAU
À LA BAUGEOISE

Pour 4 personnes
2 beaux rognons de
veau
1 petite cuill. à
soupe de moutarde
blanche forte
50 g d'échalotes
40 g de beurre
10 cl de vin blanc
d'appellation saumur
25 cl de crème
fraîche
200 g de
champignons de
couche
sel fin
poivre du moulin

Baugé est une ville du Nord-Saumurois qui s'est bâtie une réputation culinaire pour sa façon de traiter les abats.

PRÉPARATION ET CUISSON

Les rognons de veau, à commander au tripier, doivent être débarrassés de leur gangue de panne et panés. Dans une sauteuse, sur feu doux, faire fondre un peu de panne de rognon. Couper ceux-ci en dés de 2 centimètres de côté environ. Lorsque le gras est chaud, augmenter le feu à vif, y faire revenir ces dés en les salant et les poivrant, et en les faisant sauter pour les retourner. Dès que des perles de sang apparaissent sur leurs faces coupées, les égoutter dans une passoire. Les mettre ensuite dans un petit saladier chaud, leur ajouter la moutarde, les retourner pour les enrober. Maintenir au chaud.

Dans la sauteuse remise sur feu doux, faire fondre les échalotes hachées dans 15 grammes de beurre. Lorsqu'elles commencent à blondir, ajouter le vin, laisser réduire des deux tiers, ajouter la crème, laisser à nouveau réduire de moitié.

Pendant ce temps
Nettoyer les champignons, les couper en tranches épaisses, les arroser de jus de citron pour qu'elles ne noircissent pas.
Les mettre dans une casserole avec le reste de beurre, couvrir, laisser étuver 5 à 6 minutes en les retournant après 3 minutes.

Poursuivre la recette
Lorsque le contenu de la sauteuse est réduit, lui ajouter les champignons, laisser à découvert 2 à 3 minutes pour faciliter l'évaporation de l'eau des champignons. Introduire les rognons et les retourner pour unifier la

sauce et bien les enrober, pas plus de 1 minute, juste le temps de les réchauffer. En profiter pour rectifier l'assaisonnement.
Servir très chaud.

Rôti de porc aux reinettes

Pour 4 personnes
800 g de carré de porc désossé et ses os grossièrement concassés
25 g de saindoux
1 kg de pommes reinettes
1 citron
100 g de beurre
30 g de sucre en poudre
20 cl de cidre brut
sel fin
poivre du moulin

Les reinettes sont du Mans, la recette est mancelle, elle appartient à la cuisine aigre-douce.

Préparation et cuisson

Préchauffer le four à 210° C.
Graisser un plat à four avec le saindoux, y déposer la viande, la frotter de saindoux en surface, saler et poivrer, disposer les os tout autour.
Introduire dans le four, laisser cuire 40 minutes en retournant viande et os à mi-cuisson.
Peler les pommes, couper chacune en six quartiers, retirer les cœurs durs et les pépins, arroser de jus de citron afin qu'elles ne noircissent pas. Les mettre dans un plat à four grassement beurré, les poudrer de sucre, parsemer encore de quelques noisettes de beurre.
Lorsque la viande est cuite, sortir le plat, introduire les pommes à leur place pour 10 minutes.
Envelopper le morceau de viande d'une feuille d'aluminium, et le laisser reposer jusqu'au moment de le trancher, en le retournant d'un quart de tour toutes les 5 minutes, ce qui va rendre la viande plus juteuse. Éliminer les os, verser le jus dans une petite casserole, lui ajouter le cidre, laisser réduire de moitié.
Lorsque les pommes ont cuit 10 minutes, les retourner afin de les caraméliser également sur l'autre face. Avec un petit couteau, apprécier leur tendreté pour juger du temps encore nécessaire pour terminer

leur cuisson, en sachant qu'elles ne doivent pas s'effondrer.

PRÉSENTATION

Couper le porc en laissant les tranches en place pour pouvoir placer le morceau comme s'il était entier au centre d'un plat long. Disposer les pommes aux deux extrémités.

Ajouter à la sauce un peu de jus de cuisson des pommes, rectifier l'assaisonnement, présenter à part.

VOLAILLES
GIBIERS

CANETON DE CHALLANS
AUX POIS DE CHANTENAY

FRICASSÉE DE POULET À L'ANGEVINE

OISELLE DE SEGRÉ

DERRIÈRE DE LAPIN AU MUSCADET

BARDATTE

LIÈVRE À LA VENDÉENNE

PÂTÉ DE GARENNE VENDÉEN

CANETON DE CHALLANS
AUX POIS DE CHANTENAY

Pour 2 personnes
1 caneton de
Challans
100 g de lard de
poitrine maigre
demi-sel
1 kg de pois en
cosses
1 douzaine de
petits oignons
blancs nouveaux
75 g de beurre
3 branches de
persil plat
3 branches de
sarriette
1 morceau de sucre
sel fin
poivre du moulin

Pendant des siècles les volailles de Challans alimentaient les marchés de Nantes, d'où ils étaient expédiés vers la capitale. Voilà pourquoi, à l'arrivée, on attendait les poulets et canetons «nantais».

PRÉPARATION ET CUISSON

Le caneton doit avoir les filets qui remplissent bien les cavités du dos, la carcasse ne devant pas former une arête.

Mettre le lard dans une casserole, le couvrir d'eau froide, placer sur feu très doux. À frémissement, égoutter et couper en petits lardons.

Écosser les pois pendant ce temps. Peler les oignons. Préchauffer le four à 210° C.

Beurrer un plat allant au four, y poser le caneton, le parsemer de noisettes de beurre, saler et poivrer. Introduire dans le four pour 45 minutes, en arrosant en fin de cuisson avec le jus du plat.

Dans une sauteuse, sur feu doux, verser 15 centilitres d'eau. Ajouter les lardons, les petits pois, les oignons laissés entiers, le persil, la sarriette queues coupées, le reste de beurre et le sucre. Saler légèrement à cause des lardons, poivrer. Couvrir.

Lorsque le caneton est à mi-cuisson, mettre la sauteuse sur feu modéré et laisser cuire 20 à 25 minutes en secouant souvent le récipient pour que les légumes n'attachent pas, et en ayant retiré le couvercle au bout de 15 minutes pour favoriser l'évaporation.

PRÉSENTATION

Sortir le caneton de la sauteuse, le découper en quatre, disposer sur un plat.

Rectifier l'assaisonnement des légumes, enlever le persil et la sarriette, mettre le reste dans un légumier.

Décanter la grasse surnageant à la surface de la sauce

de cuisson du canard, lui ajouter le jus rendu lors du découpage. Verser en saucière.

FRICASSÉE DE POULET À L'ANGEVINE

Pour 4 personnes
1 poulet d'environ 1,5 kg, coupé en 8 morceaux
60 g de beurre
12 petits oignons grelots
20 cl de vin blanc d'Anjou
250 g de petits champignons de couche
1 citron
15 cl de crème fraîche
sel fin
poivre du moulin

On a avec ce plat une alliance de produits typiquement régionaux : la volaille, les champignons de couche, l'anjou blanc et la crème fraîche, tous omniprésents dans la cuisine angevine.

PRÉPARATION ET CUISSON

Dans une sauteuse, sur feu assez vif, dans 20 grammes de beurre, faire dorer les morceaux de poulet sur toutes leurs faces. Les retirer. Jeter la matière grasse, nettoyer la sauteuse.

La remettre sur feu doux avec 20 grammes de beurre, y faire légèrement blondir les oignons pelés entiers, en secouant souvent le récipient. Lorsqu'ils prennent couleur, remettre la volaille et le jus qu'elle a rendu. Arroser avec le vin, saler et poivrer. Couvrir et laisser cuire 30 minutes en retournant à mi-cuisson.

Nettoyer les champignons, les arroser de jus de citron pour qu'ils ne noircissent pas, les mettre dans une casserole avec le reste de beurre. Couvrir pendant 3 minutes, sur feu doux, puis retirer le couvercle et laisser encore 3 minutes en secouant une fois ou deux le récipient.

Dix minutes avant la fin de cuisson de la volaille, lui ajouter la crème et les champignons sans l'eau qu'ils ont rendue, qu'il faut laisser réduire de moitié. Rectifier l'assaisonnement.

PRÉSENTATION

Sortir la volaille, la mettre dans un plat creux ainsi que les champignons prélevés avec l'écumoire.

Verser l'eau des champignons dans la sauteuse, laisser réduire sans faire bouillir jusqu'à léger épaississement. Rectifier l'assaisonnement, verser sur la volaille.

OISELLE DE SEGRÉ

Pour 8 personnes
1 jeune oie à rôtir
(environ 3 kg)
500 g de marrons
100 g d'échalotes
grises
100 g de beurre
20 cl de madère
250 g d'échine de
porc
4 branches de
persil plat
4 feuilles de sauge
1 bouteille de vin
blanc sec
du Saumurois
20 cl de crème
fraîche
1 citron
sel fin
poivre du moulin

La foire aux oies de Segré, dans le nord de Maine-et-Loire, était jadis fort importante. Elle se tenait début décembre, et l'on y trouvait de jeunes oiselles encore tendres que l'on avait l'habitude de farcir.

On les accompagnait d'un ensemble de légumes sautés au beurre : quartiers de fonds d'artichauts, scorsonères (salsifis) cuits d'abord à l'eau, champignons, petits oignons.

PRÉPARATION ET CUISSON

Le madère se trouvait autrefois dans toutes les cuisines pour améliorer les sauces.

Retirer l'écorce des marrons, mettre ceux-ci dans une casserole, les couvrir d'eau, les placer sur feu doux jusqu'à ce que leur seconde peau craquelle. Les prélever par deux à trois à la fois, les éplucher.

Dans une cocotte, sur feu doux, mettre les marrons, le tiers des échalotes hachées et le tiers du beurre, faire revenir 5 à 6 minutes. Ajouter le madère, couvrir, laisser cuire 20 minutes en secouant de temps à autre le récipient (la cuisson ne doit pas être complète).

Hacher ensemble l'échine de porc, le cœur, le foie, le gésier de l'oie, le persil et la sauge. Mêler au contenu de la cocotte. Assaisonner. Introduire le mélange dans l'oiselle pour la farcir.

Dans la cocotte, mettre la moitié du reste de beurre, y faire revenir sur feu moyen la volaille sur toutes ses faces. La retirer, jeter la matière grasse.

Remettre une nouvelle fois la cocotte sur feu doux avec

le reste de beurre. Faire revenir le reste d'échalotes fine-ment émincées 6 à 7 minutes en remuant souvent. Remettre l'oiselle et le jus qu'elle a rendu, arroser avec le vin, saluer et poivrer en tenant compte de la farce. Couvrir, laisser cuire 1 heure en retournant à mi-cuisson. Avec une aiguille à brider, piquer l'oie à l'inté-rieur de la cuisse, à l'endroit où celle-ci se rattache au corps. Si le jus sort rosé, poursuivre la cuisson ; s'il est incolore, la volaille est à point.

Sortir l'oie, l'envelopper de feuille d'aluminium pour qu'elle ne refroidisse pas. Passer le fond de cuisson au chinois fin dans une casserole, en foulant légèrement au pilon.

Ajouter la crème, laisser réduire très doucement sur le feu, le temps de découper l'oiselle.

P R É S E N T A T I O N

Présenter les morceaux d'oie sur un plat avec la farce à part. Mettre la sauce, assaisonnement rectifié, en sau-cière, et accompagner, comme à Segré, avec les légu-mes choisis.

D E R R I È R E   D E   L A P I N
A U   M U S C A D E T

Pour 4 personnes
1 arrière de gros lapin
200 g de lard de poitrine maigre, assez entrelardé
12 échalotes grises assez grosses
1 gousse d'ail
1 carotte moyenne
1 bouquet garni

Naguère, le lapin n'était pas comme aujourd'hui un plat de tous les jours, on n'hésitait pas à le servir le dimanche pour honorer des invités. On ne présentait en général que l'arrière, très souvent rôti, et l'on gar-dait l'avant pour les jours à suivre.

Comme pour l'oiselle de Segré, on retrouve ici la petite pointe de madère, fort à la mode à l'époque dans de nombreux terroirs, pour améliorer les sauces.

(1 branche de
sarriette,
1/2 feuille de laurier,
2 branches de persil
enfermant 1 clou de
girofle)
1/2 bouteille de
muscadet
10 cl de madère
150 g de beurre
sel fin
poivre du moulin

PRÉPARATION ET CUISSON

La veille : couper le lard en petits lardons. Certains étant plus gras que les autres, choisir ceux que l'on veut conserver et les enfoncer dans la chair des cuisses en pratiquant une entaille avec un petit couteau (2 lardons par cuisse).

Poser le lapin dans une terrine à sa taille, au bord assez haut. Ajouter le reste des lardons, les échalotes et l'ail (pelés mais non coupés), la carotte émincée, le bouquet, le vin, le madère et quelques bons tours de moulin à poivre. Retourner une fois ou deux et entreposer au frais pour 24 heures, en prenant soin de retourner encore au moins deux fois.

Le jour même : sortir le lapin de sa marinade, l'éponger. Le mettre dans un plat à four bien beurré ; allumer celui-ci à 210° C.

Tout autour du lapin, disposer les lardons et les échalotes prélevés dans la marinade avec l'écumoire. Parsemer le lapin de noisettes de beurre, introduire dans le four, laisser cuire 15 minutes en arrosant.

Réduire le four à 180° C et poursuivre la cuisson 30 minutes en arrosant encore.

Dès que le lapin est au four, verser dans une casserole la marinade, y compris le bouquet et les carottes, en lui ajoutant 25 grammes de beurre. Couvrir, laisser cuire très doucement pendant 20 minutes. Enlever le bouquet, rectifier l'assaisonnement en poivre, saler, laisser cuire encore 5 minutes à couvert, puis passer au chinois en foulant légèrement, dans une autre casserole. Laisser en attente.

Lorsque le lapin est rôti, le sortir du plat, récupérer les échalotes et les lardons, les laisser également en attente. Verser le jus de cuisson dans la casserole.

Découper le lapin, disposer les morceaux sur un plat chaud, répartir tout autour échalotes et lardons, couvrir, maintenir au chaud.

Remettre la sauce sur feu doux, donner un bouillon, fouetter en incorporant peu à peu le reste de beurre en noisettes fermes.

PRÉSENTATION

Napper les morceaux de lapin d'une petite cuillerée de sauce pour leur donner de la brillance. Présenter la sauce à part, en saucière.

Comme autrefois, accompagner d'un légume de saison.

BARDATTE

Pour 8 personnes
1 beau chou pommé
2 levrauts, leurs abats et leur sang
1 filet de vinaigre
1/2 bouteille de muscadet
2 cuill. à soupe d'eau-de-vie de cidre ou de cognac
300 g de lard gras frais
10 cl de crème fraîche
2 œufs
herbes fraîches en quantité
(persil, cerfeuil, estragon, ciboulette, pour constituer un gros bouquet)
très fines bardes de lard
50 g de beurre
3 l de bouillon
(de préférence de volaille, et dégraissé)
sel fin
poivre du moulin

La bardatte est un plat des fêtes de la moisson, rituel dans le pays nantais. Au temps où l'on fauchait encore à la main le blé, le sarrasin et les autres céréales, la farce était à base de levrauts dénichés au gîte, et le chou était présenté démoulé, entouré d'un cordon de cailles rôties à part. Si un garde-chasse survenait, l'excuse était toute prête : levrauts comme cailles avaient été blessés par la faux.

Aujourd'hui, si on retrouve encore au temps de la chasse, le chou farci avec du levraut, les cailles ont été oubliées.

PRÉPARATION ET CUISSON

Récupérer le sang des levrauts, le battre avec le vinaigre pour éviter la coagulation. Le laisser en attente au réfrigérateur, ainsi que les cœurs, foies/rognons et poumons des gibiers.

Désosser les levrauts, mettre à part les filets et la chair des cuisses escalopée. Entreposer également au réfrigérateur, dans un plat creux, avec 2 cuillerées à soupe de muscadet et l'eau-de-vie de cidre ou le cognac.

Hacher à grille moyenne tout le reste de la chair avec le lard gras et les abats des levrauts. Malaxer en incorporant 1 à 2 cuillerées à soupe de sang (si l'on en met trop, le chou risque d'être trop fort), la marinade des escalopes, la crème, les œufs entiers, le sel, le poivre et toutes les herbes finement hachées ou ciselées.

Éplucher le chou en retirant le trognon, éliminer les feuilles extérieures trop dures, prendre toutes les autres en retirant les grosses côtes centrales. Les laver, les jeter dans un grand faitout dans de l'eau salée en pleine ébullition.

Retirer d'abord presque tout de suite les petites feuilles tendres du cœur, puis, au bout de 3 minutes, les autres feuilles. Les passer toutes sous l'eau froide, les égoutter et les éponger.

Prendre un grand cul de poule (ou grand saladier en forme de demi-sphère), le tapisser avec de la mousseline à beurre, en la laissant largement dépasser, la doubler de bardes de lard en les laissant également dépasser. Prendre les plus grandes feuilles de chou, en couvrir les bardes en faisant se chevaucher les feuilles afin que la farce ne puisse pas s'échapper, les laisser également dépasser. De la même façon, remettre une couche de feuilles de chou en veillant à décaler les endroits où elles se rejoignent.

Étaler une légère couche de farce et quelques escalopes de chair, remettre une couche de chou, une couche de farce et quelques escalopes, et ainsi de suite.

Au centre, mettre le reste de feuilles tendres du chou, hachées et mêlées au reste de farce.

Rabattre sur le contenu du récipient les feuilles de chou qui dépassent, puis les bardes. Ramener la mousseline, la ficeler serré au-dessus du centre de la préparation en laissant pendre deux longs bouts de ficelle.

Dans un grand faitout ou dans une marmite, porter le bouillon à ébullition. Y plonger le chou farci en liant chacun des bouts de ficelle à une anse de la marmite afin qu'il ne touche pas le fond. Au début, appuyer sur le chou avec une spatule pour qu'il ne remonte pas. Laisser cuire à très petits bouillons pendant 2 heures.

P R É S E N T A T I O N

Si le chou est consommé chaud, le laisser 15 minutes dans le bouillon retiré du feu avant de le sortir. S'il doit être consommé froid, le laisser refroidir dans le bouillon.

Dans les deux cas, une fois le chou sorti, bien l'égoutter, enlever la crépine puis les bardes, le retourner sur un plat, le couper en parts comme un gâteau.

Remarque

On trouve des recettes où le chou est laissé entier, blanchi et farci avec la farce glissée entre les feuilles : c'est là un travail plus délicat.
La farce peut être augmentée par l'ajout d'un peu de chair à saucisse.

LIÈVRE À LA VENDÉENNE

Pour 1 lièvre de 2 kg
20 g de saindoux
500 g de carottes
200 g d'oignons
15 échalotes
15 gousses d'ail
1 bouquet garni
(1 branche de thym,
1 feuille de laurier,
1 petite branche de céleri,
3 branches de persil plat enfermant 2 clous de girofle)
2 bouteilles et demie de vin rouge du Poitou
sel fin
poivre du moulin
fines bardes de lard

Le gibier des bocages vendéens est fort apprécié. Le lièvre, cuit lentement au vin rouge, se mange à la cuillère.

48 HEURES À L'AVANCE

Mêler immédiatement le sang du lièvre avec 2 cuillerées à soupe de vin rouge et 1 cuillerée à soupe de vinaigre de vin rouge, en fouettant. Couvrir et entreposer au réfrigérateur.
Laisser reposer le lièvre deux jours (cela est indispensable pour que ses nerfs se détendent), mais ne pas le laisser faisander. Ensuite, le dépouiller, le vider, récupérer le foie (retirer immédiatement le fiel), les rognons et le cœur, les entreposer également au réfrigérateur sous film étirable ou en récipient fermé.
Envelopper le corps du lièvre de barde, le mettre également au froid en attendant de le cuisiner.

PRÉPARATION ET CUISSON

Dans une grande cocotte ovale, sur feu moyen, dans le saindoux, faire revenir le lièvre jusqu'à ce que la barde qui l'enveloppe commence à très légèrement grésiller. Jeter la matière grasse fondue, baisser le feu à doux.

Autour du lièvre, ajouter les carottes et les oignons émincés, les échalotes et les gousses d'ail entières, le bouquet ; arroser avec 2 bouteilles de vin rouge, saler et poivrer légèrement (car la cuisson va réduire). Couvrir hermétiquement, laisser cuire 2 heures.

Hacher ensemble au couteau le foie, le cœur et les rognons du lièvre, les mettre dans un mortier et les piler en « pâte ». Remettre au réfrigérateur.

Lorsque le lièvre a cuit 2 heures, le retirer avec précaution de la cocotte car il risque de se briser en morceaux. Prélever également avec l'écumoire les carottes et les aromates, jeter le bouquet.

Laisser reposer 10 minutes le fond de cuisson pour pouvoir le décanter en retirant le gras remonté en surface avec une petite louche à sauce. Pendant ce temps, retirer les bardes du lièvre qui ne seraient pas fondues. Dans la sauce dégraissée, mêler le hachis d'abats en ajoutant encore 1 demi-bouteille de vin, rectifier l'assaisonnement. Remettre le lièvre dans la cocotte, ainsi que les carottes et les aromates. Couvrir à nouveau hermétiquement et faire cuire à nouveau 2 heures.

Sortir le lièvre avec l'écumoire (il ne peut plus en être autrement), éliminer tous les os, mettre la chair dans un plat creux maintenu au chaud. Dans le fond de cuisson également réduit en purée avec les aromates, verser en mince filet, sur feu très doux, en fouettant, le sang mis de côté, sans amener à ébullition.

Verser la sauce au chinois (pour éviter les risques de petits os), au-dessus de la chair, en foulant au pilon pour récupérer tous les sucs et pulpes.

P R É S E N T A T I O N

Servir chaud avec des petites pommes de terre de Noirmoutier à l'anglaise.

PÂTÉ DE GARENNE VENDÉEN

Pour 8 personnes
2 garennes
500 g de filet de porc
150 g de lard gras
sans couenne
1 pied de veau
blanchi
1 large crépine de
porc
1 grosse gousse d'ail
8 branches de
persil plat
50 cl de vin blanc
sec
2 cuill. à soupe de
cognac
2 œufs
1 grosse carotte
1 gros oignon
1 branche de thym
1 feuille de laurier
1 clou de girofle
un peu de farine
1 cuill. à café de
quatre épices
sel fin
poivre du moulin

C'est là un mets habituel dans le bocage, au temps de la chasse.

PRÉPARATION ET CUISSON

Le pied de veau blanchi est vendu de nos jours par le tripier, désossé et les os à part.

Prélever la chair des garennes en escalopes, la mettre au réfrigérateur, enveloppée d'un fil étirable. Avec un petit couteau pointu, retirer tout ce qui reste de chair sur les os (conserver ceux-ci) et la hacher à grille moyenne avec les foies débarrassés de leur fiel, les cœurs, les rognons, le lard gras, l'ail et 6 branches de persil. Ajouter au hachis 7 centilitres de vin blanc, le cognac, le sel, le poivre et les quatre épices pour obtenir un assaisonnement assez prononcé, celui-ci s'évanouissant toujours légèrement à la cuisson. Bien malaxer en ajoutant encore les œufs entiers. Laisser reposer 1 heure au frais.

Dans une assez grande casserole, mettre le pied de veau et ses os, les os concassés des garennes, la carotte et l'oignon émincés, le thym, le laurier, le clou de girofle, le reste de vin et de l'eau à bonne hauteur. Couvrir, laisser réduire de moitié.

Couper le filet de porc en cubes de 2 centimètres, les plonger dans la casserole, écumer, les laisser cuire 20 minutes à frémissement, les retirer avec l'écumoire, les laisser refroidir. Laisser le contenu de la casserole poursuivre sa cuisson jusqu'à ce que le jus, bien réduit, devienne épais ; le passer alors au chinois dans une autre petite casserole, l'assaisonner et le laisser refroidir, puis retirer le gras figé en surface.

Chemiser (tapisser) une grande terrine à pâté avec la crépine (pour manipuler celle-ci sans la déchirer, on peut la tremper quelques minutes dans de l'eau tiède — pas trop chaude pour ne pas faire fondre les masses graisseuses). Mêler les cubes de filet de porc au hachis.

Emplir la terrine de couches alternées de hachis et de filets de garenne, en commençant et en terminant par du hachis. Rabattre la crépine, couper l'excédent.

Poser le couvercle, le luter (c'est-à-dire le souder au corps du récipient avec une pâte faite de farine malaxée avec de l'eau).

Dans un plat allant au four à bord haut, poser un vieux torchon plié, poser la terrine dessus, verser de l'eau dans le plat jusqu'à mi-hauteur de la terrine. Introduire dans le four à 150 degrés, laisser cuire 2 heures et demie.

Sortir la terrine, casser la croûte de pâte, retirer le couvercle, vider l'excès de gras fondu. Mettre la casserole de gelée sur feu doux pour la reliquéfier légèrement, la verser dans la terrine à la place du gras. Remettre le couvercle, laisser refroidir. Entreposer 24 heures au réfrigérateur avant d'entamer.

Légumes

Artichauts farcis à l'angevine

Chouée vendéenne

Far de jottes

Nouzillards au lait

ARTICHAUTS FARCIS À L'ANGEVINE

Pour 4 personnes
8 jeunes artichauts tendres mais déjà bien formés
250 g d'échine de porc
250 g d'épaule de veau
400 g de champignons de couche
quelques fines bardes de lard
100 g de beurre
1 citron
2 œufs
1/2 bouteille de vin blanc d'Anjou
sel fin
poivre du moulin

La farce des artichauts est aux champignons de couche, la cuisson se fait au vin blanc d'Anjou.

PRÉPARATION ET CUISSON

Casser la queue des artichauts à la main afin d'entraîner les fibres dures implantées dans les fonds. Avec des ciseaux, couper le haut des feuilles à 2 centimètres au-dessus des fonds, retirer une rangée extérieure de feuilles dures. Porter à ébullition de l'eau salée, y plonger les artichauts, les égoutter au bout de 5 minutes, les passer sous l'eau froide pour les raffermir. Enlever soigneusement les foins.

Hacher à grille moyenne le porc et le veau. Hacher au couteau les chapeaux de champignons (conserver les pieds pour un fond de cuisson), les mettre dans une sauteuse sur feu doux avec 20 grammes de beurre et le jus du citron. Remuer 2 à 3 minutes, laisser refroidir. Ajouter au hachis de viande.

Incorporer encore au hachis les œufs entiers, le sel et le poivre. Répartir dans les artichauts.

Dans la sauteuse, mettre le reste de beurre, poser les fonds d'artichauts farcis côte à côte, mouiller avec le vin. Couvrir les artichauts avec de la barde. Mettre un couvercle et laisser ainsi sur feu modéré pendant 1 heure.

PRÉSENTATION

Retirer les bardes, répartir les artichauts sur des assiettes chaudes (deux par personne), faire réduire le jus de cuisson à environ 4 cuillerées à soupe, rectifier son assaisonnement, répartir sur la farce des artichauts.

CHOUÉE VENDÉENNE

Pour 1 kg de choux pointus nouveaux

150 g de lard de poitrine, maigre, demi-sel, pesé sans couenne
3 cuill. à soupe d'huile de noix
200 g de carottes
200 g d'oignons
1 bouquet garni
(1 branche de thym, 1/2 feuille de laurier)
2 gousses d'ail
1 os de jambon pas tout à fait décharné
1 cuill. à soupe de vinaigre
sel fin
poivre du moulin

On trouve parfois en Vendée une préparation de chou au beurre ressemblant fort à l'embeurrée charentaise. Mais la véritable chouée est une préparation de choux pointus nouveaux au lard.

PRÉPARATION ET CUISSON

Porter à ébullition de l'eau salée, y jeter les choux épluchés, les égoutter au bout de 3 minutes.

Faire blanchir le lard dans une casserole d'eau froide mise sur feu doux, jusqu'à frémissement. Le couper en dés.

Dans une cocotte, sur feu doux, verser l'huile de noix, y mettre les dés de lard, les carottes et les oignons finement émincés, faire revenir pendant 7 à 8 minutes en remuant souvent.

Disposer les choux bien égouttés côte à côte, tête-bêche. Ajouter le bouquet, l'ail haché, l'os du jambon, le sel et le poivre. Verser de l'eau à hauteur, couvrir hermétiquement.

Mettre dans le four à 180° C pendant 1 heure et demie.

PRÉSENTATION

Pour servir, retirer l'os en laissant les morceaux de jambon dans la cocotte (au besoin, couper les plus gros morceaux). Porter à ébullition la cuillerée de vinaigre et en arroser les choux.

FAR DE JOTTES

Pour 4 personnes
*1 botte de bettes
bien feuillues
le cœur d'un petit
chou pommé
1 poireau bien blanc
25 g de saindoux
150 g d'oignons
150 g de lard de
poitrine maigre
bien entrelardé,
demi-sel
20 cl de crème
fraîche
2 œufs
sel fin
poivre du moulin*

En Vendée, les *jottes* sont la partie verte des bettes.

PRÉPARATION ET CUISSON

Prélever les parties vertes de la botte de bettes (les côtes seront utilisées pour une autre préparation), enlever la grosse côte centrale. Prélever les feuilles tendres du cœur du chou si celui-ci est entier. Éplucher le poireau pour ne conserver que le blanc, émincer.

Porter de l'eau salée en ébullition, y jeter tous ces légumes, laisser cuire à petits bouillons environ 7 à 8 minutes, égoutter, passer sous l'eau froide pour raffermir et pour raviver les couleurs. Essorer.

Dans un petit poêlon pouvant aller au four, sur feu doux avec une plaque isolante s'il s'agit de gaz, faire fondre le saindoux, ajouter les oignons hachés. Faire blondir pendant 7 à 8 minutes en remuant souvent.

Mettre le lard dans une casserole, le couvrir d'eau froide, placer sur feu doux.

Égoutter à frémissement, hacher, mêler aux oignons, remuer encore pendant 3 à 4 minutes. Incorporer les légumes blanchis, la crème, le sel et le poivre. Laisser mijoter très doucement jusqu'à ce que la préparation soit bien tendre, le lard surtout.

Allumer la voûte du four.

Mêler au contenu du poêlon les œufs battus, faire dorer au four.

NOUZILLARDS AU LAIT

Pour 4 personnes
800 g de châtaignes
1 l de lait
sel fin
poivre du moulin

Nouzillards est le nom angevin des châtaignes. Ainsi préparées au lait, à leur saison, elles assuraient souvent le repas du soir dans les campagnes. Aujourd'hui il ne s'agit plus de s'en nourrir, mais elles sont excellentes. Lorsque le lait était remplacé par du vin blanc et que l'on ajoutait du sucre, on les appelait nouzillards à la bernache.

PRÉPARATION ET CUISSON

Enlever la première écorce des châtaignes, mettre celles-ci dans une casserole, les couvrir d'eau froide. Porter à frémissement et maintenir celui-ci jusqu'à ce que la seconde peau craquelle. Prélever les fruits par deux ou trois à la fois, les débarrasser de cette seconde peau.

Remettre dans la casserole nettoyée, recouvrir d'eau bouillante, saler et poivrer, cuire à frémissement environ 50 minutes à 1 heure selon leur tendreté.

Les égoutter, les répartir dans des bols.

Porter le lait à ébullition, le verser dans les bols, sur les châtaignes.

Servir chaud, chacun à son gré les mange, entières ou écrasées dans le lait.

DESSERTS

CRÉMET

GUILLARET

FOUTIMASSONS

PÂTÉ DE PRUNES

CRÉMET

Pour 4 personnes
*500 g de fromage
blanc non battu
20 cl de crème
fraîche
2 œufs*

C'est une spécialité réputée de la région d'Angers.

PRÉPARATION

Mettre le fromage blanc dans une mousseline à beurre, en lier les quatre coins pour former une sorte de baluchon à suspendre au-dessus de l'évier pendant environ 12 heures, l'égouttage devant être poussé[1].

Le mettre ensuite dans une terrine, lui incorporer peu à peu la crème, à la spatule, en soulevant la masse et, surtout, sans battre[2].

Fouetter en neige les blancs des œufs[3], les incorporer de la même façon délicatement à la préparation, le geste consistant à envelopper les blancs en neige avec le fromage à la crème. Travailler ainsi, toujours sans battre, jusqu'à ce que la préparation soit homogène.

Répartir dans des faisselles[4] placées côte à côte dans un plat creux à fond plat. Entreposer au réfrigérateur.

PRÉSENTATION

Démouler chaque faisselle sur une assiette froide. Proposer à part du sucre, des fruits, voire du sel et du poivre, voire encore des herbes fraîches aromatiques ciselées ou hachées, bien qu'en principe le crémet se déguste tel, nature.

1. Cette opération est à effectuer de préférence la nuit lorsque la température est relativement modérée, où les insectes volants se reposent, et lorsque personne n'a besoin de l'évier.
2. La légèreté de la préparation est impossible à obtenir si l'on achète du fromage blanc battu, ou si on le bat en le travaillant.
3. Les œufs extra-frais donnent une neige beaucoup plus volumineuse et tenant mieux.
4. Les faisselles sont des moules avec des trous prévus pour recevoir le caillé et, permettant un parfait égouttage ; il en est de toutes formes et de toutes tailles.

GUILLARET

Pour 500 g de farine
20 g de levure de boulanger
1 cuill. à café de sel fin
150 g de cassonade blonde
90 g de beurre

Le guillaret est une petite pâtisserie nantaise en pâte levée.

PRÉPARATION ET CUISSON

Préparation du levain
Dans un petit saladier, pétrir 175 grammes de farine avec la levure délayée avec 3 cuillerées à soupe d'eau tiède et une bonne pincée de cassonade. Couvrir le récipient avec un torchon, laisser doubler de volume.

Préparation de la pâte
Dans un saladier plus grand, mélanger le reste de farine avec le sel et le reste de cassonade, creuser en fontaine, incorporer 70 grammes de beurre ramolli, puis le levain, et un peu d'eau pour rendre la pâte malléable. La façonner en boule. Couvrir le récipient avec un torchon humide, laisser reposer au moins 2 heures.

Cuisson
Diviser la pâte en boules de la grosseur d'un petit œuf. À la main, les façonner en carrés, rabattre chaque coin au centre. Poser sur la plaque à pâtisserie légèrement humidifiée. Laisser encore lever 2 heures.
Préchauffer le four à 180° C pendant 10 minutes.
Introduire la plaque, laisser cuire pendant 20 minutes.

FOUTIMASSONS

Pour 250 g de farine
1/2 cuill. à café d'eau de fleurs d'oranger
80 g de beurre

Les foutimassons sont des beignets vendéens à la fleur d'oranger, qui peuvent se garder deux jours, mais ne sont jamais aussi bons que sortis de la friture.

1/3 de cuill. à café
de sel fin
125 g de sucre en
poudre
2 œufs
bain de friture

PRÉPARATION ET CUISSON

Dans une terrine, verser la farine, la creuser en fontaine. Dans le creux, mettre le beurre en noisettes semi fermes. Travailler en lui incorporant peu à peu de la farine, continuer à pétrir en ajoutant, toujours peu à peu, le sel, 50 grammes de sucre, les œufs entiers, l'eau de fleurs d'oranger et la farine. Éventuellement, ajouter un petit peu d'eau pour faciliter le travail de la pâte qui doit avoir à peu près la consistance d'une pâte à tarte. Façonner en boule et laisser reposer au moins 2 heures. Abaisser alors la pâte à 2 millimètres d'épaisseur. Découper l'abaisse selon son gré, généralement en bandes, rien n'empêchant des motifs à l'emporte-pièces.

Faire chauffer le bain de friture, y introduire quelques foutimassons, pas trop à la fois pour ne pas refroidir le bain et pour qu'ils puissent baigner à l'aise. Lorsqu'ils remontent à la surface, les retourner avec l'araignée. Lorsqu'ils sont bien dorés, les retirer, les déposer sur du papier absorbant et les poudrer avec le reste de sucre.

PÂTÉ DE PRUNES

Pour 8 personnes
400 g de pâte
brisée (pâte à tartes)
1 kg de prunes
reines-claudes
quelques gouttes
d'huile
100 g de sucre
semoule
1 œuf
un peu de farine
pour le façonnage

Pâté signifie ici « en pâte ». C'est une pâtisserie angevine qui se préparait autrefois en pâté « pantin », c'est-à-dire non moulé, cuit à même la plaque à pâtisserie. On peut le transformer en tarte.

PRÉPARATION ET CUISSON

Laver les prunes, les essuyer, les dénoyauter.
Préchauffer le four à 210° C. Badigeonner d'huile au pinceau la plaque à pâtisserie.
Diviser la pâte en deux parts inégales, deux tiers et un tiers. Sur un marbre légèrement fariné, abaisser la plus

grosse part en rectangle de 3 millimètres d'épaisseur, la transporter au centre de la plaque huilée.

Poser dessus les prunes en laissant environ 2 centimètres de pâte libre sur tout le pourtour. Poudrer les prunes de sucre. Relever la pâte libre pour maintenir les prunes dans une sorte de cuvette.

Abaisser de la même façon la petite part de pâte, mais sur 2 millimètres d'épaisseur seulement, en rectangle. Poser l'abaisse sur les prunes en la centrant bien. Avec les doigts, souder la pâte du dessous et la pâte du dessus pour former un bourrelet sur tout le pourtour, afin que les prunes ne coulent pas à la cuisson.

Badigeonner toute la surface de la pâte au pinceau avec l'œuf battu. Pratiquer un petit trou sur le dessus de la pâte à 1 centimètre de chacune des extrémités du rectangle, pour permettre l'évacuation de la vapeur pendant la cuisson. Pour que ces trous ne se referment pas, y introduire un petit morceau de carton souple roulé, qui formera cheminée.

Introduire la plaque dans le four chaud, sans attendre pour que les fruits ne détrempent pas la pâte. Laisser cuire 25 minutes.

A la sortie du four, faire glisser le pâté de prunes sur une grille pour qu'il refroidisse sans se ramollir.

Les recettes régionales sont proposées par :

Joseph Drapeau, restaurant Beau Rivage, Les Sables d'Olonne, Vendée

Paul Pauvert, restaurant Les Jardins de la Forge, Champtoceaux, Maine et Loire

LES
RECETTES
RÉGIONALES

RÉINVENTÉES PAR JOSEPH DRAPEAU

ENTRÉES

HUÎTRES CHAUDES À LA PORÉE

MOULES DE BOUCHOT
AU JAMBON ET AU CHOU

ESCARGOTS OU LUMAS À LA CRÈME D'AIL
ET À L'EMBEURRÉE DE BLETTES

MÉDAILLONS ET «COCONS» DE LANGOUSTE
AUX MOUSSERONS DES PRÉS

POÊLÉE DE LANGOUSTINES
AUX HERBES DES JARDINS DE RIEZ

MILLEFEUILLE DE POMMES DE TERRE
DE NOIRMOUTIER ET DE SARDINES SABLAISES

MILLEFEUILLE DE JAMBON
AUX POUSSES D'ÉPINARD
ET AU COULIS D'OIGNON

HUÎTRES CHAUDES À LA PORÉE

Pour 4 personnes
24 huîtres de
Vendée atlantique
n° 2
350 g de porée
(poireau en patois
vendéen)
10 cl de muscadet
2 jaunes d'œuf
250 g de beurre doux
gros sel

PRÉPARATION ET CUISSON

Nettoyer le poireau et le tailler en paysanne[1]. Le cuire à la vapeur 3 à 4 minutes de manière à ce qu'il soit cuit tout en conservant sa couleur ; ne pas l'assaisonner. L'égoutter dans un torchon.

Disposer les huîtres bien à plat sur une plaque. Les faire ouvrir à la vapeur (cela permet de conserver le jus et leur goût naturellement iodé). Sortir la chair, l'égoutter sur un torchon. Récupérer et filtrer le jus. Au besoin, nettoyer le fond creux des coquilles, disposer un lit de poireau au fond. Remettre les huîtres et les recouvrir de l'autre coquille (cela permet de ne pas les dessécher lorsqu'elles seront passées au four). Les dresser sur des assiettes en les calant sur un lit de gros sel. Au dernier moment, les réchauffer à four chaud (180 °C) quelques secondes seulement pour ne pas les surcuire.

La sauce
Faire réduire de moitié 10 cl du jus d'huître avec 10 cl de muscadet. Émulsionner avec 2 jaunes d'œuf. Monter au beurre de façon à obtenir une sauce mousseuse et nappante.

PRÉSENTATION

Lorsque les huîtres sont chaudes, enlever le couvercle, les napper de sauce et servir.

---

1. La paysanne est une taille en petits dés.

MOULES DE BOUCHOT AU JAMBON ET AU CHOU

Pour 4 personnes
1 kg de moules de bouchot
1 chou vert frisé de 800 g
3 gousses d'ail
1 brindille de thym
100 g de jambon de Vendée
150 g de beurre doux
un peu d'huile

PRÉPARATION ET CUISSON

Nettoyer et effeuiller le chou. Enlever les côtes centrales. Émincer finement. Plonger dans l'eau bouillante, dans une grande casserole. Attendre l'ébullition et égoutter aussitôt dans une passoire. Finir la cuisson dans un sautoir avec du beurre (faire attention à maintenir les feuilles croquantes). Ce n'est pas la peine de les assaisonner car, lors du dressage, elles seront nappées de sauce suffisamment salée par le jus des moules. Nettoyer les moules. Peler l'ail et l'émincer. Mettre dans une casserole l'ail et la brindille de thym, ajouter les moules. Faire ouvrir les moules à feu vif à couvert de façon à ce qu'elles éclatent dans leur eau. Prendre soin de bien les remuer. Les retirer du feu dès qu'elles sont ouvertes. Les égoutter et conserver le jus obtenu après l'avoir filtré. Les décortiquer, garder 5 belles moules par personne dans une demi-coquille et les maintenir au chaud au bain-marie dans un peu de leur jus. Si le jambon est épais, le couper en fines tranches et les retailler en carrés de 4×4 cm (il en faut 5 par personne). Au dernier moment, passer ceux-ci dans une poêle antiadhésive légèrement huilée, sur feu moyen, juste «aller et retour».
Chauffer 5 cl de jus de moules. Le monter en beurre en émulsionnant de façon à obtenir une sauce mousseuse.

PRÉSENTATION

Dans des assiettes plates, disposer au centre le chou moulé dans un petit cercle à tarte de 8 cm. Disposer harmonieusement autour les moules décortiquées. Ajouter les moules dans leur demi-coquille. Napper de sauce le chou et les moules. Intercaler le jambon sauté au dernier moment entre les moules en coquille.

ESCARGOTS OU LUMAS À LA CRÈME D'AIL ET À L'EMBEURRÉE DE BLETTES

Pour 4 personnes
300 g de blettes
4 douzaines
d'escargots petits
gris (lumas)
échaudés et
décoquillés
100 g de beurre
doux pour la sauce
+ 50 g
8 grosses gousses
d'ail
100 g de crème
fleurette
25 cl de lait
sel et poivre
persil plat (facultatif)

PRÉPARATION ET CUISSON

Nettoyer et effiler les blettes. Réserver quelques feuilles vertes et les émincer finement. Tailler les côtes en dés. Les faire cuire à l'eau bouillante salée. Égoutter aussitôt. Étuver au beurre sans coloration. Ajouter au dernier moment la julienne de feuilles vertes afin de donner de la couleur.

Faire sauter à feu moyen les escargots dans du beurre. Les assaisonner de sel et de poivre.

Peler l'ail, enlever le germe. Mettre dans une casserole et mouiller à hauteur avec le lait. Le cuire. L'égoutter, ne pas garder le lait. Le mixer aussitôt avec la crème de manière à obtenir un coulis. Au dernier moment, monter au beurre.

PRÉSENTATION

Dans chaque grande assiette, mouler dans un cercle de l'étuvée de blettes au centre de l'assiette ; saucer autour avec de la crème d'ail ; disposer harmonieusement des lumas autour du cercle, enlever ensuite ce dernier.

On peut également décorer avec des feuilles de persil plat.

MÉDAILLONS ET «COCONS» DE LANGOUSTE AUX MOUSSERONS DES PRÉS

Pour 4 personnes
1 langouste de 1,2 kg
4 grandes feuilles
d'épinard
400 g de mousserons
1 grosse échalote
1 gousse d'ail
1 botte de ciboulette
100 g de beurre doux
100 g de crème
fleurette
vinaigre blanc
thym, laurier
sel et poivre

PRÉPARATION

Faire bouillir une grande quantité d'eau salée et vinai-grée. Parfumer avec du thym et du laurier. Plonger la langouste vivante et la cuire pendant environ 20 minutes. Égoutter et refroidir. La décortiquer. Tailler dans la queue 12 médaillons. Avec la chair récupérée dans la tête et les pâtes, confectionner 4 «cocons» :

Laver soigneusement les grandes feuilles d'épinard. Les faire blanchir à la vapeur quelques secondes. Rafraîchir aussitôt afin de conserver couleur et fermeté. Retirer la côte centrale. Les étaler sur des carrés de film alimentaire. Déposer au centre les miettes de langoustes. Replier les feuilles et fermer le film en donnant la forme de «cocons».

La sauce
Nettoyer, laver et sécher les mousserons. Hacher séparément l'échalote, l'ail et la ciboulette. Faire suer l'échalote et l'ail dans un peu de beurre. Ajouter les mousserons et laisser évaporer l'eau de végétation. Lorsqu'ils sont bien secs, monter au beurre et lier à la crème. Porter à ébullition et cuire jusqu'à consistance nappante. Au besoin, rectifier l'assaisonnement. N'ajouter la ciboulette qu'au moment de l'envoi afin de lui garder sa couleur.

PRÉSENTATION

Disposer les médaillons sur une plaque allant au four et napper d'un peu de beurre; faire réchauffer à four chaud.
Faire réchauffer les «cocons» à la vapeur quelques minutes.

Sur chaque grande assiette plate, napper le fond de l'assiette avec la sauce aux mousserons ; disposer au centre le cocon lustré de beurre fondu ; entourer celui-ci de 3 médaillons de langoustes.
Servir.

POÊLÉE DE LANGOUSTINES AUX HERBES DES JARDINS DE RIEZ

Pour 4 personnes
24 grosses langoustines
1 botte d'aneth
1 botte de cerfeuil
1 botte de ciboulette
1 botte d'estragon
1 botte de cresson
2 jaunes d'œuf
25 cl d'huile de pépins de raisins
10 cl de crème fleurette
sel

PRÉPARATION ET CUISSON

Nettoyer les herbes. Les effeuiller et garder quelques belles pluches pour la décoration. Blanchir le reste dans une casserole d'eau bouillante. Les mixer aussitôt de manière à obtenir une purée. Réserver.
Décortiquer les langoustines à cru. Réserver 4 belles têtes et croiser leurs pâtes. A l'envoi, cuire les queues à la poêle dans un peu d'huile chaude.

La sauce
Confectionner une mayonnaise avec les jaunes, le sel et l'huile de pépins de raisins. La détendre avec un peu de crème fleurette. Ajouter la purée d'herbes. Rectifier l'assaisonnement.

PRÉSENTATION

Napper le fond de chaque assiette plate avec la sauce. Disposer une tête de langoustine en haut de l'assiette. Disposer un bouquet d'herbes au centre de l'assiette. Arranger harmonieusement les queues tout autour.

MILLEFEUILLE DE POMMES DE TERRE DE NOIRMOUTIER ET DE SARDINES SABLAISES

Pour 4 personnes

16 sardines
600 g de pommes de terre de Noirmoutier
200 g de beurre doux
ciboulette
fleur de sel de Noirmoutier

PRÉPARATION ET CUISSON

Nettoyer les sardines et retirer la tête. Écailler et vider. Lever les filets. Les essuyer dans un torchon. Assaisonner de fleur de sel. Réserver.

Éplucher les pommes de terre et les émincer finement à la mandoline. Partager les rondelles en douze parts égales. Sur une feuille de papier de cuisson huilée disposer chaque part de rondelles en galette, en les chevauchant légèrement [1], ce qui donne douze galettes. Assaisonner et arroser de beurre fondu. Cuire à four chaud (220° C) jusqu'à obtention d'une coloration blonde.

Monter le reste de beurre avec un peu d'eau. Assaisonner de sel. Mixer pour obtenir une sauce mousseuse. Ajouter au dernier moment la ciboulette hachée.

PRÉSENTATION

Dès que les galettes sont colorées, disposer 4 filets de sardines sur 8 galettes. Passer au four 2 minutes le temps de cuire les sardines.

Napper le fond de chaque assiette plate d'un peu de sauce. Superposer au centre deux galettes garnies de sardines. Poser dessus une troisième galette façonnée en rosace.

1. Il est mieux de prévoir un morceau de papier par galette, cela facilite la manipulation.

MILLEFEUILLE DE JAMBON AUX POUSSES D'ÉPINARD ET AU COULIS D'OIGNON

Pour 4 personnes

4 oignons de 200 g
200 g de pousses
d'épinard
beurre
4 tranches de
jambon de Vendée
(3 mm d'épaisseur)
sel et poivre

PRÉPARATION

Éplucher et émincer les oignons, les faire bouillir 1 à 2 minutes, les égoutter puis les étuver au beurre ; mixer avec un petit peu de beurre et réserver.

Poêler les épinards avec une noix de beurre (ne pas assaisonner). Couper chaque tranche de jambon en 3 rectangles égaux, les cuire légèrement à la poêle.

PRÉSENTATION

Faire chauffer le coulis d'oignon, en verser au fond des assiettes, disposer des couches de jambon intercalées d'un peu de pousses d'épinard.

A déguster chaud.

Poissons

Trois poissons à la vendéenne
beurre rouge

Filets de turbot aux huîtres
et au vin de Brem

Tournedos de thon
aux mogettes mi-sèches

TROIS POISSONS À LA VENDÉENNE BEURRE ROUGE

Pour 4 personnes
Les feuilles d'un chou vert frisé de 800 g
250 g de beurre
2 rougets de 250 g dont on prélèvera les 4 filets
4 morceaux de turbot avec la peau, d'environ 60 à 70 g
4 morceaux de bar avec la peau, d'environ 60 à 70 g

Pour la sauce
4 échalotes hachées
50 cl de vin rouge
10 cl de vinaigre de vin rouge
sel et poivre

PRÉPARATION ET CUISSON

Émincer finement les feuilles de chou débarrassées de leur côte centrale, les faire cuire à la vapeur en veillant à ce qu'elles restent croquantes, leur incorporer la moitié du beurre.

Beurrer un plat allant au four, y ranger les poissons, les assaisonner de sel et de poivre. Mettre une noisette de beurre sur chaque filet, recouvrir d'une feuille d'aluminium et passer 5 minutes au four préchauffé à 210 °C.

Le beurre rouge
Réduire les 4 échalotes hachées avec le vin rouge et le vinaigre de vin rouge, à environ 10 cl. Monter au beurre en noisettes fermes, en fouettant.

PRÉSENTATION

Au centre de chaque assiette, disposer des choux en dôme, verser du beurre rouge tout autour et répartir les poissons sur la sauce.

FILETS DE TURBOT AUX HUÎTRES ET AU VIN DE BREM

Pour 4 personnes
4 parts de filet de turbot de 150 g chacun

PRÉPARATION ET CUISSON

Tailler en fine paysanne (petits dés), les poireaux, les carottes, les champignons et les échalotes. Mettre le tout sur feu doux avec une petite noix de beurre, laisser

12 huîtres
200 g de poireaux
200 g de carottes
100 g de
champignons de
couche
2 échalotes
100 g de beurre
20 cl de vin de Brem
2 cuillerées à soupe
de crème
1 branche de cerfeuil
1 branche d'aneth
sel et poivre
facultatif : un peu
d'huile

étuver 10 minutes à couvert, en secouant souvent le récipient.

Préchauffer le four à 210 °C. Dans une poêle anti-adhésive, sur feu moyen, saisir les parts de turbot sur leurs deux faces, «aller et retour». On peut éventuellement mettre un filet d'huile.

Dans un plat à four, verser les légumes étuvés, poser les morceaux de poisson, saler et poivrer, mouiller avec le vin. Introduire dans le four, laisser cuire 5 à 6 minutes selon l'épaisseur du poisson.

Retirer le poisson du plat, le maintenir au chaud. Verser le fond de cuisson dans une casserole et laisser réduire sur feu doux.

Ouvrir les huîtres, mettre leur chair et leur eau dans une petite casserole, sur feu doux porter à frémissement sans laisser arriver à ébullition.

Une fois le fond de cuisson réduit, lui mêler la crème, rectifier l'assaisonnement, monter avec le reste de beurre.

PRÉSENTATION

Répartir le fond de cuisson crémé dans quatre assiettes, disposer dessus une part de poisson et trois huîtres. Décorer avec quelques pluches de cerfeuil et d'aneth.

TOURNEDOS DE THON AUX MOGETTES MI-SÈCHES

Pour 4 personnes
600 g de filet de
thon blanc
350 g de mogettes
fraîchement écossées
4 gousses d'ail

PRÉPARATION ET CUISSON

Émincer l'ail. Le faire suer dans un peu de beurre sans coloration. Ajouter les mogettes. Recouvrir d'eau. Ajouter le bouquet garni. Cuire à feu doux sans ébullition environ 1 heure et demie à 2 heures (véri-

*150 g de beurre
mi-sel
1 bouquet garni
(thym et persil)
4 fines tranches de
poitrine fumée
4 tomates cerises
sel et poivre*

fier la cuisson). Les égoutter. Les lier au dernier moment avec du beurre. Assaisonner.

Dans le filet de thon, tailler quatre « tournedos » de 2 cm d'épaisseur. Barder avec les tranches de poitrine fumée. Maintenir avec une ficelle. Les assaisonner de sel et de poivre. Les saisir dans une poêle antiadhésive avec un peu d'huile sur les deux faces. Les retirer et terminer leur cuisson au four (prendre soin de ne pas trop les faire cuire car le thon est un poisson à chair sèche).

P R É S E N T A T I O N

Dans de grandes assiettes plates, disposer un lit de mogettes ; retirer la ficelle du tournedos et le poser au centre de l'assiette. Décorer avec la tomate cerise. Servir aussitôt.

Remarque

Facultativement, on peut napper le « tournedos » avec un peu de jus de viande réduit.

VIANDES
VOLAILLES

———— ▬ ————

TOURTE D'AGNEAU DE LAIT
ET PETITS POIS ET CAROTTES
AU BEURRE DE VENDÉE

SUPRÊMES DE POULARDE DE CHALLANS
AUX FILETS DE SOLE

FILETS DE CANARD DE CHALLANS
AUX NAVETS CONFITS AU MIEL

Tourte d'agneau de lait et petits pois et carottes au beurre de Vendée

Pour 8 personnes
1 gigot d'agneau de lait de 1,8 kg
1/4 de foie d'agneau
600 g de feuilletage
3 œufs
3 échalotes
2 gousses d'ail
thym
persil plat
100 g de beurre de Vendée
2 dl de crème
5 cl de cognac
500 g de petits pois écossés
24 petites carottes nouvelles
sel et poivre

PRÉPARATION ET CUISSON

Désosser, parer et dénerver le gigot. Escaloper les deux plus gros lobes de viande, les assaisonner et réserver. Passer le reste de viande et le foie au mixeur avec deux œufs, les échalotes, l'ail, quelques feuilles de thym et un peu de persil haché, la moitié du beurre, la crème et le cognac. Vérifier l'assaisonnement.

Diviser en deux le pâton de feuilletage et abaisser chacun à 3 mm d'épaisseur. Foncer dans un cercle de 24 cm de diamètre posé sur une plaque à pâtisserie couverte d'un papier cuisson.

Montage : étaler une première couche de farce, puis les escalopes d'agneau, puis une deuxième couche de farce et recouvrir de la dernière abaisse. Faire adhérer les bords en pinçant pâte du dessous et du dessus sur tout le pourtour. Dorer la surface avec le dernier œuf battu et creuser une petite cheminée au centre de la tourte.

Cuire à four chaud (180 ° C) pendant 35 à 40 minutes.

Cuire les petits pois quelques minutes à la vapeur et les rafraîchir aussitôt afin de les maintenir croquants. Cuire également les carottes à la vapeur.

Au moment de servir, faire réchauffer les légumes dans du beurre en prenant soin de bien les enrober et en les assaisonnant.

SUPRÊMES DE POULARDE DE CHALLANS AUX FILETS DE SOLE

Pour 4 personnes
4 suprêmes
(appelés encore
filets ou blancs) de
poulardes
1 sole de 500 g
mise en filets, sans
peau
100 g de carottes
100 g de blanc de
poireau
100 g d'oignons
100 g de
champignons de
couche
100 g de beurre
15 cl de vin blanc
des Fiefs vendéens
20 cl de crème
fraîche non maturée
(fleurette)
sel et poivre

PRÉPARATION ET CUISSON

Couper les filets de sole en goujonnettes[1]. Les tenir au frais.

Éplucher, laver, éponger tous les légumes, les tailler en brunoise (dés de 1 à 1,5 cm). Les mettre dans une casserole sur feu doux avec 50 g de beurre, sel et poivre. Laisser suer à couvert, en secouant souvent le récipient pour que les légumes n'attachent pas, environ 15 à 20 minutes.

Pendant ce temps, assaisonner les suprêmes, les saisir dans une noix de beurre, dans une poêle antiadhésive, tout d'abord sur leur côté peau environ 2 minutes, puis sur leur côté chair 1 minute. Les retirer, les poser dans un plat à four légèrement beurré, couvrir d'une feuille d'aluminium, laisser en attente. Allumer le four à 180 °C.

Verser le vin dans la poêle pour déglacer, le laisser 1 minute à petite ébullition, ajouter la crème, laisser réduire doucement à consistance légèrement nappante. Verser sur les légumes.

Introduire les suprêmes dans le four pour terminer leur cuisson, cette façon de procéder leur conservant tout leur moelleux. Les laisser le temps de préparer la sole.

Dans la poêle nettoyée, dans le reste de beurre, sur feu moyen, cuire les goujonnettes de sole assaisonnées, 2 à 3 minutes par face selon leur épaisseur.

1. Le nom de «goujonnettes» a été donné à des lanières de filets de sole taillés en forme de petit goujon (un poisson à la mode). Aujourd'hui on se contente de tailler les filets en biais, en bandes de 2 cm de large environ.

PRÉSENTATION

Prendre de grandes assiettes plates, en napper le fond avec la mirepoix crémée. Disposer au centre, en rosace, les suprêmes émincés. Intercaler les goujonnettes de sole sur le pourtour, entre les émincés de volaille.

FILETS DE CANARD DE CHALLANS AUX NAVETS CONFITS AU MIEL

Pour 4 personnes
2 canards de
Challans d'environ
2 kg chacun
400 g de navets
20 cl de porto
1 cuillerée à café
de miel
120 g de beurre
sel et poivre

Pour la glace de canard
1 cuillerée à soupe
d'huile
50 g d'oignons
50 g de carottes
50 cl de vin blanc
sec (gros plant)
1 gousse d'ail
1 bouquet garni

PRÉPARATION ET CUISSON

La veille
Préparer la glace de canard. Prélever les filets des canards, les mettre de côté. Retirer les cuisses, les garder pour une autre recette. Concasser la carcasse. Dans une grande casserole, dans l'huile, faire revenir l'oignon et la carotte en dés, jusqu'à coloration. Ajouter les os concassés, les faire légèrement roussir. Mouiller avec le vin et de l'eau à bonne hauteur, ajouter la gousse d'ail et le bouquet. Couvrir et laisser sur feu doux jusqu'à réduction à environ 50 cl.

Passer au choinois, éliminer les aromates, fouler les os et les légumes au pilon ; dans une autre casserole pas trop grande, remettre sur feu doux et laisser réduire en surveillant, jusqu'à consistance sirupeuse, sans laisser caraméliser. Entreposer au réfrigérateur.

Le jour-même
Éplucher les navets, les couper en julienne (on peut utiliser la râpe spéciale à grosse julienne), les jeter dans de l'eau salée en ébullition, les égoutter aussitôt, les passer sous l'eau froide pour les raffermir, les envelopper dans un torchon.

Dans une poêle antiadhésive, avec un soupçon d'huile, sur feu doux, poser les filets de canard sur leur côté peau ; laisser 7 minutes.

Pendant ce temps, dans une petite casserole verser le porto et la glace de canard, laisser réduire de moitié.

Mettre la julienne de navets dans une autre casserole avec 20 g de beurre et le miel, couvrir, laisser étuver en retournant toutes les 2 minutes jusqu'à ce qu'ils soient tendres et très légèrement blondis.

Au bout des 7 minutes, retourner les magrets, les assaisonner et les cuire 2 minutes sur le côté chair ; ils doivent rester saignants.

Pour terminer, fouetter la sauce en lui incorporant le reste de beurre en noisettes fermes. Rectifier son assaisonnement.

PRÉSENTATION

Prendre de grandes assiettes plates chaudes, en napper le fond avec la sauce. Placer un petit cercle à tarte au centre, y mettre le quart des navets, enlever le moule. Émincer les filets de canard et les disposer en éventail, sur la sauce. Servir très chaud.

DESSERTS

———

CRÈME BRÛLÉE AU KAMOK

GRANITÉ DE PÊCHES ET DE FRAISES
AU VIN ROUGE DE MAREUIL

CRÊME BRULÉE AU KAMOK

Pour 4 personnes
8 œufs
50 g de sucre
50 cl de crème
fleurette
10 cl de kamok
1 cuill. à café de
café moulu très fin
pur arabica
cassonade

PRÉPARATION ET CUISSON

Battre ensemble les jaunes des œufs et le sucre, jusqu'à ce que la préparation blanchisse. Ajouter la crème et le kamok. Mélanger le café moulu très fin.

Répartir dans des petits plats à œufs ou dans des cassolettes, à four doux (80-90 °C), pendant 45 minutes. Les crèmes doivent être à peine prises de manière qu'elles restent crémeuses. Les laisser refroidir.

Avant de servir, saupoudrer de cassonade et caraméliser, sans laisser brunir, sous la voûte du four allumée.

GRANITÉ DE PÊCHES ET DE FRAISES AU VIN ROUGE DE MAREUIL

Pour 4 personnes
4 pêches blanches
500 g de fraises
1 bouteille de
mareuil
1 jus d'orange
1 jus de citron
120 g de sucre
30 cl de sirop
(150 g de sucre et
150 g d'eau)
4 feuilles de
menthe fraîche

PRÉPARATION

La veille
Peler les pêches, les dénoyauter, les émincer en fines lamelles. Nettoyer les fraises, les émincer. Faire macérer ces fruits dans une demi-bouteille de mareuil, le demi-jus d'orange et de citron et le sucre.

Préparation du granité
Mélanger le sirop, le reste de jus d'orange, de citron et de vin à l'aide d'un petit fouet. Verser dans un plat de préférence long et plat, et mettre au congélateur. Pour obtenir la consistance du granité, il faut mélanger et ratisser avec une fourchette le liquide réfrigéré. Procéder ainsi jusqu'à cristallisation complète de l'ensemble en paillettes légères.

LES
Recettes
RÉGIONALES

Réinventées par Paul Pauvert

SOUPE GLACÉE DE CRUSTACÉS
AUX COQUILLAGES

SALADE DE MOULES À LA CRÈME SAFRANÉE

MOUSSELINE D'ALOSE
ET GRENOUILLES AU MUSCADET

« FEUILLE » DE SANDRE À L'EFFILOCHÉE D'ENDIVES
AU SAUMUR-CHAMPIGNY

SOUPE GLACÉE DE CRUSTACÉS AUX COQUILLAGES

Pour 4 personnes
*1 petit homard
vivant de 500 g
40 langoustines
40 moules de
bouchot
40 coques
40 palourdes
1 kg d'arêtes de
poisson* [1]
*3 oignons
2 poireaux bien
blancs
50 cl de vin blanc
sec (muscadet ou
gros plant)
1 bouquet garni
(queues de persil,
céleri, fenouil,
thym, laurier)
3 badiane (anis
étoilé) de petite
taille
1 branche de basilic
2 branches de persil
1 ou 2 branches de
cerfeuil
sel et poivre*

Il est important que les crustacés et coquillages soient très frais : les langoustines aux pattes et à la tête restant bien attachées au corps — le homard vivant, reclaquant la queue lorsqu'on le soulève — les coquillages bien fermés. De même les arêtes de poisson doivent être sans odeur.

PRÉPARATION ET CUISSON

Commencer par cuire les crustacés. Porter à ébullition dans un grand faitout, de l'eau salée à 20 g de sel par litre, y plonger le homard, au bout de 5 minutes ajouter les langoustines, 5 minutes plus tard, égoutter. Décortiquer tous les crustacés, conserver les carapaces. Dans le faitout rincé, mettre les oignons et les poireaux grossièrement émincés, les arêtes de poisson rincées et concassées, 100 g de carcasse de homard et 100 g de carcasses de langoustines. Couvrir, laisser à sec sur feu doux, environ 10 minutes, en remuant trois ou quatre fois. Mouiller avec le vin, amener à ébullition et laisser réduire pratiquement à sec. Ajouter 50 cl d'eau, le bouquet garni, la badiane et laisser à très petits bouillons pendant 30 minutes, en écumant souvent. Passer au chinois très fin dans une casserole, retirer le bouquet garni et la badiane, fouler légèrement au pilon pour obtenir le maximum de sucs. Assaisonner, laisser refroidir, entreposer au réfrigérateur, ce fond de cuisson devant être glacé.
Laver soigneusement tous les coquillages, les mettre dans une casserole (séparément si possible, on peut procéder l'un après l'autre), couvrir, placer sur feu moyen. Lorsque la vapeur s'échappe, brasser et retirer les coquillages dès qu'ils sont entrouverts.

PRÉSENTATION

Dans le fond des assiettes, disposer la chair du homard en morceaux (cartilages retirés), la chair des langoustines, la chair des coquilles (pour le décor on peut en laisser quelques-uns avec la coquille). Parsemer le basilic finement ciselé, le persil haché et quelques pluches de cerfeuil. Couvrir avec la soupe glacée.

1. Prendre de préférence des arêtes de turbot qui faciliteront la gélification, des arêtes de sole ou/et de rougets pour leur saveur. Le poissonnier en dispose lorsqu'il met les poissons en filets.

SALADE DE MOULES À LA CRÈME SAFRANÉE

Pour 4 personnes
2 kg de moules
1 oignon
50 cl de muscadet
1/2 bulbe de fenouil
1 branche de céleri
1/2 poivron rouge
un peu de safran
50 cl de crème fleurette
1 cuill. de petites câpres
1 à 2 branches de cerfeuil
sel et poivre

PRÉPARATION ET CUISSON

Faire ouvrir les moules sur feu moyen avec le muscadet et l'oignon émincé finement, puis décortiquer les moules. Tamiser soigneusement l'eau rendue.
Éplucher le fenouil et le céleri. Équeuter le poivron, l'égrener. Couper le tout en petites rondelles ou en petits dés.
Faire réduire la cuisson de moules avec un peu de safran et la crème fleurette, rectifier l'assaisonnement. Laisser refroidir.

PRÉSENTATION

Napper le fond des assiettes de cette sauce, puis parsemer le céleri branche, le fenouil, le poivron et quelques câpres. Disposer les moules en couronne et terminer avec quelques pluches de cerfeuil. Servir très glacé.

MOUSSELINE D'ALOSE ET GRENOUILLES AU MUSCADET

Pour 4 personnes
250 g de filet d'alose
24 cuisses de grenouilles
1 œuf
1 blanc d'œuf
25 cl de crème fleurette
200 g de carottes
200 g de brocoli
200 g de pommes de terre
75 g de beurre
1 branche de basilic
sel et poivre

Sauce
3 échalotes
25 g de beurre
1 bouteille de muscadet
25 cl de fumet de poisson
25 cl de crème fleurette
sel, poivre

PRÉPARATION ET CUISSON

La mousse
Bien supprimer toutes les petites arêtes des filets d'alose. Passer ceux-ci à deux reprises dans la machine à hacher. Déposer le hachis dans un saladier et le mettre sur glace. Incorporer l'œuf et le blanc d'œuf. Ajouter la crème fleurette, assaisonner et mixer convenablement le tout. Mettre au frais.

La sauce
Hacher finement les échalotes. Dans une sauteuse, les faire dorer en douceur dans un peu de beurre à feu moyen.
Quand elles sont bien ramollies, les mouiller avec le muscadet, et, à feu moyen, faire réduire de moitié. Ajouter le fumet de poisson, la crème fleurette, et faire réduire de nouveau de moitié à petit feu. Assaisonner de sel et de poivre. Passer la sauce au chinois étamine et la tenir au chaud.

Les garnitures
Pendant la cuisson de la sauce, faire cuire séparément les carottes et les brocoli à grande eau bouillante salée. Bien les égoutter et les passer séparément au mixeur. Verser chaque mousseline dans une casserole, ajouter du beurre, sel et poivre, et laisser se dessécher et s'épaissir à petit feu.
Émincer les pommes de terre en fines lamelles, les faire sauter et dorer à la poêle dans un peu de beurre.
Répartir la mousse d'alose dans 4 petits moules à savarin individuels beurrés. Les déposer dans un plat à four, verser de l'eau à hauteur des moules et les mettre à cuire au four à température moyenne pendant 10 minutes.

Désosser les cuisses de grenouille [1], saler, poivrer, les faire rapidement poêler dans un peu de beurre à feu vif. Les lier ensuite avec une à deux cuillerées de sauce et du basilic finement ciselé.

PRÉSENTATION

Démouler les petites mousses et les disposer au centre des assiettes. Remplir le creux de cuisses de grenouille.

Disposer sur le haut de l'assiette de la mousseline de carottes coiffée d'une couronne de pommes de terre. Mettre à côté la mousseline de brocoli.

Terminer en répartissant le reste de sauce sur le fond libre de l'assiette et servir bien chaud.

1. Il est conseillé, au moment de confectionner la recette, de mettre les cuisses de grenouilles dans du lait, puis lorsqu'on les désosse, de frotter leur chair d'un peu de farine avant de les cuire au beurre.

« FEUILLE » DE SANDRE À L'EFFILOCHÉE D'ENDIVES AU SAUMUR-CHAMPIGNY

Pour 4 personnes
1 sandre de Loire de 1 kg, mis en filets (4 portions)
1 bouteille de saumur-champigny
4 belles endives
55 g de sucre en poudre
5 cl de vinaigre de vin rouge
50 g de beurre

PRÉPARATION ET CUISSON

Aplatir à la batte chaque part de sandre pour l'amincir en « feuille » (si l'on n'est pas équipé, le poissonnier peut se charger de ce travail). Entreposer au frais.

Dans une casserole, mettre 50 g de sucre, sur feu doux, dès qu'il fond et prend une couleur blonde, ajouter le vinaigre en remuant bien la casserole.

Dès que l'odeur de vinaigre disparaît, ajouter le vin, laisser réduire aux deux-tiers.

Pendant la réduction de la sauce, tailler les endives bien essuyées en bâtonnets. Dans une sauteuse, sur feu

1 bonne cuillerée à café de fécule de pommes de terre
1 à 2 branches de cerfeuil
sel et poivre

doux, porter le beurre à couleur noisette, y mettre les endives, retourner 2 à 3 minutes pour bien les enrober. Saler, poivrer et parsemer le reste de sucre, retourner encore de temps à autre jusqu'à ce que les endives soient légèrement caramélisées.

Préchauffer le four à 210 °C. Prendre des assiettes ne craignant pas d'aller au four. Dans chacune, disposer au centre un petit tas d'endives, l'aplatir un peu. Poser dessus une « feuille » de sandre. Introduire dans le four pour 2 à 3 minutes, juste le temps de lier la sauce. Pour cela, délayer la fécule dans une tasse avec 2 à 3 cuillerées de la sauce, reverser en filet dans la sauce sans cesser de remuer jusqu'à léger épaississement. Ajuster l'assaisonnement.

PRÉSENTATION

Sortir les assiettes du four [1], verser la sauce autour des endives, parsemer de pluches de cerfeuil.

1. Si le four n'est pas assez grand pour contenir toutes les assiettes à la fois, il faut procéder en plusieurs fournées, ce qui n'a pas d'importance puisque cette cuisson finale est courte. Attention les assiettes sont très chaudes.

GUIDE
DES ADRESSES

AROMATES ET CONDIMENTS

Organismes professionnels

APROSELA, Espace Athanor,
avenue de Bretagne,
44350 Guérande.

Producteurs

Échalote

Coopérative Fleuron d'Anjou,
M. J. Bréchet,
31, route de Sorges,
49130 Les Ponts-de-Cé,
tél. : 41 96 66 60.

Huile de noix

Huilerie Lorieux,
M. Lorieux,
49390 Vernoil,
tél. : 41 51 51 26.

Salicorne

Ets Bourdic SA,
BP 22, 44740 Batz-sur-Mer,
tél. : 40 23 97 08.

Sel marin

Ets Bourdic SA,
M. G. Bourdic,
44740 Batz-sur-Mer,
tél. : 40 23 97 08.

Coopérative des producteurs
de sel,
11, rue de l'Écluse,
85330 Noirmoutier,
tél. : 51 39 08 30.

Groupement des producteurs de
sel de Guérande,
BP 50, 44350 Pradel,
tél. : 40 62 01 25.

Compagnie des Salins du Midi,
2, avenue Saint-Exupéry,
44860 Saint-Aignan-de-
Grand-Lieu,
tél. : 40 05 19 96.

BOISSONS ET SPIRITUEUX

Organismes professionnels

ANIEC,
123, rue Saint-Lazare,
75008 Paris.

APPC du Maine,
chambre d'agriculture,
19, rue de l'Ancien-Évêché,
53000 Laval.

BNICE,
31, rue Saint-Ouen,
14000 Caen.

INAO,
centre régional,
6, rue Fresnel,
14000 Caen.

Parc naturel régional
Normandie-Maine,
Maison du Parc,
61320 Carrouges.

Syndicat national des fabricants
de liqueurs,
8, rue de l'Isly,
75008 Paris,
tél. : 45 22 29 84.

Syndicat des négociants en Brandy,
1, cours du 30-Juillet,
33000 Bordeaux.

Producteurs

Cidre, Poiré

Cidrerie Volcler,
53100 Mayenne,

Cidrerie Guillet,
44530 Guenrouet.

M. Le Royer,
53110 Melleray-la-Vallée.

M. Rouland,
53240 Andouille.

M. et Mme Viel,
53400 Craon.

Eaux-de-vie de cidre (poiré)

M. Le Royer,
53110 Melleray-la-Vallée.

M. Rouland,
53240 Andouille.

Cointreau, Guignolet

Cointreau SA,
ZI Saint Barthélemy
Croix Blanche,
bd des Bretonnières,
BP 79,
49181 Saint-Barthélemy-d'Anjou
Cedex,
tél. : 41 43 25 21.

Eau-de-vie des Coteaux de la Loire

Sté Seguin,
10, bd Saint-Rémy,

BP 17,
44270 Machecoul,
tél. : 40 31 40 50.

Guignolet, Menthe-Pastille, Liqueur de cassis d'Anjou

Distillerie Giffard,
avenue de la Violette,
49241 Avrillé Cedex,
tél. : 41 34 52 33.

Kamok

Sté Vrignaud Fils,
1, place Richelieu,
85400 Luçon,
tél. : 51 56 11 48.

BOULANGERIE-VIENNOISERIE

Producteurs

Échaudé

M. Maligorne,
rue Principale,
85320 Mareuil-sur-Lay.

Contacts

M. Hongrois,
ethnologue,
La Jausinière,
85190 Venansault.

Fouace nantaise

La majorité des artisans boulangers-pâtissiers de la région nantaise.

Gâche vendéenne

Les boulangers-pâtissiers situés dans la zone comprise entre Saint-Gilles-Croix-de-Vie et La Tranche-sur-Mer.

Tourton

Les boulangers des communes de Blain, Treillières, La Chapelle-sur-Erdre, Suce-sur-Erdre, La Baule, Nozay.

Brioche vendéenne

L'ensemble des boulangers-pâtissiers vendéens et les brio-cheries industrielles.

Brioche fermière : M. Préault, ferme de la Bobinerie, 85110 Sigournais.

Fouée d'Anjou

Les caves de Marson, 49400 Marson, tél. : 41 50 50 05.

Les caves de la Genevraie, 49730 Louresse-Rochemenier, tél. : 41 59 34 22.

Le clos des Roches, 49320 Grezille, tél. : 41 45 59 36.

La cave aux Mornes Preban, 49430 Chemehulte, Trèves Cunault.

PÂTISSERIE-CONFISERIE

Producteurs

Berlingot nantais

Bonté Confiserie, 40, rue du Pré-Gauchet, 44000 Nantes, tél. : 40 47 12 05.

Générale Nantaise de Confiserie, Les Bonbons Pinson, 20, rue Cornulier, 44000 Nantes, tél. : 40 47 93 28.

Croquant de l'Anjou

Biscuiterie Roland Réauté, Mme Réauté, route du Châtelain, 53290 Bierne, tél. : 43 70 63 04.

Françoise de Foix

Merlet, pâtissier-chocolatier, 6, rue A.-Briand, 44110 Châteaubriant.

Petit Mouzillon

SARL Biscuiterie Le Petit Mouzillon, 14, rue Saint-Michel, 44330 Le Pallet, tél. : 40 80 42 87.

Gouter Fourré BN, Casse-croûte

Biscuiterie Nantaise BN, Mme Morice, 44040 Nantes Cedex, tél. : 40 47 10 22.

Sablé de Retz
Biscuits Saint-Michel Grellier
S.A.,
44730 Saint-Michel-Chef-Chef.

Galette de Saint-Guénolé
Biscuiterie de Saint-Guénolé,
M. Jadeau,
50, rue du Croisic,
44470 Batz-sur-Mer,
tél. : 40 23 90 01.

Véritable petit beurre LU,
Beurré nantais, Paille d'or,
Usine LU,
Mme Montrabrie,
La Batardière,
44690 La Haye-Fouassière,
tél. : 40 80 24 00.

Galette de Doué-la-Fontaine
L'ensemble des artisans
boulangers-pâtissiers de Doué-
la-Fontaine.

Galette Saint-Michel
Biscuits Saint-Michel,
Grellier SA,
44730 Saint-Michel-Chef-Chef.

Gâteau minute
Les nombreux artisans
boulangers et pâtissiers du sud
du département de la Vendée.

Paté de prunes d'Angers
Toutes les boulangeries et
pâtisseries de la région
d'Angers.

Rigolette nantaise
Confiserie Gourmandine,
18, rue de Verdun,
44000 Nantes,
tél. : 40 48 00 39.

Fion
Les boulangers-pâtissiers de
Poiré-sur-Vie et d'Aizenay.

Gâteau Nantais
Chez quelques boulangers-
pâtissiers nantais.

Sablé de Sablé
Tous les artisans boulangers-
pâtissiers de Sablé, dans la
Sarthe.

Merice
Les pâtissiers de l'île d'Yeu.

Tarte aux pruneaux de l'île
d'Yeu
Pâtisserie artisanale Maryse
Mousnier,
31, rue du Puit-Mulet,
85350 île d'Yeu.
Les boulangeries-pâtisseries de
l'île d'Yeu.

Quernon d'ardoise
La petite Marquise,
M. Berrue,
22, rue des Lices,
49000 Angers,
tél. : 41 87 43 01.

Contact

Foutimasson

M. Peltier, cuisinier,
8, place du Champ-de-Foire,
85300 Challans,
tél. : 51 93 36 65.

CHARCUTERIE

Organismes professionnels

Chambre professionnelle des artisans
charcutiers-traiteurs de Nantes et de la Loire-Atlantique,
6, rue de l'Emery,
44000 Nantes,
tél. : 40 47 46 45.

Syndicat des charcutiers de Vendée,
Maison de l'artisanat,
35, rue Sarah-Bernhardt,
85000 La Roche-sur-Yon.

Syndicat de la charcuterie de la Sarthe,
bd Pierre-Lafaucheux,
72000 Le Mans,
tél. : 43 84 57 49.

Syndicat de la charcuterie de Maine-et-Loire,
bd Doyenné,
49000 Angers,
tél. : 41 34 89 82.

Producteurs

Pâté de casse, Saucisse au Muscadet, Lard nantais

M. Adam,
8, rue des Perrines,
44300 Nantes,
tél. : 40 49 48 50.

Fressure, Grillon vendéen

M. Perraudeau,
place du Marché,
85170 Saint-Denis-la-Chavasse,
tél. : 51 41 31 00.

Jambon de Vendée

Les salaisonniers et quelques charcutiers de Vendée.

Rillettes

Tous les charcutiers et salaisonniers de la Sarthe.

Contacts

Gogue

M. Biteau,
44370 Varades.

M. Leclair,
44370 Belligné.

Jambon de Vendée, Rillettes

M. Rousse,
Chambre des métiers de la Sarthe,
72250 Parigné-l'Évêque.

FARINE ET SEMOULE

Organismes professionnels
(tapioca, perle Japon)

Alliance 7,
194, rue de Rivoli,
75001 Paris.

Producteurs

Semoule de millet

Sté Trimil,
85190 Aizenay.

Farine de sarrazin

M. et Mme Chauvel,
La Métairie,
44460 Fégréac,
tél. : 40 91 22 49.

Tapioca, Perle Japon

Tipiak,
Nantes Atlantique/D2A,
BP 5,
44860 Pont-Saint-Martin,
tél. : 40 32 11 11.

Contacts

Semoule de millet

Office municipal d'action
culturelle d'Aizenay (OMAC),
mairie,
85190 Aizenay.

M. Christian Hongrois,
ethnologue,
La Jaussinière,
85190 Venansault.

FRUITS ET LÉGUMES

Organismes professionnels

AFCOFEL,
4 bis, rue de Cléry,
75002 Paris,
tél. : 44 82 30 00.

Centre départemental de
développement légumier,
M. Lemaire,
1, rue Fardeau,
49400 Saumur,
tél. : 41 51 20 74.

Centre technique d'arboriculture
fruitière du Maine,
22, rue du Maréchal Foch,
72200 La Flèche.

CTIFL,
22 rue Bergère,
75009 Paris.

Comité départemental de
développement légumier
(CDDL) de la Chambre
d'Agriculture du Maine et Loire,
1, rue Fardeau
49400 Saumur.
tél. : 41 51 20 74.

Comité départemental du
développement maraîcher,
22, bd Bénoni, Goullin
44062 Nantes Cedex.

Coopérative Agricole
des Producteurs
de pommes de terre
12, rue de Frelette
85330 Noirmoutier-en-L'île
tél. : 51 39 13 17.

INRA,
Station d'amélioration des
plantes,
rue, G. Morel,
49070 Beaucouzé.

Station d'études et
d'expérimentation fruitières
Nord Loire,

La Morinière,
37800 Saint-Epain.

Station d'expérimentation sur
les cultures légumières (CTIFL),
allée Sapins, 44 Carquefou,
tél. : 40 50 81 65.

Interprofession des légumes secs
de Vendée,
maison de l'agriculture,
bd Réaumur,
85013 La Roche-sur-Yon

Producteurs

Asperge

CAFPAS
36, rue Albert-Pottier,
49650 Allonnes,
tél. : 41 52 84 88.

Coopérative Fleuron d'Anjou,
31, route de Sorges,
49130 Les Ponts-de-Cé,
tél. : 41 96 66 60.

Carotte nantaise

Le Val Nantais,
40, bd Gustave-Roch,
44200 Nantes,
tél. : 40 99 41 14.

Groupement des producteurs
maraîchers nantais,
bât. administratif MIN de Nantes,
58, bd Gustave-Roch,
44061 Nantes Cedex 02,
tél. : 40 47 70 99.

Champignon de couche

Royal Champignon,
«Chantemerle» Bagneux,

49416 Saumur,
tél. : 41 50 21 08.

Champi-Jandou,
45, av. Grésillé,
BP 455,
49000 Angers,
tél. : 41 72 43 21.

Mâche nantaise

Le Val Nantais,
40, bd Gustave-Roch,
44200 Nantes,
tél. : 41 96 66 60.

Groupement des producteurs
maraîchers nantais,
bât. administratif MIN de
Nantes,
58, bd Gustave-Roch,
44061 Nantes Cedex 02,
tél. : 40 47 70 99.

Melon

Coopérative Fleuron d'Anjou,
31, route de Sorges,
49130 Les Ponts-de-Cé,
tél. : 41 96 66 60.

Pomme de terre de Noirmoutier

Coopérative agricole des producteurs de pommes de terre,
12, rue de Frelette,
85330 Noirmoutier-en-l'Ile,
tél. : 51 39 13 17.

Pomme tapée

Troglo'tap,
M. Lubin,
Val Halin,
49730 Turquant.

Mâche nantaise

Val Nantais,
40, bd Gustave-Roch,
44200 Nantes.

Les maraîchers nantais,
GPMM
58, bd Gustave-Roch,
44061 Nantes Cedex.

Autres structures

Mogette de Vendée

Association de promotion de la
mogette de Vendée,
Mairie,
85170 Le Poiré-sur-Vie.

Doyenné du comice

CEAFL du Val de Loire,
M. Guérin,
14, Av. Joxé, BP 646,
49006 Angers Cedex 01,
tél. : 41 96 75 00.

Interprofession des légumes secs
de Vendée
Maison de l'agriculture
Bd Réaumur
85013 La Roche-sur-Yon

PRODUITS LAITIERS

Organismes professionnels

Syndicat des laiteries de
Charente-Poitou,
44, rue Jean-Jaurès,
17700 Surgères.

Producteurs

Caillebotte, Crémet, Beurre salé

Ets Beillevaire,
M. Beillevaire,
52, rte de Bouin,
44270 Machecoul,
tél. : 40 02 33 98.

Port-Salut

Sté anonyme des fermiers
réunis (SAFR),
53260 Entrammes.

Beurre AOC, beurre salé

Laiterie de Belleville-sur-Vie,
Groupe Eurial,
3, rue Rainière,
Parc-Club du Perray,
BP 538,
44077 Nantes Cedex 03,
tél. : 40 68 18 18.

Beurre salé

Laiterie de Tourneuve,
44700 Orvault,
tél. 40 77 81 18.

Crémet d'Anjou

Fromage Passion,
33, rue Saint-Laud,
49100 Angers,
tél. : 41 88 64 34.

Fromage du Curé

SARL Le Curé Nantais,
Rue du Port-Chéri,
44210 Le Clion-sur-mer,
tél. : 40 82 28 08.

Trappe de Laval
Abbaye de la Coudre,
Rue Saint-Benoît,
BP 537,
53005 Laval Cedex,
tél. : 43 02 85 85.

PRODUITS DE LA MER

Organismes professionnels

Huîtres de Vendée Atlantique
Mairie,
Sous-section Vendée atlantique,
85230 Bouin,
tél. : 51 68 78 14.

Association Vendée atlantique,
85680 La Guérinière,
BP 7,
tél. : 51 39 81 65.

Thon blanc Germon, sardine
Union des producteurs des
industries alimentaires,
44, rue d'Alésia,
75014 Paris.

Coque, moule
Syndicats des parqueurs du
Croisic,
zone conchylicole,
44490 Le Croisic.

Producteurs

Thon, sardine
Entreprise Saupiquet,
85800 Saint-Gilles-Croix-de-Vie,
tél. : 51 55 11 02.

Entreprise Gendreau,
84, route des Sables,
Z.I.
85800 Saint-Gilles-Croix-de-Vie,
tél. : 51 55 49 88.

Sole sablaise
Socosama,
(coopérative de marayage)
rue P.-Bert,
85 Les Sables-d'Olonne.

Huîtres de Vendée Atlantique
Gaec de l'île Bergère,
Ets Bertrand,
Port des Brochets,
85230 Bouin,
tél. : 51 68 74 32.

Coque du croisic, moule de bouchot
GEI Bonnel-Quérel,
zone conchylicole,
44490 Le Croisic.

PRODUITS DES EAUX CONTINENTALES

Organismes professionnels

Association départementale des
pêcheurs professionnels maritimes
et fluviaux en Loire-Atlantique,
La Croix,
44320 Saint-Viaud.

Comité interprofessionnel des
poissons migrateurs et des
estuaires (CIPE),
La Croix,
44320 Saint-Viaud.

Producteurs

Alose, civelle, lamproie

M. Vilaine,
La Croix,
44320 Saint-Viaud.

Anguille, Sandre et Brochet

Sté coopérative des pêcheurs de
Passay,
44118 La Chevrolière.

VIANDES ET VOLAILLES

Organismes professionnels

Association nationale du
pigeonneau,
confédération française de
l'aviculture,
28, rue du Rocher,
75008 Paris.

ITAVI, service pigeon,
BP 121,
26001 Valence Cedex.

Syndicat de défense des
volailles fermières de Loué
(SYVOL),
82, av. Rubillard,
72000 le Mans,
tél. : 43 28 35 36.

Sypravic,
allée de la Jariette,
BP 285,
85305 Challans,
tél. : 51 93 02 54.

Bœuf à l'herbe du Maine

Cité administrative,
53200 Evron.

Producteurs

Bœuf gras du Maine

M. Foucault,
E.A.R.L. La Chouannerie,
53200 Ampoigné.

Pigeonneau

Le Pigeonneau Craonnais,
53400 Craon.

M. David,
LFA, Champfleury,
49370 Le Louroux-Beconnais,
tél. : 41 77 40 17.

*Le Poulet noir fermier, Chapon,
Canard de Challans*

Sypravic,
allée de la Jariette,
BP 285,
85305 Challans,
tél. : 51 93 02 54.

BIBLIOGRAPHIE GÉNÉRALE

ANGOT (A.), « La corporation des boulangers à Laval », in *Bulletin de la commission historique et archéologique de la Mayenne*, 2ᵉ série, tome XII, 1896.

ARDOUIN-DUMAZET *Voyage en France*, Berger-Levrault, Paris, Nancy, 2ᵉ série : «Anjou, Bas-Maine, Nantes», etc. 1894 ; 16ᵉ série, «De Vendée en Beauce», 1898 ; 23ᵉ série, «Plaine Comtoise», 1894 ; 56ᵉ série «Touraine et Anjou», 1910.

BABIN D., CASTELNAUD G., *La pêche professionnelle fluviale et lacustre. Enquête au fil de l'eau*. Études du CEMAGREF, série Ressources en eau, n° 5, 1992.

CAVOLEAU (J.-A.), *Annuaire statistique du département de la Vendée. Pour l'an XII (1803 et 1804)*, Fontenay-le-Comte, s.d., et Ibid édit. augmentée par A.D. 1844 : Fontenay-le-Comte (s.d.).

CAVOLEAU (J.-A.), *Description générale de la Vendée*, Fontenay-le-Comte, (1818 ; 1844).

Collectif, Profession pêcheur. La tradition au bénéfice de l'avenir, Actes des Premières assises nationales des pêcheurs professionnels, Bayonne, CETEM, IFREMER, INRA, 1991.

COUEDIC (P.), *Tableau géographique de la puissance industrielle, commerciale, agricole civile et militaire de la nation française, par départements, districts et cantons*. Paris, 1791 (tome I).

DENOUEIX M., *Patrimoine gastronomique en Pays de Loire*, Kerdoré, Rives Reines, 1992.

Dictionnaire du commerce, sous la direction de M. Guillaumin, Guillaumin, Paris, 2 vol., tome 1, 1839, tome 2, 1841.

EUDEL (Paul), *La gastronomie à Nantes*, Nantes, 1908 (p. 2 à 14).

GIRARD S., DE MEURVILLE E., *L'Atlas de la France gourmande*, Paris, J.-P. de Monza, 1990.

Guide Una de l'automobiliste, la France, l'Union nationale automobile, 17, rue du Faubourg-Montmartre, Paris, 5ᵉ édition. 1931.

HUET, *Recherches économiques et statistiques sur le département de la Loire-Inférieure, An XII (1804)*.

LITTRÉ (*Émile*), *Dictionnaire de la langue française*, 4 vol., Hachette, Paris, 1883 (1re éd. 1863-1872).

LE GRAND D'AUSSY, *Histoire de la vie privée des françois*, Paris, Laurent-Beaupré, 3 vol., 1815 (1re édition 1782) (tome 1, pp. 58 à 347) ; tome 2, pp. 136 à 138 ; tome 3, pp. 80 à 404.

LE MÉNAGIER DE PARIS, Éd. Pichon, réédition Morcrette, Luzarches (1re éd. Paris, 1846), texte du XIVe siècle (tome 2) ; éd. G.E. Brereton et J.-M. Ferrier, Oxford, 1981 (p. 194).

MILLET (P.-A.), *État actuel de l'agriculture dans le département de Maine-et-Loire*, Angers, 1856.

PEUCHET (J.) et CHANLAIRE (P.-G.), *Description topographique et statistique de la France*, Paris, 1811, n° 30, Département de la Loire-Inférieure, n° 34 : département de la Sarte ; n° 37 : département de la Vendée.

SERRES (Olivier De), *Le théâtre d'agriculture*, Huzard, Paris, 2 vol., 1804-1805 (1re édition, 1600).

Thrésor de santé, Hugueton, Lyon, 1607.

VERRIER-ONILLON (A.-J.), *Glossaire étymologique et historique des patois et des parlers de l'Anjou*, 2 vol., Angers, 1908.

TABLE
DES PRODUITS

TABLE
DES RECETTES TRADITIONNELLES

RECUEILLIES PAR CÉLINE VENCE

SOUPES

FRUITS DE MER, POISSONS

VIANDES

VOLAILLES, GIBIERS

LÉGUMES

DESSERTS

TABLE
DES RECETTES RÉGIONALES

RÉINVENTÉES PAR JOSEPH DRAPEAU

RÉINVENTÉES PAR PAUL PAUVERT

REMERCIEMENTS

Aux membres du Conseil national des Arts Culinaires :
Alexandre Lazareff, Brigitte Simon, et, en particulier,
à la Commission de l'inventaire présidée par Alain Weill.

*À la Direction générale de l'alimentation du ministère de l'Agriculture
et de la Pêche* dirigée par Jean-François Guthmann, et en particulier à
Marx Barbier.

Aux personnalités qui ont participé au comité de pilotage national :
Jacques Adda (INRA), Catherine Arminjon (Monuments Historiques), Alain
Berger (INAO), Jacques Bombal (Roquefort), Amédée Chomel (Carrefour),
Pierre Cormorèche (APCA), Philippe Houzé (Monoprix), Gilbert Jolivet
(INRA), Jean Moulias (SOPEXA), André Parcé (producteur de Banyuls), Joël
Robuchon, Roland Violot (SIAL).

Aux personnalités qui ont participé au comité de pilotage régional :
Mme F. Landais, MM. Etienne, A. Guichard, J.M. Guillemot, G. Ryngel,
J.-J. Viguié.

Aux experts, et en particulier à :
Mme L. Brun, coordonnatrice,
MM. J.-R. Barret (Comité du développement maraîcher, Nantes), Brechet
(Coop. Pont-de-Céaise), J. Chauchard (Comité du développement légumier,
Saumur), R. Cornu (CNRS, Nantes), Douet (président de la Chambre des
charcutiers, Loire-Atlantique), D. Gandolfo (Cointreau, SA Paris), B. et
J. Giffard (Angers), V. Guérin (Comité économique des fruits et légumes,
Angers), Le Bohec et Pelletier (CTIFL, Carquefou), J.-Y. Péron (Professeur
ENITH, Angers), J.-N. Plagès (CERES), M. Perraudeau (président du Syndicat
de la charcuterie de Vendée), P. Vaugarny (Syndicat de défense des
volailles fermières de Loué).

*À la Médiathèque de Nantes, la Bibliothèque du musée des Arts et tra-
ditions populaires (Paris), la Bibliothèque de l'Académie de médecine
(Paris).*

Composition : Charente-Photogravure à l'Isle-d'Espagnac
Impression et reliure : Imprimerie Pollina à Luçon

Achevé d'imprimer en septembre 1993
N° d'édition : 13129
N° d'impression : 63797
Dépôt légal : septembre 1993